NIVEAU B2

SICHER!

DEUTSCH ALS FREMDSPRACHE
ARBEITSBUCH
LEKTION 1–12

Michaela Perlmann-Balme
Susanne Schwalb
Magdalena Matussek

Hueber Verlag

Verweise und Piktogramme im Arbeitsbuch

Dieses Symbol verweist auf einen Hörtext auf der eingelegten Arbeitsbuch-CD, hier auf Track 6.

zu Hören, S. 19, Ü3

Solch ein Hinweis verweist auf die dazugehörige Übung/Aufgabe im Kursbuch,
hier auf die Seite Hören, Seite 19, Übung 3.

ÜBUNG 4

Dieses Symbol verweist auf wiederholende oder vertiefende interaktive Übungen im Internet unter www.hueber.de/sicher/lernen.
Die Übungen decken die Kategorien Wortschatz, Grammatik und Kommunikation ab.

Unter www.hueber.de/sicher/lernen finden Sie die Lösungen zu den Übungen im Arbeitsbuch.

Interaktive Übungen:
Christine Schlotter, Nürnberg

5. 4. 3. | Die letzten Ziffern
2022 21 20 19 18 | bezeichnen Zahl und Jahr des Druckes.
Alle Drucke dieser Auflage können, da unverändert,
nebeneinander benutzt werden.
1. Auflage

Redaktion: Juliane Wolpert; Karin Ritter; Isabel Krämer-Kienle, Hueber Verlag, München
Umschlaggestaltung, Layout und Satz: Sieveking · Agentur für Kommunikation, München
Zeichnungen: Jörg Saupe, Düsseldorf
Druck und Bindung: Kessler Druck + Medien GmbH & Co. KG, Bobingen
Printed in Germany
ISBN 978–3–19–011207–4

Art. 530_14894_001_03

INHALT ARBEITSBUCH

LEKTION 1 FREUNDE		SEITE AB 9–AB 24
WIEDERHOLUNG WORTSCHATZ	1 Kreuzworträtsel	AB 9
WORTSCHATZ	2 Wörter gesucht	AB 9
LESEN	3 Ein Gedicht	AB 10
HÖREN	4 Radiointerviews zum Thema Freundschaft	AB 10
WIEDERHOLUNG GRAMMATIK	5 Streit unter Freundinnen	AB 11
GRAMMATIK ENTDECKEN	6 Zweiteilige Konnektoren	AB 12
GRAMMATIK	7 Die Zwillingsschwestern	AB 12
GRAMMATIK	8 Rund um die Freundschaft!	AB 13
KOMMUNIKATION	9 Bedeutungen erklären	AB 13
WORTSCHATZ	10 Vernetzte Welt	AB 14
GRAMMATIK	11 Daten und Projekte	AB 14
GRAMMATIK ENTDECKEN	12 Angaben und Ergänzungen im Mittelfeld	AB 14
GRAMMATIK	13 Eine Studie	AB 15
FILMTIPP/LESEN	14 Friendship!	AB 15
KOMMUNIKATION	15 Brief an die Redaktion	AB 16
WORTSCHATZ	16 Rund um die Liebe	AB 17
LESEN	17 Freundschaften und Liebe	AB 17
GRAMMATIK	18 Nachsilben bei Nomen	AB 19
SCHREIBEN	19 Freunde charakterisieren	AB 19
HÖREN	20 Richtig präsentieren	AB 20
LESEN	21 Besondere Anlässe	AB 20
LESEN	22 Zufall	AB 21
MEIN DOSSIER	23 Mein Freundschaftskalender	AB 21
AUSSPRACHE	Die Vokale *e – ä*	AB 22
LERNWORTSCHATZ		AB 23
LEKTIONSTEST 1		AB 24

LEKTION 2 IN DER FIRMA		SEITE AB 25–AB 42
WIEDERHOLUNG WORTSCHATZ	1 Welt der Arbeit	AB 25
	2 Zuständigkeiten	AB 25
WORTSCHATZ	3 Rund um den Beruf	AB 25
KOMMUNIKATION	4 Wir stellen Mitarbeiter vor	AB 26
WORTSCHATZ	5 Wer macht eigentlich was?	AB 26
WORTSCHATZ	6 Unterschiedliche Charaktere	AB 26
HÖREN	7 Eine junge Modefirma	AB 27
WIEDERHOLUNG GRAMMATIK	8 Fair Fashion	AB 27
GRAMMATIK ENTDECKEN	9 Zustandspassiv	AB 27
GRAMMATIK	10 Bitte beachten!	AB 28
GRAMMATIK	11 In der Kaffeepause	AB 28
LESEN	12 Kurze Pausen richtig nutzen	AB 29
GRAMMATIK ENTDECKEN	13 *von* oder *durch* in Passivsätzen	AB 30
GRAMMATIK	14 Mut zur Pause!	AB 30
GRAMMATIK	15 Neue Arbeitswelt	AB 30
WORTSCHATZ	16 Berufliche Aktivitäten	AB 31
HÖREN	17 Neue kreative Berufe	AB 31
GRAMMATIK ENTDECKEN	18 Wortbildung: Vorsilben bei Nomen	AB 32
GRAMMATIK	19 Arbeitsgespräche	AB 32
GRAMMATIK ENTDECKEN	20 Kausale Zusammenhänge	AB 33
GRAMMATIK ENTDECKEN	21 *Vor* oder *aus?*	AB 33
GRAMMATIK	22 Bewusst oder unbewusst?	AB 33
GRAMMATIK	23 Der lange Weg zur Arbeit	AB 34
KOMMUNIKATION	24 Wie kann man die Zeit im Zug Zug gut nutzen?	AB 34
SCHREIBEN	25 So ist das in Deutschland ...	AB 35
LANDESKUNDE/ LESEN	26 Ihr gutes Recht	AB 35
WIEDERHOLUNG GRAMMATIK	27 Fehler vermeiden	AB 36
GRAMMATIK ENTDECKEN	28 Partizip I und Partizip II als Adjektive	AB 37
GRAMMATIK	29 Im Büro	AB 37
GRAMMATIK	30 Dr. Winter rät	AB 38
KOMMUNIKATION	31 Urlaubsplanung	AB 38
FILMTIPP/LESEN	32 Speed – auf der Suche nach der verlorenen Zeit	AB 39
MEIN DOSSIER	33 Berufserfahrung	AB 39
AUSSPRACHE	Die Diphthonge *ei – au – eu/äu*	AB 40
LERNWORTSCHATZ		AB 41
LEKTIONSTEST 2		AB 42

INHALT ARBEITSBUCH

LEKTION 3 MEDIEN — SEITE AB 43–AB 58

WIEDERHOLUNG WORTSCHATZ	1	Digitale Medien	AB 43
HÖREN	2	Medienkonsum	AB 43
WORTSCHATZ	3	Was Kunden an „Buch & Bohne" schätzen	AB 44
KOMMUNIKATION	4	Das richtige Geschenk	AB 44
SCHREIBEN	5	E-Mail korrigieren	AB 45
WORTSCHATZ	6	Medien und mehr	AB 45
WIEDERHOLUNG GRAMMATIK	7	Leseverhalten von Jugendlichen	AB 46
GRAMMATIK ENTDECKEN	8	Verweiswörter im Text	AB 46
GRAMMATIK	9	Alte und neue Medien	AB 47
WORTSCHATZ	10	Film, Buch & Co	AB 48
GRAMMATIK	11	Auf der Berlinale	AB 48
LANDESKUNDE/ LESEN	12	Deutsch-türkische Filmemacherinnen	AB 49
SCHREIBEN	13	Filme empfehlen	AB 50
GRAMMATIK	14	Service-Telefon	AB 50
GRAMMATIK ENTDECKEN	15	*dass*-Sätze oder Infinitiv + *zu*	AB 51
GRAMMATIK ENTDECKEN	16	*dass*-Sätze oder Infinitivsätze als Ergänzung	AB 52
GRAMMATIK	17	Urlaub	AB 52
LANDESKUNDE/ HÖREN	18	„Public Viewing"	AB 53
KOMMUNIKATION	19	Nachrichten analysieren	AB 54
LESEN	20	Kokowääh	AB 55
MEIN DOSSIER	21	Mein deutschsprachiger Lieblingsfilm	AB 55
AUSSPRACHE		Die Konsonanten *l* – *r*	AB 56
LERNWORTSCHATZ			AB 57
LEKTIONSTEST 3			AB 58

LEKTION 4 NACH DER SCHULE — SEITE AB 59–AB 74

WIEDERHOLUNG WORTSCHATZ	1	Die Schule ist zu Ende	AB 59
WORTSCHATZ	2	Möglichkeiten nach der Schule	AB 59
HÖREN	3	Zwei Erfahrungsberichte	AB 59
FILMTIPP/LESEN	4	Beste Zeit	AB 60
WIEDERHOLUNG GRAMMATIK	5	Jeder hat seine eigenen Pläne	AB 61
GRAMMATIK ENTDECKEN	6	Temporales ausdrücken: *als, während, solange*	AB 61
GRAMMATIK ENTDECKEN	7	Temporales ausdrücken: Zeitenfolge	AB 62
GRAMMATIK	8	Ein spannendes Abenteuer	AB 62
GRAMMATIK	9	Vorher oder nachher?	AB 63
GRAMMATIK ENTDECKEN	10	Temporale Zusammenhänge: verbal oder nominal	AB 63
GRAMMATIK	11	Am anderen Ende der Welt	AB 64
GRAMMATIK	12	Lillys Job in den Alpen	AB 64
WORTSCHATZ	13	Eine Infosendung	AB 64
SCHREIBEN	14	„Work & Travel" mit „TravelWorks"	AB 65
WORTSCHATZ	15	Das Leonardo da Vinci-Projekt	AB 66
KOMMUNIKATION	16	Unsere Zeit in Volterra	AB 67
LESEN	17	Berufsmessen	AB 68
WIEDERHOLUNG GRAMMATIK	18	Wünsche und Vorlieben	AB 68
KOMMUNIKATION	19	Auf der Berufsorientierungsmesse	AB 69
GRAMMATIK	20	Auf welche „-weise"?	AB 70
WORTSCHATZ	21	Auf der Theaterakademie	AB 70
LANDESKUNDE/ WORTSCHATZ	22	Auf der Homepage eines Stadttheaters	AB 70
MEIN DOSSIER	23	Eine wichtige Zeit	AB 71
AUSSPRACHE		Die Konsonanten *p – t – k, b – d – g*	AB 72
LERNWORTSCHATZ			AB 73
LEKTIONSTEST 4			AB 74

INHALT ARBEITSBUCH

LEKTION 5 KÖRPERBEWUSSTSEIN		SEITE AB 75–AB 90
WIEDERHOLUNG WORTSCHATZ	1 Rund ums Aussehen	AB 75
KOMMUNIKATION	2 Models wie du und ich	AB 75
WORTSCHATZ	3 Was bedeutet das eigentlich genau?	AB 76
KOMMUNIKATION	4 *Liebe Laura!*	AB 76
LANDESKUNDE	5 Voll im Trend!	AB 77
GRAMMATIK ENTDECKEN	6 Das Verb *lassen*	AB 77
GRAMMATIK	7 Model-Bilanz	AB 78
GRAMMATIK	8 Typ-Veränderung: Vorher – Nachher	AB 78
SCHREIBEN	9 Schönheitsideale international	AB 79
WIEDERHOLUNG GRAMMATIK	10 Männliche Models	AB 79
GRAMMATIK ENTDECKEN	11 Futur II – Vermutungen	AB 80
GRAMMATIK	12 Wie wird man Statist beim Film?	AB 80
GRAMMATIK	13 Andys Karriere	AB 81
WORTSCHATZ	14 Angebote der Schönheitsbranche	AB 81
KOMMUNIKATION	15 Ratschläge	AB 82
WORTSCHATZ	16 Sprichwörter, Redewendungen	AB 83
WORTSCHATZ	17 Wie kann man das verbessern?	AB 83
GRAMMATIK ENTDECKEN	18 Verbverbindungen	AB 84
GRAMMATIK	19 Im Fitness-Studio	AB 84
SCHREIBEN	20 Die Pilates-Gruppe	AB 85
HÖREN	21 Das neue Fitnessprogramm	AB 85
LANDESKUNDE/ LESEN	22 Der FC Bayern	AB 86
GRAMMATIK	23 Aufwärm-Übungen	AB 86
GRAMMATIK	24 Work-out	AB 87
MEIN DOSSIER	25 Mein persönliches Bewegungsprogramm	AB 87
AUSSPRACHE	Die Konsonanten *f – v – w*	AB 88
LERNWORTSCHATZ		AB 89
LEKTIONSTEST 5		AB 90

LEKTION 6 STÄDTE ERLEBEN		SEITE AB 91–AB 106
WIEDERHOLUNG WORTSCHATZ	1 In der Stadt	AB 91
LESEN	2 Stadt(ent)führung Dresden	AB 91
FILMTIPP/LESEN	3 Oh Boy	AB 92
WIEDERHOLUNG GRAMMATIK	4 Salzburg erkunden	AB 92
GRAMMATIK ENTDECKEN	5 Irreale Bedingungssätze in der Vergangenheit	AB 93
GRAMMATIK	6 Was wäre auf dem Stadtfest gewesen, wenn ...?	AB 93
GRAMMATIK	7 Glück gehabt!	AB 94
GRAMMATIK	8 Was würden Sie tun, wenn ...? Was hätten Sie getan, wenn ...?	AB 94
WORTSCHATZ	9 Besonderheiten in der Stadt	AB 94
GRAMMATIK	10 Was Städte zu bieten haben	AB 95
GRAMMATIK	11 In „Traumstadt“	AB 96
HÖREN	12 Was ist diese Woche in Zürich los?	AB 97
LESEN	13 Was Sie schon immer über Liechtenstein wissen wollten	AB 98
WORTSCHATZ	14 Wie sich doch alles verändert hat!	AB 99
SCHREIBEN	15 Mein Stadtteil	AB 99
LESEN	16 Zu Besuch bei Onkel Ferdinand	AB 100
GRAMMATIK ENTDECKEN	17 Irreale Bedingungen und Wünsche in der Vergangenheit	AB 101
GRAMMATIK	18 Leider ist alles anders!	AB 101
WORTSCHATZ	19 Silbenrätsel	AB 102
KOMMUNIKATION	20 Das wäre doch was!	AB 102
GRAMMATIK ENTDECKEN	21 Irrealer Vergleich	AB 102
GRAMMATIK	22 Freizeit in der Stadt	AB 103
MEIN DOSSIER	23 Mein Ideal	AB 103
AUSSPRACHE	Die Konsonantenverbindungen *pf – f – ph – ps* und *ng – nk*	AB 104
LERNWORTSCHATZ		AB 105
LEKTIONSTEST 6		AB 106

INHALT ARBEITSBUCH

LEKTION 7 BEZIEHUNGEN		SEITE AB 107—AB 122
WIEDERHOLUNG WORTSCHATZ	1 Familiäre Beziehungen	AB 107
HÖREN	2 Familienrätsel	AB 107
LANDESKUNDE/ LESEN	3 Stiefmütter in Märchen	AB 108
WORTSCHATZ	4 Zwischenmenschliches	AB 108
WIEDERHOLUNG GRAMMATIK	5 Das Leben einer Patchwork-Familie	AB 108
GRAMMATIK ENTDECKEN	6 Nomen mit Präposition	AB 109
GRAMMATIK	7 Interview mit der Mutter einer Patchwork-Familie	AB 109
WORTSCHATZ	8 Statistik „Haushalte & Familien in Deutschland"	AB 110
SCHREIBEN	9 Interpretation: *Blütenstaubzimmer*	AB 110
WORTSCHATZ	10 Adjektive	AB 111
SCHREIBEN	11 Gastfamilie	AB 111
GRAMMATIK ENTDECKEN	12 Indirekte Rede – Gegenwart	AB 112
GRAMMATIK	13 Ehe-Aus	AB 113
GRAMMATIK ENTDECKEN	14 Indirekte Rede – Vergangenheit	AB 113
GRAMMATIK	15 Das Leben meines Vaters	AB 114
KOMMUNIKATION	16 Diskutieren Sie mit!	AB 114
WIEDERHOLUNG GRAMMATIK	17 Ehe auf Zeit oder für immer?	AB 115
GRAMMATIK ENTDECKEN	18 Generalisierende Relativsätze	AB 115
GRAMMATIK	19 Liebe = Ehe?	AB 115
SCHREIBEN	20 Streitanlässe für Paare	AB 116
WORTSCHATZ	21 Wörter mit *Fern-*, *Nah-*, *weit-*	AB 116
GRAMMATIK ENTDECKEN	22 Vergleichssätze	AB 117
GRAMMATIK	23 Meine Fernbeziehung ist klasse!	AB 117
GRAMMATIK	24 Fakten und Tipps	AB 118
KOMMUNIKATION	25 Fotoauswahl „Freundschaft im Alter"	AB 118
LANDESKUNDE/ LESEN	26 Poetry Slam	AB 118
MEIN DOSSIER	27 Meine Familie	AB 119
AUSSPRACHE	Prosodie	AB 120
LERNWORTSCHATZ		AB 121
LEKTIONSTEST 7		AB 122

LEKTION 8 ERNÄHRUNG		SEITE AB 123—AB 138
WIEDERHOLUNG WORTSCHATZ	1 TOP 10! Was ich gerne mag	AB 123
HÖREN	2 Fleischloses liegt im Trend	AB 123
WORTSCHATZ	3 Was passt zusammen?	AB 123
WIEDERHOLUNG GRAMMATIK	4 Gesunde Ernährung	AB 124
GRAMMATIK ENTDECKEN	5 Subjektive Bedeutung des Modalverbs *sollen*	AB 124
GRAMMATIK	6 Haben Sie das schon gehört? Ob das wohl stimmt?	AB 125
FILMTIPP/LESEN	7 Sushi in Suhl	AB 125
LESEN	8 Hilfe – ich kann nicht kochen!	AB 126
KOMMUNIKATION	9 Seemannskost – Zutaten und Zubereitung	AB 126
SCHREIBEN	10 Ein Gericht, das mich an zu Hause erinnert	AB 127
WIEDERHOLUNG GRAMMATIK	11 Wie schmeckt Bio?	AB 128
GRAMMATIK ENTDECKEN	12 Nominalisierung von Verben	AB 128
GRAMMATIK	13 Welches Getränk schmeckt am besten?	AB 129
WORTSCHATZ	14 Unsere Ernährung	AB 129
GRAMMATIK ENTDECKEN	15 Konditionale Zusammenhänge	AB 130
GRAMMATIK	16 Ein Telefongespräch	AB 130
GRAMMATIK	17 Verbraucherrechte	AB 131
KOMMUNIKATION	18 Gerade gekauft – schon kaputt	AB 131
LANDESKUNDE	19 Informationen auf Lebensmittelpackungen	AB 132
WORTSCHATZ	20 Wie lange halten sich Eier?	AB 132
WIEDERHOLUNG GRAMMATIK	21 Widersprüche	AB 133
GRAMMATIK ENTDECKEN	22 Konzessive Zusammenhänge	AB 133
GRAMMATIK	23 Gegensätze	AB 134
KOMMUNIKATION	24 Aktionstag für die „Tafel"	AB 134
LESEN	25 Tipps zur Müllvermeidung	AB 135
MEIN DOSSIER	26 Mein Lieblingsgericht	AB 135
AUSSPRACHE	Der Konsonant *h*	AB 136
LERNWORTSCHATZ		AB 137
LEKTIONSTEST 8		AB 138

INHALT ARBEITSBUCH

LEKTION 9 AN DER UNI		SEITE AB 139—AB 154
WIEDERHOLUNG WORTSCHATZ	1 Rund ums Studium	AB 139
WORTSCHATZ	2 Manche tun's ein Leben lang ...	AB 139
HÖREN	3 Was macht man alles im Studium?	AB 139
WORTSCHATZ	4 Interview mit einem Studenten	AB 140
LESEN	5 Univeranstaltungen	AB 140
LANDESKUNDE/ LESEN	6 Informationen zu den ECTS-Punkten	AB 141
WORTSCHATZ	7 Deutsches Wort oder Internationalismus?	AB 142
GRAMMATIK ENTDECKEN	8 Konsekutive Zusammenhänge	AB 142
GRAMMATIK	9 Möglichkeiten im Studium	AB 143
GRAMMATIK	10 Das folgt daraus	AB 143
KOMMUNIKATION	11 Auf dem Campus wohnen oder nicht?	AB 143
LANDESKUNDE/ LESEN	12 Man spricht Deutsch	AB 144
SCHREIBEN	13 Das formuliert man anders	AB 145
LESEN	14 Was die Universität Fribourg/ Freiburg bietet	AB 146
GRAMMATIK ENTDECKEN	15 Feste Verbindungen von Nomen mit Verben	AB 146
GRAMMATIK	16 Was bringt ein Praktikum?	AB 147
GRAMMATIK	17 Mehrere Möglichkeiten	AB 147
WORTSCHATZ	18 Den Lebensunterhalt finanzieren	AB 147
LESEN	19 Was das Studentenleben kostet	AB 148
HÖREN	20 Erfahrungen einer Erntehelferin	AB 148
KOMMUNIKATION	21 Weinlese in Carcassonne	AB 149
SCHREIBEN	22 Sich Geld im Studium verdienen	AB 149
LESEN	23 Unser erster Eindruck	AB 150
GRAMMATIK	24 Negation durch Vor- und Nachsilben bei Adjektiven	AB 150
MEIN DOSSIER	25 Ein Vorbild	AB 151
AUSSPRACHE	Vokalneueinsatz	AB 152
LERNWORTSCHATZ		AB 153
LEKTIONSTEST 9		AB 154

LEKTION 10 SERVICE		SEITE AB 155—AB 170
WIEDERHOLUNG WORTSCHATZ	1 Dienstleistungen früher	AB 155
HÖREN	2 Lieferwagen der Zukunft	AB 155
LESEN	3 Neue Dienstleistungen	AB 156
WIEDERHOLUNG GRAMMATIK	4 Kleinanzeigen	AB 157
GRAMMATIK ENTDECKEN	5 Alternativen zum Passiv (I)	AB 157
GRAMMATIK	6 Service	AB 158
GRAMMATIK	7 Werbesprüche	AB 158
SCHREIBEN	8 Hausmeister-Service	AB 159
KOMMUNIKATION	9 Eine Geschäftsidee	AB 159
WORTSCHATZ	10 Sparen & Gewinnen	AB 160
LESEN	11 Preisvergleichsportale im Internet	AB 160
WIEDERHOLUNG GRAMMATIK	12 Einkaufen im Internet	AB 161
GRAMMATIK ENTDECKEN	13 Alternativen zum Passiv (II)	AB 162
GRAMMATIK	14 Schnäppchen	AB 162
WORTSCHATZ	15 Feste Verbindungen	AB 162
GRAMMATIK ENTDECKEN	16 Subjektlose Passivsätze	AB 163
GRAMMATIK	17 Kostenlose Ernte	AB 164
WORTSCHATZ	18 Tipps aus der Gartenzeitschrift	AB 164
SCHREIBEN	19 Textzusammenfassung	AB 165
WORTSCHATZ	20 Hilfe bei technischen Problemen	AB 165
LESEN	21 Axel Hacke	AB 166
FILMTIPP/LESEN	22 Schlussmacher	AB 166
HÖREN	23 Ehrenamt	AB 167
MEIN DOSSIER	24 Mein Lieblingsservice	AB 167
AUSSPRACHE	Betonung im Satz	AB 168
LERNWORTSCHATZ		AB 169
LEKTIONSTEST 10		AB 170

INHALT ARBEITSBUCH

LEKTION 11 GESUNDHEIT		SEITE AB 171–AB 186
WIEDERHOLUNG WORTSCHATZ	1 Rund um die Gesundheit	AB 171
WORTSCHATZ	2 Über Studienwünsche chatten	AB 171
GRAMMATIK ENTDECKEN	3 Das Indefinitpronomen *man* und seine Varianten	AB 172
GRAMMATIK	4 Neue Perspektiven	AB 172
LESEN	5 Ärzte im Fernsehen	AB 172
WORTSCHATZ	6 Ein Arbeitstag in der Klinik	AB 174
SCHREIBEN	7 Mobilität bei Ärzten	AB 174
LESEN	8 Packungsbeilage	AB 175
HÖREN	9 Medikamente auf Reisen	AB 175
WORTSCHATZ	10 Heilmittel im Alltag	AB 176
GRAMMATIK ENTDECKEN	11 Indefinitpronomen	AB 176
GRAMMATIK	12 Ratschläge	AB 177
KOMMUNIKATION	13 Gespräch beim Arzt	AB 177
GRAMMATIK ENTDECKEN	14 Modalsätze mit *dadurch, dass* und *indem*	AB 178
GRAMMATIK	15 Schlechte Angewohnheiten ablegen	AB 178
GRAMMATIK	16 Modalsätze mit *durch*	AB 179
KOMMUNIKATION	17 Gewicht bei Kindern	AB 179
HÖREN	18 Neue Wege mit alternativen Heilmethoden	AB 179
WORTSCHATZ	19 Medizinisches	AB 180
GRAMMATIK ENTDECKEN	20 Modalsätze mit *ohne ... zu / ohne ... dass* sowie *(an)statt ... zu / (an)statt dass*	AB 180
GRAMMATIK	21 Alternative Therapien	AB 181
GRAMMATIK	22 Modalsätze mit *ohne* und *(an)statt* (+ Genitiv)	AB 182
WORTSCHATZ	23 Tätigkeiten einer Krankenschwester	AB 182
FILMTIPP/LESEN	24 Barbara	AB 183
MEIN DOSSIER	25 Mein Hausmittel gegen ...	AB 183
AUSSPRACHE	Melodie	AB 184
LERNWORTSCHATZ		AB 185
LEKTIONSTEST 11		AB 186

LEKTION 12 SPRACHE UND REGIONEN		SEITE AB 187–AB 202
WIEDERHOLUNG WORTSCHATZ	1 Dialekte hören und sprechen	AB 187
WORTSCHATZ	2 Ein Steckbrief	AB 187
LESEN	3 Gründe für das Scheitern des Experiments	AB 188
WIEDERHOLUNG GRAMMATIK	4 Wissenswertes über die Schweiz	AB 189
GRAMMATIK ENTDECKEN	5 Erweitertes Partizip	AB 189
GRAMMATIK ENTDECKEN	6 Erweitertes Partizip oder Relativsatz?	AB 190
GRAMMATIK	7 Aus einer Reportage über das missglückte Experiment	AB 190
GRAMMATIK	8 Wechselnde Perspektiven	AB 191
KOMMUNIKATION/ HÖREN	9 Ein Reisevorschlag	AB 191
WORTSCHATZ	10 Nomen-Verb-Kombinationen	AB 192
WORTSCHATZ	11 Von einer Sprache in die andere	AB 192
LESEN	12 Ausgewanderte Wörter	AB 192
SCHREIBEN	13 Wörter, die gewandert sind	AB 194
LANDESKUNDE/ HÖREN	14 Schwyzerdütsch – leicht gemacht	AB 194
WORTSCHATZ	15 Wörter, Wörter, Wörter	AB 194
WIEDERHOLUNG GRAMMATIK	16 Gegensätze ausdrücken: *aber, doch, sondern, trotzdem, trotz*	AB 195
GRAMMATIK ENTDECKEN	17 Adversativsätze	AB 195
GRAMMATIK	18 Wie kann man es noch sagen?	AB 196
GRAMMATIK	19 Warum sprechen wir Dialekt?	AB 196
HÖREN	20 Doppel-Pass? Junge Menschen berichten	AB 197
KOMMUNIKATION	21 Doppelte Staatsbürgerschaft – ja oder nein?	AB 197
GRAMMATIK	22 Partizipien als Nomen	AB 197
GRAMMATIK	23 Kurzmeldungen	AB 198
WORTSCHATZ	24 Alles mit *-sprache*	AB 198
GRAMMATIK	25 Wortbildung: Fugenelement *-s-* bei Nomen	AB 198
LESEN	26 Kommunikation im Krankenhaus	AB 199
MEIN DOSSIER	27 Mein Lieblingsspruch im Dialekt	AB 199
AUSSPRACHE	Dialekte und Sprachvarietäten	AB 200
LERNWORTSCHATZ		AB 201
LEKTIONSTEST 12		AB 202

LÖSUNGEN DER LEKTIONSTESTS AB 203–AB 206

1 Kreuzworträtsel

Ergänzen Sie die passenden Wörter und setzen Sie sie in das Kreuzworträtsel ein. Die markierten Buchstaben, von oben nach unten gelesen, ergeben das Lösungswort.

1 Mit langjährigen Freunden hat man schon viel zusammen ______________.
2 Seinen Freunden und seiner Familie gegenüber trägt man Verantwortung.
3 Auf meinen guten Freund Tobias kann ich mich immer verlassen. Er ist sehr ______________.
4 In der Grundschule sind Freundschaftsbücher und Poesiealben bei den Kindern sehr ______________.
5 Mit Ronja gehe ich am liebsten ins Kino, denn wir haben bei Filmen meistens den gleichen ______________.
6 Bei meinem Freund Markus habe ich oft das ______________, er kennt mich besser als meine Familie.
7 Mit meinem ehemaligen Sportlehrer habe ich nach der Schulzeit noch viel zusammen unternommen. Inzwischen verbindet uns eine richtige ______________.
8 Leider habe ich den ______________ zu meinen früheren Mitschülern fast verloren. Nur mit Luisa telefoniere ich ab und zu.
9 Wenn man jemanden sehr sympathisch findet, kann man zum Abschied sagen: Es war mir ein großes ______________, Sie kennengelernt zu haben.

1	E		L													
2				V	E	R	A	N	T	W	O	R	T	U	N	G
3							V		R		Ä				G	
4		B				E		T								
5						S			M	A		K				
6	G			Ü												
7		F	R				D					F				
8				O		T		K								
9		V				N		G								

Wie heißt das Lösungswort? ______________

zur Einstiegsseite, S. 13, Ü2

2 Wörter gesucht ÜBUNG 1

WORTSCHATZ

Was passt nicht? Streichen Sie durch.

1 ~~kommentieren~~ – berichten – mitteilen – erzählen
2 vermuten – annehmen – denken – benehmen
3 vermutlich – bestimmt – vielleicht – wahrscheinlich
4 zeichnen – entwerfen – auf Papier bringen – bezeichnen
5 Herkunft – Ankunft – Heimat – Ursprung

zu *Wussten Sie schon?*, S. 14

3 Ein Gedicht

LESEN

a **Lesen Sie das Gedicht „Freundschaft“. Welche der folgenden Aussagen entsprechen welchen Gedichtzeilen? Ordnen Sie zu.**

- [2] Ein Freund macht auf Fehler aufmerksam.
- [ ] Das ist wahre Freundschaft, auch wenn es nicht so aussieht.
- [ ] Er schimpft mit mir, wenn ich meine Aufgaben nicht erledigt habe.
- [ ] Er zeigt mir, wie ich wirklich bin.

Freundschaft

Der Freund, der mir den Spiegel zeiget, (1)
Den kleinsten Flecken nicht verschweiget, (2)
Mich freundlich warnt, mich ernstlich schilt,*
Wenn ich nicht meine Pflicht erfüllt: (3)
Der ist mein Freund,
So wenig er es scheint. (4)

Christian Fürchtegott Gellert (1715–1769)

* schelten = schimpfen

b **Wie finden Sie das Gedicht? Markieren oder ergänzen Sie. Es ist …**

- [ ] eher veraltet, weil manche Kriterien für heutige Freundschaften nicht mehr gelten.
- [ ] schön formuliert und inhaltlich immer noch passend.
- [ ] …

zu Sprechen 1, S. 14, Ü2

4 Radiointerviews zum Thema Freundschaft — ÜBUNG 2

HÖREN

CD/AB 2

a **Hören Sie die Interviews. Wer sagt was? Markieren Sie.**

	Rolf Bauer	Kerstin Raab	Gerd Böhmer	
1	[X]	[ ]	[ ]	bezeichnet Freunde als „Kollegen“.
2	[ ]	[ ]	[ ]	unternimmt regelmäßig besondere Reisen mit Freundinnen.
3	[ ]	[ ]	[ ]	findet es wichtig, dass gute Freunde die gleichen Dinge mögen.
4	[ ]	[ ]	[ ]	kennt den besten Freund noch aus Kindertagen.
5	[ ]	[ ]	[ ]	sieht alte Freunde oft längere Zeit nicht.
6	[ ]	[ ]	[ ]	kann sich auf die besten Freunde absolut verlassen.
7	[ ]	[ ]	[ ]	hat viele gute Bekannte im Sportverein.

b **Lesen Sie nun die Aussagen der Personen und ordnen Sie die Wörter zu.**

Augen • „Kollegen“ • Missverständnisse • Neuigkeiten • ~~Bekannte~~

Rolf Bauer

„Natürlich ist es wichtig, viele nette Menschen zu kennen. In meinem Tennisklub zum Beispiel habe ich einige Bekannte (1). Wir sitzen nach dem Sport noch ein bisschen im Vereinslokal zusammen und trinken und essen etwas, tauschen ______ (2) aus und haben viel Spaß miteinander. Oder wir machen auch mal Ausflüge zusammen. Und dann gibt es noch ein paar echt gute ______ (3), wie wir in der Schweiz zu Freunden auch sagen. Bei mir sind das Freunde, die ich schon mein halbes Leben, also aus der Schulzeit oder Uni, kenne und nie aus den ______ (4) verloren habe. Die sind mir besonders wichtig, auch wenn wir uns nicht so oft sehen. Zwischen uns gibt es fast nie wirkliche ______ (5).“

anvertrauen • erzählten • verstehe • verlassen • gehen

Kerstin Raab

„Im Laufe seines Lebens lernt man eine Menge netter Leute kennen. Zum Beispiel über die Arbeit, über die Kinder und in der Nachbarschaft. Aber unter richtig „engen Freunden“ ________ (6) ich noch etwas anderes. Am wichtigsten sind mir zwei Freundinnen, die ich vor Jahren zufällig auf einer Wanderreise getroffen habe. Wir wanderten einige Tage zusammen über die Alpen und ________ (7) uns im Laufe der Zeit unser ganzes Leben. Das gemeinsame Wandern haben wir dann zu einem festen Ritual gemacht, wir waren auch schon auf dem Jakobsweg und in Nepal. Da ________ (8) wir dann, wie man so schön sagt, miteinander durch „dick und dünn“ und können uns blind aufeinander ________ (9). Aber auch, wenn wir uns nur mal zum Kaffeetrinken treffen, können wir einander alles ________ (10). Solche Freundschaften sind wunderbar!“

hin- und hergerissen • bezeichnen • nichts mehr ausgemacht • den gleichen Geschmack haben

Gerd Böhmer

„Bekannte habe ich natürlich viele, aber als meinen besten Freund würde ich Rafael ________ (11). Mit ihm habe ich sozusagen schon im Sandkasten gespielt. Lange Zeit haben wir dann in verschiedenen Städten gelebt. Aber vor zehn Jahren trafen wir uns zufällig auf der Geburtstagsfeier einer gemeinsamen Freundin wieder und seitdem sehen wir uns regelmäßig.
Unsere Freundschaft lebt auch dadurch, dass wir in vielen Dingen ________ (12).
So etwas finde ich wichtig für eine dauerhafte Freundschaft, man kann ja nicht immer über Fußball oder das Wetter reden.
Wir waren sogar schon mal in die gleiche Frau verliebt, da war ich dann mal eine Zeit lang ________ (13), ob er wirklich ein so guter Freund ist. Aber sie hat dann sowieso einen anderen geheiratet und schon bald hat uns diese Geschichte ________ (14).“

WIEDERHOLUNG GRAMMATIK

zu Sprechen 1, S. 15, Ü3

5 Streit unter Freundinnen ÜBUNG 3

Ergänzen Sie *aber, auch, oder, sondern.*

Ich mag meine Freundin Hanna sehr, aber (1) gestern haben wir uns gestritten. Soll ich sie trotzdem anrufen ________ (2) warten, bis sie sich bei mir meldet? Manchmal hat man eben ________ (3) mit guten Freundinnen ein kleines Problem. Dann sollte man nicht lange aufeinander sauer sein, ________ (4) bald wieder Kontakt aufnehmen. Es ist wichtig, seine Meinung zu sagen, ________ (5) man muss dem anderen auch zuhören. Ein kleiner Streit ________ (6) eine Meinungsverschiedenheit machen mir normalerweise nichts aus. Daran sollte eine Freundschaft nicht zerbrechen, ________ (7) eher wachsen.

zu Sprechen 1, S. 15, Ü3

6 Zweiteilige Konnektoren

GRAMMATIK ENTDECKEN

a Lesen Sie den Text und unterstreichen Sie die zweiteiligen Konnektoren.

Henrys & Noahs „Kochstudio"

Henry und Noah waren nicht nur gute Freunde auf dem Gymnasium, sondern sind auch danach gemeinsam zum Studieren nach England gegangen. Henry studiert nun dort Musik und Noah Soziologie. Einerseits fanden sie anfangs dieses Abenteuer im Ausland natürlich sehr spannend, andererseits hatten sie auch Ängste und Bedenken. Sie leben jetzt in einem Studentenheim und fühlen sich dort inzwischen richtig wohl. Abends gehen sie entweder gemeinsam irgendwo günstig essen oder sie kochen sich selbst etwas in der Gemeinschaftsküche. Das dauert zwar etwas länger, aber dafür macht es Spaß, neue Rezepte auszuprobieren. Am Anfang konnten weder Henry noch Noah richtig kochen, aber inzwischen haben sie ein ziemlich großes Repertoire. Viele ihrer Freunde sind oft zu Gast in Henrys und Noahs „Kochstudio" und lassen sich von ihnen sowohl mit Fleischgerichten als auch mit vegetarischen Speisen verwöhnen. Zwei neue „Jungköche" in London!

b Ordnen Sie dann die zweiteiligen Konnektoren in die Tabelle ein.

Funktion	Konnektor 1	Konnektor 2
1 Aufzählung positiv	nicht nur	sondern ... auch
2 Aufzählung negativ		
3 Alternative		
4 Gegensatz		
5 Einschränkung		

zu Sprechen 1, S. 15, Ü4

7 Die Zwillingsschwestern ÜBUNG 4, 5, 6

GRAMMATIK

Verbinden Sie die Sätze mithilfe der zweiteiligen Konnektoren aus Übung 6b.

1 Karin und Beate sind Zwillingsschwestern und gute Freundinnen.
2 Sie haben in Einrichtungsfragen den gleichen Geschmack. In Kleidungsfragen haben sie einen sehr unterschiedlichen Stil.
3 Sie vertrauen einander ihre Wünsche und ihre größten Geheimnisse an.
4 Manchmal sind sie hin- und hergerissen: Jede möchte ihr eigenes Leben führen, doch sie fühlen sich unwohl, wenn sie nicht mehrmals die Woche miteinander telefonieren.
5 Sie essen kein Fleisch und auch keine Milchprodukte.
6 Beide machen gern Sport. Sie gehen oft joggen. Wenn sie nicht joggen gehen, fahren sie Rad.

1 Karin und Beate sind nicht nur Zwillingsschwestern, sondern auch gute Freundinnen.

zu Sprechen 1, S. 15, Ü4

8 Rund um die Freundschaft!

GRAMMATIK

Ergänzen Sie die Sätze frei.

1 An meinem Kollegen Hannes gefällt mir *nicht nur*, dass er sehr unterhaltsam ist, ...
2 Hella, die ich noch aus der Schulzeit kenne, habe ich *zwar* nie ganz aus den Augen verloren, ...
3 Mit unseren Nachbarn treffen wir uns mindestens zweimal im Monat: Wir gehen *entweder* ...
4 Ich fahre *sowohl* mit meiner Familie ...
5 *Einerseits* liebe ich meine Unabhängigkeit, ...
6 Ich gehe *weder* gern auf Single-Partys ...

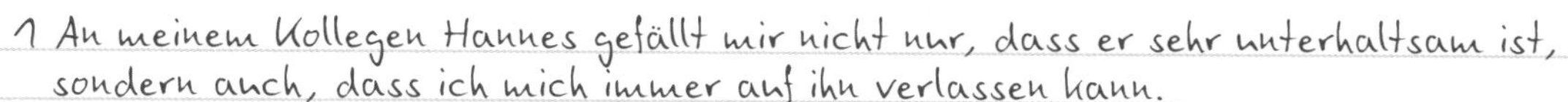

1 An meinem Kollegen Hannes gefällt mir nicht nur, dass er sehr unterhaltsam ist, sondern auch, dass ich mich immer auf ihn verlassen kann.

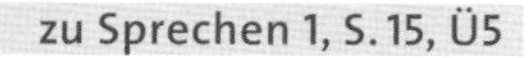

zu Sprechen 1, S. 15, Ü5

9 Bedeutungen erklären ÜBUNG 7

KOMMUNIKATION

Ergänzen Sie.

bedeutet das für mich • kennt man bei uns • eine Person gemeint • versteht man • ~~bezeichnet~~ • mehrere Bedeutungen haben

Hallo Filipe,

Du hast mich in Deiner letzten E-Mail gefragt, was es heißt, wenn ein Mann eine Frau als eine „Freundin" ___bezeichnet___ (1). Ja, das ist tatsächlich gar nicht so einfach. Wenn man nämlich zum Beispiel sagt, „Aline ist eine Freundin von mir", ____________ (2) im Deutschen darunter, dass die Beziehung zu ihr wie zu einem Kumpel oder zu einem guten Freund ist. Sagt man aber „das ist meine Freundin Aline", so kann das ____________ (3). Entweder ist Aline dann eine gute Freundin oder Aline ist meine Partnerin. Wenn man dagegen nur sagt: „Das ist meine Freundin", dann ____________ (4), dass Aline meine Partnerin ist. In anderen Sprachen gibt es dafür meist eine besondere Bezeichnung, wie zum Beispiel im Englischen „my girlfriend". Das Wort „mein Verlobter" oder „meine Verlobte" ____________ (5) zwar, es klingt aber sehr altmodisch und wird kaum verwendet. Mit „Partner" oder „Partnerin" ist aber ab und zu auch ____________ (6), mit der man beruflich zusammenarbeitet. Du siehst, es ist also ganz schön kompliziert, im Deutschen den richtigen Begriff zu verwenden. Ich hoffe, dass Dir meine Erklärungen ein bisschen helfen werden.

Melde Dich bald mal wieder!

Liebe Grüße
Nico

zu Lesen, S. 16, Ü2

10 Vernetzte Welt ÜBUNG 8

WORTSCHATZ

Welche Verben passen? Markieren Sie.

1 Daten	☒ auswerten	☒ sammeln	☐ versammeln
2 mit anderen Nutzern	☐ kontaktieren	☐ vernetzt sein	☐ in Kontakt sein
3 eine Freundschaftsanfrage	☐ antworten	☐ beantworten	☐ bekommen
4 weltweite Verbindungen	☐ ermöglichen	☐ herstellen	☐ bestellen
5 Kontakte	☐ kennenlernen	☐ haben	☐ pflegen
6 Fakten	☐ informieren	☐ erfassen	☐ nennen
7 wichtige Informationen	☐ austauschen	☐ weitergeben	☐ abgeben

zu Lesen, S. 17, Ü4

11 Daten und Projekte ÜBUNG 9

GRAMMATIK

a **Schreiben Sie Sätze.**

Beispiel: Der Professor – die Daten – schicken – dem Forschungsinstitut
Der Professor schickt dem Forschungsinstitut die Daten.

1 Die Wissenschaftler – vorschlagen – dort – der Leitung – ein umfassendes Projekt
2 Bei dem Experiment – schicken – einem Bekannten – die Versuchspersonen – ein Paket
3 Nicht alle Institute – zur Verfügung stellen – den Mitarbeitern – die Daten
4 Soziale Netzwerke wie Facebook – ermöglichen – viele Kontakte – ihren Nutzern

b **Schreiben Sie die Sätze neu und verwenden Sie dabei Akkusativ- und Dativpronomen.**

Beispiel:
Der Professor schickt ihm (dem Forschungsinstitut) die Daten.
Der Professor schickt sie (die Daten) dem Forschungsinstitut.
Der Professor schickt sie ihm.

zu Lesen, S. 17, Ü4

12 Angaben und Ergänzungen im Mittelfeld

GRAMMATIK ENTDECKEN

a **Lesen Sie die Sätze und markieren Sie in verschiedenen Farben, welche Angaben auf die folgenden Fragen antworten:** *wann oder wie lange? (temporal), warum oder aus welchem Grund? (kausal), wie oder auf welche Art und Weise? (modal), wo, woher oder wohin? (lokal).*

1 Ein Journalist interviewte vor Kurzem Jugendliche auf der Straße.
2 Die meisten jungen Leute blieben aus Neugierde bei dem Reporter stehen.
3 Er erklärte ihnen ausführlich den Grund für seine Umfrage.
4 Die Jugendlichen gaben ihm häufig bereitwillig Auskunft.
5 Außerdem wollte der Reporter sie gern ins Studio einladen.
6 Ein paar junge Leute lehnten das aus unterschiedlichen Gründen ab.
7 Schließlich hatte er am Nachmittag mit seinem mobilen Aufnahmegerät 30 Personen befragt.

b **Unterstreichen Sie in den Sätzen in a das Subjekt, die Dativ- und die Akkusativergänzungen.**

zu Lesen, S. 17, Ü4

13 Eine Studie ÜBUNG 10, 11

GRAMMATIK

Schreiben Sie die Sätze. Verwenden Sie dabei auch die Angaben in Klammern.

1 *(per Umfrage – vor einiger Zeit)*
Zu Studienzwecken • ein bekannter Sozialwissenschaftler • sammelte • eine Menge Daten

2 *(im Internet – detailliert)*
dazu • befragt • Die Menschen • wurden

3 *(in Ruhe – danach)*
Die Daten und Informationen • auswerten • konnte • er

4 *(deutschlandweit – mittlerweile zum dritten Mal)*
wurde • Die Studie • durchgeführt

5 *(aus Interesse an den neuesten Entwicklungen – vor sechs Monaten)*
die Untersuchung • in Auftrag gegeben • Die Familien- und Sozialministerin • hatte

1 Zu Studienzwecken sammelte ein bekannter Sozialwissenschaftler vor einiger Zeit per Umfrage eine Menge Daten.

zu Hören, S. 19, Ü3

14 Friendship!

FILMTIPP / LESEN

1

a **Lesen Sie die Inhaltsangabe des Films und ordnen Sie zu.**

☐ feiert • ☐ reicht • ☐ westlichsten • ☒ 1 Mauer • ☐ unbegrenzten • ☐ Abenteuer • ☐ abgestempelt • ☐ geflohen • ☐ erzählt

Deutschland, 1989: Endlich ist es so weit. Die (1) in Deutschland ist gefallen und ganz Berlin jubelt und (2). Der junge Ostdeutsche Veit (Friedrich Mücke) will unbedingt nach San Francisco, zum „(3) Punkt der Welt“. Sein bester Kumpel Tom (Matthias Schweighöfer) will auch ein (4) erleben und kommt mit. Veit hat ihm allerdings nicht (5), dass er vor allem seinen Vater finden will, der aus der DDR in die USA (6) ist, als Veit 12 Jahre alt war. Jedes Jahr, zu Veits Geburtstag, kommt eine Grußkarte von seinem Vater, (7) in einem Postamt in San Francisco. In drei Wochen, an seinem nächsten Geburtstag, will er dort sein. Doch das Geld (8) nur für den Flug nach New York und die beiden Freunde kommen im Land der (9) Möglichkeiten allein mit dem Wort „Friendship“ (das einzige englische Wort, das sie kennen) nicht sehr weit.

b **Wie wird der Film bewertet? Lesen Sie die Filmkritik und markieren Sie.**

☐ Es ist ein hervorragender Film mit viel Humor.
☐ Es ist eine sehenswerte Komödie mit kleinen Mängeln.
☐ Es ist ein eher mittelmäßiger, aber lustiger Film.

Die Story, die der Regisseur Markus Goller verfilmt und mit Matthias Schweighöfer und Friedrich Mücke ideal besetzt hat, lebt von ihrer Situationskomik, wirkt aber an manchen Stellen übertrieben. Dennoch ist der Film durchaus empfehlenswert. Ein unterhaltsames „Road-Movie“ mit vielen Anlässen zum Schmunzeln.

zu Hören, S. 19, Ü3

15 Brief an die Redaktion

KOMMUNIKATION

a **Lesen Sie den folgenden Brief einer Hörerin an die Redaktion des „Gesprächs am Mittag". Was kritisiert sie an der Sendung?**

- ☐ Dass die Moderatorin zu wenig über persönliche Erlebnisse berichtet hat.
- ☐ Dass die Gesprächsteilnehmer die Fragen nicht gut verstanden haben.
- ☐ Dass wichtige Aspekte des Themas nicht angesprochen wurden.

Sehr geehrte Damen und Herren,

gestern hörte ich im Radio Ihre Sendung mit dem hochinteressanten Thema „Freundschaft – Was bedeutet sie uns heute eigentlich noch?".

Allerdings wurde die Diskussion meiner Meinung nach etwas oberflächlich geführt. Ich
5 hatte zwar den Eindruck, dass die Moderatorin sich sehr bemüht hat, alle Diskussionsteilnehmer zu Wort kommen zu lassen. Mir fehlte aber zum Beispiel die wichtige Frage, wie weit man für eine Freundschaft gehen würde. Das ist doch ganz entscheidend für die Tiefe und Qualität einer Freundschaft und ich wüsste gern, was die verschiedenen Personen zu diesem Punkt zu sagen hätten. Mich würde zum Beispiel auch interessieren, ob der Experte
10 aus der Sendung, Herr Schüller, selber schon mal versucht hat, einen abgebrochenen oder schwierigen Kontakt zu einem ehemaligen Freund wiederherzustellen, und wie das Ganze verlaufen ist.

Ich habe nämlich selbst schon mal so etwas erlebt und wusste nicht, wie ich mich verhalten sollte. Eine enge Freundin von mir hatte einen schweren Unfall, sodass man anfangs nicht
15 wusste, ob sie jemals wieder ein normales Leben führen könnte. Ich stand damals kurz vor einem sechsmonatigen Auslandspraktikum und konnte sie vor der Abreise nur einmal im Krankenhaus besuchen. Dabei ist mir aufgefallen, dass sie mich mehrfach fragte, ob ich mir wirklich sicher bin, dass ich dieses Praktikum machen wollte. Sie wollte mich wohl indirekt bitten, in ihrer Nähe zu bleiben. Gefahren bin ich aber dann doch und meine Freundin ist
20 Gott sei Dank bald wieder gesund geworden. Aber es hat lange gedauert, bis wir wieder gute Freundinnen waren, denn anfangs, als ich wieder aus dem Ausland zurück war, wollte sie nichts mehr mit mir zu tun haben.

Ich denke, es ist häufig so, dass man auch ganz engen Freunden nicht immer seine größten Ängste und Wünsche anvertraut. Deshalb würde ich gern wissen, ob andere Hörer ähnliche
25 Erfahrungen gemacht haben.

Mit freundlichen Grüßen
Nadja Stieleke

b **Schreiben Sie nun einen Antwortbrief auf Frau Stielekes Brief. Erläutern Sie, was für Sie persönlich eine Freundschaft ausmacht und erklären Sie es mit einem Beispiel. Verwenden Sie dabei einige der Redemittel aus dem Kursbuch, S. 19.**

Sehr geehrte Frau Stieleke,

mit großem Interesse habe ich Ihren Brief gelesen.
Auch ich habe etwas Ähnliches wie Sie erlebt ...

1

zu Wortschatz, S. 20, Ü2

16 Rund um die Liebe ÜBUNG 12

WORTSCHATZ

a **Die Welt der Stars: Lesen Sie die Schlagzeilen und ergänzen Sie in der richtigen Form.**

Freundschaft schließen • verliebt sein • zusammenkommen • verlobt sein • heiraten • sich scheiden lassen • ~~getrennt sein/leben~~

1 Angelika Lolie lebt seit zwei Monaten von ihrem Mann getrennt. Jetzt gibt es Streit um die Kinder!
2 Der Fußballer Leon Wessi ________ seine langjährige Freundin. Das Paar hat bereits ein gemeinsames Kind.
3 Die großen Gegner und Konkurrenten im Tennis Roger Lederer und Ramon Madal haben anscheinend ________ ________. Neuerdings spielen sie gemeinsam Golf.
4 Königin Sibylle will ________ angeblich von ihrem Mann Ricardo ________ ________. Die vielen Affären des Regenten belasten die Ehe zu sehr.
5 Die Sängerin Nena Müller-Landshut ________ nach eigenen Angaben frisch ________. Wer der Glückliche ist, wollte sie der Presse allerdings noch nicht verraten.
6 Rekordverdächtig! Der attraktive Fernsehmoderator Michael Kranz ________ schon zum vierten Mal ________, hat sich aber noch nie „getraut"!
7 Immer mehr junge Menschen unter 18 wünschen sich laut einer Umfrage eine feste Beziehung. Die meisten jungen Paare ________ im Alter zwischen 19 und 22 Jahren ________.

b **Ergänzen Sie die eingesetzten Ausdrücke (mit Präpositionen) in der Tabelle. Achten Sie darauf, ob es sich um einen Prozess oder einen Zustand handelt. Ergänzen Sie dann die Tabelle.**

	Prozess	Zustand
1	sich trennen (von)	getrennt sein / leben (von)
2		
3		
4		
5	sich verlieben (in)	
6		
7		

zu Wortschatz, S. 20, Ü2

17 Freundschaften und Liebe

LESEN

a **Lesen Sie den Anfang eines Interviews. Wer wurde hier zu welchem Thema befragt? Schreiben Sie.**

____

Freundschaften sind wichtig für die Liebe, schreibt der Berliner Psychotherapeut Dr. Wolfgang Krüger in seinem neuen Buch „Wie man Freunde fürs Leben gewinnt".
Menschen mit guten Freunden sind liebesfähiger und wählen den richtigen Partner mit Ruhe und Bedacht. Wir haben bei Dr. Krüger nachgefragt, was es 5
damit genau auf sich hat.

b **Lesen Sie das Interview und ordnen Sie die Interviewfragen den Antworten von Dr. Krüger zu.**

- ☐ Wie definieren Sie Freundschaft und was zeichnet einen besten Freund eigentlich aus?
- ☐ Wir brauchen also neben der Liebe auch mehrere gute Freundschaften?
- ☐ Welchen Rat geben Sie Singles auf Partnersuche?
- [1] Sie behaupten, nur durch intensive Freundschaften kann die Liebe gelingen. Wie meinen Sie das?

[1] **Dr. Krüger:** Freundschaften sind zu Beginn der Liebe wichtig. Man ist durch sie sozial genügend stabilisiert und kann sich selbstbewusster einen Partner suchen. Zudem ist es wichtig, über seine Erlebnisse bei der Partnersuche und die schrittweise Annäherung an einen neuen Menschen mit guten Freunden zu reden. Das Bedürfnis ist oft groß, seine Gefühle jemandem anzuvertrauen, den man gut kennt. Und der Partner muss einem nicht alles bieten, wenn man sich nicht nur auf die eine Person beschränkt. Man ist dadurch zufriedener in der Partnerschaft. Außerdem kann man den Partner dank anderer Freundschaften auch einmal in Ruhe lassen. Man ist, gestärkt durch die Freunde, wieder in der Lage, auf ihn zuzugehen. Diese Balance von Nähe und Distanz ist der Kern der Liebe. Freundschaften sind in unserem Leben die Vorstufe zur Liebe und zu einer festen Beziehung. Durch Freundschaften hat man ein soziales Netz, ist nicht zu sehr vom Partner abhängig und das ist natürlich besonders bei Trennungen wichtig.

[2] **Dr. Krüger:** Eine Freundschaft ist eine intensive, leidenschaftliche Beziehung, in der man auch über seine Ängste, Schwächen und peinliche Situationen sprechen kann. Auf einen echten Freund kann man sich absolut verlassen. Die Verlässlichkeit ist das Hauptmerkmal einer wirklich guten Freundschaft: Es ist eine tiefe Innigkeit vorhanden. Ein Philosoph hat einmal gemeint, dass man mit einem guten Freund auch schweigen kann. Man versteht sich und muss nicht immer aktiv sein.

[3] **Dr. Krüger:** Wir brauchen in jedem Lebensabschnitt viele Menschen, denen wir uns eng verbunden fühlen. Das ist so, als ob uns innere Seile verbinden. Und Liebesbeziehungen reichen dazu nicht aus. Wir überfordern die Liebe, wenn wir keine Freundschaften haben. Wenn der Ehemann nicht in den Liebesfilm mitgeht, dann gehen wir eben mit einer guten Freundin. Über kurz oder lang rächt es sich, wenn wir nur die Liebesbeziehung pflegen und das Interesse an den Freunden nachlässt. Was mache ich, wenn das auseinander geht? Männer fallen dann oft wirklich ins Leere, weil ein Großteil von ihnen keine richtigen Freunde hat. Aber auch Frauen neigen dazu, ihre Freundinnen zu vernachlässigen, wenn Sie einen Mann kennengelernt haben.

[4] **Dr. Krüger:** Meist sind wir sehr angespannt, wenn wir uns mit einer Frau oder einem Mann treffen. Vielleicht ist es dann günstig, auch dafür offen zu sein, sich mit jemandem erst einmal nur anzufreunden. Daraus kann sich durchaus später eine Liebesbeziehung ergeben. Wir sind viel entspannter, wenn wir nicht immer auf die Liebe schauen. Der stabile Fels im Leben ist ohnehin die Freundschaft. Natürlich ist eine Liebesbeziehung am schönsten und leidenschaftlichsten. Aber sie gelingt vor allem dann, wenn sie auf einer freundschaftlichen Basis aufbaut.

c **Welche Aussagen finden Sie im Text? Markieren Sie.**

1 Wenn man eine neue Liebe kennengelernt hat, braucht man kaum noch Freunde. ☐
2 Freundschaften sind z. B. besonders dann wichtig, wenn eine Liebe zu Ende geht. ☐
3 Guten Freunden sollte man alles anvertrauen können und sich mit ihnen „blind“ verstehen. ☐
4 Frauen brauchen von der Pubertät bis ins Alter dringender als Männer gute Freunde. ☐
5 Aus einer Freundschaft kann später fast nie Liebe werden. ☐

zu Wortschatz, S. 20, Ü3

18 Nachsilben bei Nomen ÜBUNG 13

GRAMMATIK

a Ergänzen Sie die richtigen Endungen und Artikel.

-e • -er • -ion • -ist • -keit • -nis • -or • -schaft

der Ventilator	___ Freund___	___ Lieb___	___ Emot___
___ Real___	___ Bedürf___	___ Direkt___	___ Politik___
___ Verständ___	___ Partner___	___ Diskuss___	___ Dankbar___
___ Eh___	___ Einsam___	___ Komik___	___ Optim___

b Ordnen Sie den Definitionen passende Wörter aus a zu.

1 Ein Gerät, das „Wind“ erzeugt: der Ventilator
2 Das Gefühl, niemanden zu haben: ___
3 Der Meinungsaustausch zwischen zwei oder mehreren Personen: ___
4 Jemand, der alles gern positiv sieht: ___
5 Das Gefühl, dass man etwas braucht: ___
6 Eine möglichst lebenslange Verbindung zwischen zwei Partnern: ___
7 Eine Person, die viele Witze macht: ___
8 Eine enge Beziehung zu einer anderen Person: ___
9 Jemand, der die Dinge so sieht, wie sie sind: ___
10 Die Fähigkeit zu verstehen, was ein anderer denkt, fühlt oder tut: ___

zu Sprechen 2, S. 21, Ü2

19 Freunde charakterisieren ÜBUNG 14, 15, 16

SCHREIBEN

Sie haben eine neue Freundin / einen neuen Freund gefunden.
Berichten Sie nun Ihrer Familie in einer E-Mail über diese Person und charakterisieren Sie sie.
Beschreiben Sie auch Gemeinsamkeiten oder Unterschiede zwischen Ihnen beiden.

Folgende Ausdrücke können Ihnen bei der Beschreibung der Charaktereigenschaften helfen:

außergewöhnlich – ganz normal
rücksichtsvoll / hilfsbereit – rücksichtslos / egoistisch
abenteuerlustig / risikofreudig – eher vorsichtig
humorvoll / unterhaltsam – humorlos / ernst
extrovertiert – introvertiert
spontan – nachdenklich / still
sich sehr ähnlich sein – ganz unterschiedliche Charaktere haben
auf Äußerlichkeiten viel – wenig Wert legen

Schreiben Sie zu folgenden Punkten:
- was ich an ... besonders mag/schätze
- was mich manchmal an ... stört
- was uns verbindet
- was uns unterscheidet

Liebe/r ...,

letzte Woche habe ich Euch ja schon kurz von meiner neuen Freundin ... / von meinem neuen Freund ... erzählt. Ich habe nochmal darüber nachgedacht, warum mir ... etwas bedeutet. ...

Ganz herzliche Grüße
Dein/e

zu Sprechen 2, S. 21, Ü2

20 Richtig präsentieren ÜBUNG 17, 18, 19 HÖREN

3 CD AB

a **Hören Sie Tipps einer Deutschkursteilnehmerin zur Vorbereitung einer Präsentation. Was ist richtig? Markieren Sie.**

1 Sie überlegt, ob sie Ideen zum Thema hat. ☐
2 Sie weiß nicht gleich, welches Thema sie wirklich interessiert. ☐
3 Sie sammelt möglichst viel Material. ☐
4 Sie bringt die Präsentationspunkte in eine sinnvolle Reihenfolge. ☐
5 Sie schreibt viel Text auf ihre Präsentationsfolien. ☐
6 Sie versucht, das Publikum durch einen spannenden Anfang zu motivieren. ☐
7 Sie wählt geeignete Bilder und Beispiele aus. ☐
8 Auf einer Folie gibt sie einen Inhaltsüberblick. ☐
9 Sie versucht, die Inhaltspunkte durch gute Übergänge zu verbinden. ☐
10 Sie konzentriert sich nur auf ihre Folien, um sich von den Zuhörern nicht irritieren zu lassen. ☐
11 Auf der Abschlussfolie steht ein Feedback zu ihrer Präsentation. ☐
12 Sie sucht während des Vortrags Kontakt zum Publikum. ☐

4 CD AB

b **Hören Sie den Anfang einer Präsentation und schreiben Sie:**

Um welche außergewöhnliche Freundschaft geht es und warum hat die Referentin das Thema gewählt?

5 CD AB

c **Hören Sie die Präsentation nun ganz. Ergänzen Sie die Sätze sinngemäß.**

1 Ich habe dieses Zitat von Erich Fried ausgewählt, weil ...
2 Ich habe mich für die Geschichte mit den beiden Tieren entschieden, denn ...
3 Ich kenne die Geschichte der beiden ...
4 Das Besondere an den beiden ist ...
5 Wichtig ist hier noch zu erwähnen, dass ...
6 Als Nächstes möchte ich euch ...
7 Ich hoffe, ich konnte euch ein paar spannende Einblicke ...
8 Ich danke euch für ...

zu Schreiben, S. 22, Ü2

21 Besondere Anlässe ÜBUNG 20 LESEN

Lesen Sie die folgenden Textentwürfe. Zu welchem Ereignis wurden sie geschrieben? Ergänzen Sie.

Seit vielen Jahren kennen wir Sie als zuverlässigen und äußerst sympathischen Kollegen. Alles Gute zu Ihrem 25. Jahrestag in der Firma! Die Abteilung Marketing und Einkauf

1 Dienstjubiläum

Es ist geschafft! Der frisch gebackenen Akademikerin möchten wir auf diesem Weg herzlich gratulieren. Alles Gute für Deine berufliche Zukunft.

2 ____________

Ihr Vater ist von uns gegangen. Unsere aufrichtige Anteilnahme. Wir hoffen, dass Sie Trost und Geborgenheit bei Ihrer Familie finden.

3 ____________

Herzlichen Glückwunsch zu Eurer süßen Marie! Ihr werdet wunderbare Eltern sein und viel Freude damit haben, die Kleine aufwachsen zu sehen.

4 ____________

zu Sehen und Hören, S. 23, Ü3

22 Zufall

LESEN

a **Ordnen Sie Boos Antworten den Fragen von Annie zu.**

Annie

1 Was machst denn du?

2 Ja, na klar, ein Zufall. Ein Zufall? Ach komm, ich meine – du willst mir doch nicht erzählen, dass sich irgendwer überlegt: Hey, mal sehen, was passiert, wenn der Typ hier und der Typ da an der Ecke da vorn zusammenstoßen. Und du bist der, der dafür sorgt, dass dann auch alles genauso passiert?

3 Ehrlich? Dann sind Zufälle ja gar keine richtigen Zufälle. Die sind geplant.

4 Aber das ist ja genial! Das heißt, du kannst alles so drehen, wie du willst! Du kannst machen, dass Jenny ihre Schlüssel wiederfindet, und Nathalie ihre Lieblingshaarspange. Du kannst dafür sorgen, dass ich Pop-Stars kennenlerne und im Lotto gewinne.

5 Ist ja Wahnsinn! Dann könntest du meiner blöden alten Mathelehrerin die dämliche Perücke vom Kopf rutschen lassen oder dafür sorgen, dass sich alte Freunde nach langer Zeit wiedersehen. Oder dass ich die Brieftasche von 'nem Millionär finde und dafür eine Riesenbelohnung kassiere. Die könnte ich Greenpeace spenden, um Robbenbabys zu retten. Oder ich kauf mir was Cooles zum Anzieh'n. Du kannst Menschenleben retten oder schlimme Wirbelstürme verhindern, du kannst das Atomkraft-Problem lösen oder dafür sorgen, dass Leute sich verlieben.

6 Cool. Boo? Was machst'n du da?

Boo

A Ja, ich hab' alles im Griff!

B Sicher!

C Ich? Tja, gute Frage. Ich bin ein Zufall.

D Na ja, ganz so würde ich das nicht sagen!

E Gar nichts! Ich mach' nur meine Arbeit! Bin – äh – gleich zurück.

F Ja klar! Genau! Null Problemo!

b **Wie findet es Anni, dass Boo ein „Zufall" ist? Markieren Sie.**

- ☐ Sie glaubt nicht an Zufälle und findet die Idee absurd.
- ☐ Sie findet es faszinierend, dass ein „Zufall" das Leben anderer Menschen beeinflussen kann.
- ☐ Sie wäre auch gern ein „Zufall".

23 Mein Freundschaftskalender

MEIN DOSSIER

Sie möchten einen selbst gemachten Kalender verschenken. Darin haben Sie für jeden Monat ein Kalenderblatt, das Sie persönlich gestalten können.

AUSSPRACHE: Die Vokale *e – ä*

1 Wortpaare

6 CD|AB

a **Hören Sie und sprechen Sie sie nach.**

1 schm**e**cken	Geschm**ä**cker
2 N**e**tze	N**ä**sse
3 B**e**cher	B**ä**che
4 r**e**chnen	r**ä**chen
5 B**ä**cker	W**e**cker

b **Markieren Sie. Was ist richtig?**

Die in a **fett** gedruckten Buchstaben *e* und *ä* ...

☐ sind alle kurz und werden gleich ausgesprochen.

☐ sind alle lang und werden unterschiedlich ausgesprochen.

2 Wie klingen die Vokale?

7 CD|AB

a **Welches Wort hören Sie? Markieren Sie.**

1	☐ gähnen	☐ gehen
2	☐ sehen	☐ säen
3	☐ klären	☐ lehren
4	☐ Federn	☐ Fäden
5	☐ Beeren	☐ Bären
6	☐ wehren	☐ wären
7	☐ ähnlich	☐ ehrlich
8	☐ Ähre	☐ Ehre

b **Was fällt Ihnen auf? Formulieren Sie eine Regel wie in 1b.**

____

3 Gleich oder verschieden?

8 CD|AB

a **Wo klingen *e* und *ä* verschieden? Markieren Sie.**

1 lest	lässt	☒
2 besser	Besen	☐
3 Felle	Fälle	☐
4 weder	Wetter	☐
5 Übergänge	hinübergehen	☐
6 echt	mächtig	☐
7 wenden	erwähnen	☐
8 denken	Gedächtnis	☐

b **Ergänzen Sie die Sätze mit den Wortpaaren aus a. Lesen Sie die Sätze jetzt laut.**

1 Neue ________ kehren ________ als alte.

2 Wenn ihr viele Bücher ________, ________ euch euer Lehrer am Computer spielen.

3 Wir brauchen ________ kaltes ________ noch allzu große Hitze.

4 Um über breite Straßen ________, nutzt man am besten die Fußgänger________.

5 Man sollte ________, dass sich das Blatt manchmal ganz schnell ________ kann.

6 Vor kurzem kannte diesen Politiker noch niemand, inzwischen ist er ________ ziemlich ________.

LEKTION 1 LERNWORTSCHATZ

EINSTIEGSSEITE, S. 13

die Herkunft (Sg.)
das Motiv, -e

entwerfen, entwarf, hat entworfen
kommentieren

SPRECHEN 1, S. 14–15

die Alternative, -n
die Aufzählung, -en
die Einschränkung, -en
der Gegensatz, ¨-e
der Geschmack, ¨-er
denselben Geschmack haben
das Missverständnis, -se
die Neuigkeit, -en
Neuigkeiten austauschen
die Umfrage, -n

anvertrauen
jemandem etwas ausmachen
bezeichnen
sich verlassen auf (+ Akk.), verließ, hat verlassen
verstehen unter (+ Dat.), verstand, hat verstanden

hin- und hergerissen sein
(sich) aus den Augen verlieren, verlor, hat verloren

einerseits – andererseits
entweder – oder
nicht nur – sondern auch
sowohl – als auch
weder – noch
zwar – aber

LESEN, S. 16–17

der Auftrag, ¨-e
in Auftrag geben, gab, hat gegeben
die Daten (Pl.)
Daten auswerten
Daten erfassen
die Erdbevölkerung (Sg.)
der Fakt, -en
die Freundschaftsanfrage, -n
der Nutzer, -
die Redensart, -en

ermöglichen

vernetzt sein
über sechs Ecken kennen, kannte, hat gekannt

mittlerweile

HÖREN, S. 18–19

die Ankündigung, -en
der Eindruck, ¨-e
den Eindruck haben
die Gesprächsrunde, -n
der Ratgeber, -
die Verwirrung (Sg.)

auffallen, fiel auf, ist aufgefallen
feststellen

oberflächlich

WORTSCHATZ, S. 20

das Bedürfnis, -se
die Beziehung, -en
eine Beziehung haben
die Dankbarkeit (Sg.)
die Emotion, -en
der Komiker, -
der Lebensabschnitt, -e
die Lebensphase, -n
der Teenager, -

zusammenkommen mit, kam zusammen, ist zusammengekommen

befreundet sein mit
Freundschaft schließen mit

SPRECHEN 2, S. 21

der Altersunterschied, -e
der Einblick, -e
das Feedback, -s
die Folie, -n
das Inhaltsverzeichnis, -se
der Konkurrent, -en
der Übergang, ¨-e

erwähnen

abenteuerlustig
außergewöhnlich
extrovertiert
hilfsbereit
introvertiert
nachdenklich
risikofreudig
rücksichtslos/-voll

SCHREIBEN, S. 22

die Auswertung, -en
die Rückseite, -n
die Vorderseite, -n

bewerten
gestalten

Kontakte pflegen

SEHEN UND HÖREN, S. 23

der Besen, -

sorgen für

(sich) vertraut machen mit

mental

Nomen mit der Angabe (Sg.) verwendet man (meist) nur im Singular.
Nomen mit der Angabe (Pl.) verwendet man (meist) nur im Plural.

LEKTIONSTEST 1

1 Wortschatz

Ergänzen Sie *austauschen, pflegen, schließen, aus den Augen verlieren, hin- und hergerissen sein, anvertrauen* in der richtigen Form.

1 Mit meiner Kindergartenfreundin Paula habe ich immer noch Kontakt.
Wir haben uns nie ______________________.
2 Wir versuchen, uns mindestens einmal im Monat zu treffen und Neuigkeiten ______________.
3 Im Grunde ist Paula meine beste Freundin, ihr kann ich alles ______________.
4 Lars feiert ein großes Fest. Er ______________, ob er seine Ex-Freundin einladen soll.
5 Millionen junger Leute haben unzählige Freunde in sozialen Netzwerken. Die Frage ist aber, ob man im Internet wirklich Freundschaft ______________ kann.
6 Auch wenn man eine feste Beziehung hat, sollte man seine anderen Kontakte weiter ______________.

Je 1 Punkt **Ich habe _____ von 6 möglichen Punkten erreicht.**

2 Grammatik

a **Verbinden Sie die Sätze mit *nicht nur – sondern auch, weder – noch, entweder – oder, zwar – aber.* Schreiben Sie Ihre Lösungen auf ein separates Blatt.**

1 Sandra und Tim gehen freitags oft ins Kino. Manchmal gehen sie auch tanzen.
2 Für Eva ist ihr Hund Bobby ein treuer Freund. Und er motiviert sie täglich zu langen Spaziergängen.
3 Anna und Max sehen sich nicht oft. Sie haben sich trotzdem viel zu sagen.

Je 2 Punkte **Ich habe _____ von 6 möglichen Punkten erreicht.**

b **Ergänzen Sie die Angaben in Klammern an der passenden Stelle und schreiben Sie die Sätze auf ein separates Blatt.**

1 Für meine Freunde bin ich erreichbar. (schnell / in Notsituationen)
2 Auf der Party ist mir die Freundin von Oskar aufgefallen. (angenehm / wegen ihres tollen Humors)
3 Die Erdbevölkerung ist gewachsen. (nur in den ärmeren Regionen / in den letzten Jahren)

Je 2 Punkte **Ich habe _____ von 6 möglichen Punkten erreicht.**

c **Nachsilben bei Nomen: *-ist, -er, -nis, -keit, -e, -ion, -schaft***

Bilden Sie aus folgenden Wörtern Nomen mit Nachsilben und ergänzen Sie den richtigen Artikel.

1 einsam	_____	_____________	5 Freund	_____	_____________
2 ideal	_____	_____________	6 Musik	_____	_____________
3 verstehen	_____	_____________	7 warm	_____	_____________
4 dankbar	_____	_____________	8 präsentieren	_____	_____________

Je 1 Punkt **Ich habe _____ von 8 möglichen Punkten erreicht.**

3 Kommunikation

Welche Redemittel passen zu welchem Teil einer Präsentation? Ordnen Sie zu.

a Die Präsentation einleiten	1 *Als Nächstes möchte ich …*	☐
b Übergänge von einer Folie zur nächsten formulieren	2 *Ich danke für eure/Ihre Aufmerksamkeit.*	☐
c Die Präsentation abschließen	3 *Wie hast du / haben Sie das gemeint …?*	☐
d Feedback geben / Nachfragen stellen	4 *Ich habe das Thema ausgewählt, weil …*	☐

Je 1 Punkt **Ich habe _____ von 4 möglichen Punkten erreicht.**

Auswertung: Vergleichen Sie Ihre Lösungen mit S. AB 113.
Ihre Erfolgspunkte tragen Sie unter jeder Aufgabe ein.

Ich habe _____ von 30 möglichen Punkten erreicht.

☺	😐	☹
30–26	25–15	14–0

1

WIEDERHOLUNG WORTSCHATZ

1 Welt der Arbeit ÜBUNG 1

a **Was passt? Ordnen Sie zu.**

1 Lebens	Chef
2 Bewerbungs	Gehalt
3 Berufs	Job
4 Arbeits	Lauf
5 Anfangs	Foto
6 Personal	Ausbildung
7 Aufstiegs	Vertrag
8 Traum	Chance

b **Ergänzen Sie die Tabelle.**

maskulin	neutral	feminin
der Lebenslauf		

2 Zuständigkeiten

a **Ergänzen Sie.**

sich kümmern • ~~zuständig sein~~ • sich beschäftigen • telefonieren • arbeiten • berichten

1 Tom ist als Marketing-Chef zuständig für die Werbung seiner Firma.
2 Anna ist Fremdsprachensekretärin und ______ um die Korrespondenz mit dem Ausland.
3 Max hat Medizin studiert. Jetzt ______ er als Arzt.
4 Tina ist Journalistin und ______ hauptsächlich mit Kulturpolitik. Sie ______ vor allem über die Filme von jungen Regisseuren.
5 Lara arbeitet in einem Service-Center und ______ oft mit Kunden.

b **Markieren Sie in a die Präposition, die zu dem Ausdruck gehört.**

zu Sprechen 1, S. 26, Ü1

3 Rund um den Beruf

WORTSCHATZ

Was passt? Ordnen Sie zu.

1 Wer Vorlesungen hält,
2 Wer seinen Arbeitsplatz an verschiedenen Orten hat,
3 Wer 24 Stunden am Tag verfügbar ist,
4 Wer einen Vertrag abschließen will,
5 Wer ein Praktikum macht,
6 Wer im Schichtdienst arbeitet,
7 Wer sein Profil für eine Bewerbung erstellt,

A sollte vorher Verhandlungen führen.
B muss wissenschaftliche Vorträge vor Studierenden halten.
C muss frühmorgens, tagsüber oder spätabends arbeiten.
D muss mobil sein.
E muss rund um die Uhr arbeiten.
F gibt seine Ausbildungszeiten und seine Berufserfahrung an.
G kann Berufserfahrung sammeln.

zu Sprechen 1, S. 27, Ü3

4 Wir stellen Mitarbeiter vor ÜBUNG 2

KOMMUNIKATION

Ergänzen Sie.

Zu meinen Aufgaben • ~~Leiterin des Bereichs~~ • bemühe • bin ... zuständig • ins Stocken gerät • Kontakte ... knüpfen • persönlich ... verantwortlich • mit ... zu tun • Tätigkeit ... erläutern

Firmenzeitung: Frau Busch, Sie sind seit drei Jahren die *Leiterin des Bereichs* (1) Crossmedia-Marketing. Könnten Sie uns bitte Ihre ______ etwas genauer ______ (2)?

Busch: Ich ______ mit rund 15 Mitarbeitern für neue Werbeideen ______ (3). ______ (4) gehört es, ______ zu neuen Kunden zu ______ (5) und für unsere Kunden Werbekonzepte für verschiedene Kommunikationskanäle zu entwickeln.

Firmenzeitung: Wenn Sie ein neues Projekt starten, wie gehen Sie dann vor?

Busch: Wir haben sehr viel ______ unseren Kunden ______ (6). Ich ______ (7) mich, die Vorstellungen der Kunden genau kennenzulernen und diese dann zusammen mit meinen Mitarbeitern umzusetzen. Ich bin ______ für die Zufriedenheit unserer Kunden ______ (8). Problematisch wird es nur dann, wenn die Kommunikation zwischen mir, meinen Mitarbeitern und unseren Kunden nicht richtig läuft und ______ (9). Dann fehlt uns das nötige Feedback.

Firmenzeitung: Vielen Dank für das Gespräch und weiterhin viel Erfolg!

zu Wortschatz, S. 28, Ü1a

5 Wer macht eigentlich was?

WORTSCHATZ

Was ist richtig? Markieren Sie.

1 Ein *<u>Projektleiter</u>/Sachbearbeiter/Assistent* ist für ein Vorhaben des Unternehmens verantwortlich.
2 Ein *Assistent/Projektleiter/Auszubildender* erlernt einen Beruf in einem Betrieb.
3 Ein *Bereichsleiter/Sachbearbeiter/Auszubildender* führt einen Teil des Unternehmens.
4 Ein *Assistent/Vorgesetzter/Sachbearbeiter* bestimmt, was andere Personen machen müssen.
5 Ein *Auszubildender/Bereichsleiter/Assistent* hilft dem Chef bei der Arbeit.

zu Wortschatz, S. 28, Ü1b

6 Unterschiedliche Charaktere ÜBUNG 3, 4

WORTSCHATZ

Ergänzen Sie die Definitionen.

kann Entscheidungen ohne fremde Hilfe treffen • ist Erfolg sehr wichtig • ~~kann Arbeitsprozesse gut planen und durchführen~~ • plant seinen Arbeitsbereich systematisch • kann seine Ziele erreichen, obwohl andere dagegen sind • arbeitet gut mit anderen zusammen

1 Jemand, der organisiert ist, *kann Arbeitsprozesse gut planen und durchführen.*
2 Für jemanden, der ehrgeizig ist, ______
3 Jemand, der teamfähig ist, ______
4 Jemand, der selbstständig ist, ______
5 Jemand, der strukturiert ist, ______
6 Jemand, der durchsetzungsstark ist, ______

zu Wortschatz, S. 28, Ü1c

7 Eine junge Modefirma

HÖREN

Hören Sie das Radiointerview der Woche zum Thema „Moderne Unternehmen" und ergänzen Sie Stichworte.

1 Position von Frau Stark:
Geschäftsführerin von „Fair Fashion"
2 Geschäftsidee der Firma „Fair Fashion":
____
3 Aufgabe des Bereichsleiters „Einkauf":
____
4 Aufgabe des Bereichsleiters „Herstellung":
____
5 Ist zuständig für das Design der aktuellen Kollektion: __________
6 Koordiniert die Arbeit der Designer: __________
7 Eine wichtige Aufgabe der Geschäftsführerin: __________

WIEDERHOLUNG GRAMMATIK

zu Wortschatz, S. 28, Ü2

8 Fair Fashion ÜBUNG 5

Ergänzen Sie die Verben im Passiv (Gegenwart oder Vergangenheit).

Frau Stark erzählt außerdem, dass in die neue Kollektion viel Geld investiert wird (investieren) (1). Letztes Jahr __________ der Umsatz der Firma von 1,2 Millionen auf 1,8 Millionen Euro __________ (steigern) (2). Weil das Modelabel „Fair Fashion" so gut läuft, __________ in diesem Jahr fünf neue Mitarbeiter __________ __________ (sollen, einstellen) (3). Vor einem halben Jahr ist außerdem ein Wettbewerb für Nachwuchs-Designer __________ (veranstalten) (4), auf dem ökologische Konzepte für Mode __________ (prämieren) (5).

zu Wortschatz, S. 28, Ü2

9 Zustandspassiv

GRAMMATIK ENTDECKEN

a **Ergänzen Sie in der richtigen Form.**

Unterlagen vorbereiten • Namensschilder verteilen • ~~Raum reservieren~~ • Laptop einschalten

Der Raum wird reserviert. | __________ | __________ | __________

b **Die Vorbereitungen sind fertig. Schreiben Sie Sätze im Zustandspassiv.**

Der Raum ist reserviert. | __________ | __________ | __________

zu Wortschatz, S. 28, Ü2

10 Bitte beachten! ÜBUNG 6, 7

GRAMMATIK

a **Lesen Sie die Notizzettel und markieren Sie die Verbformen.**

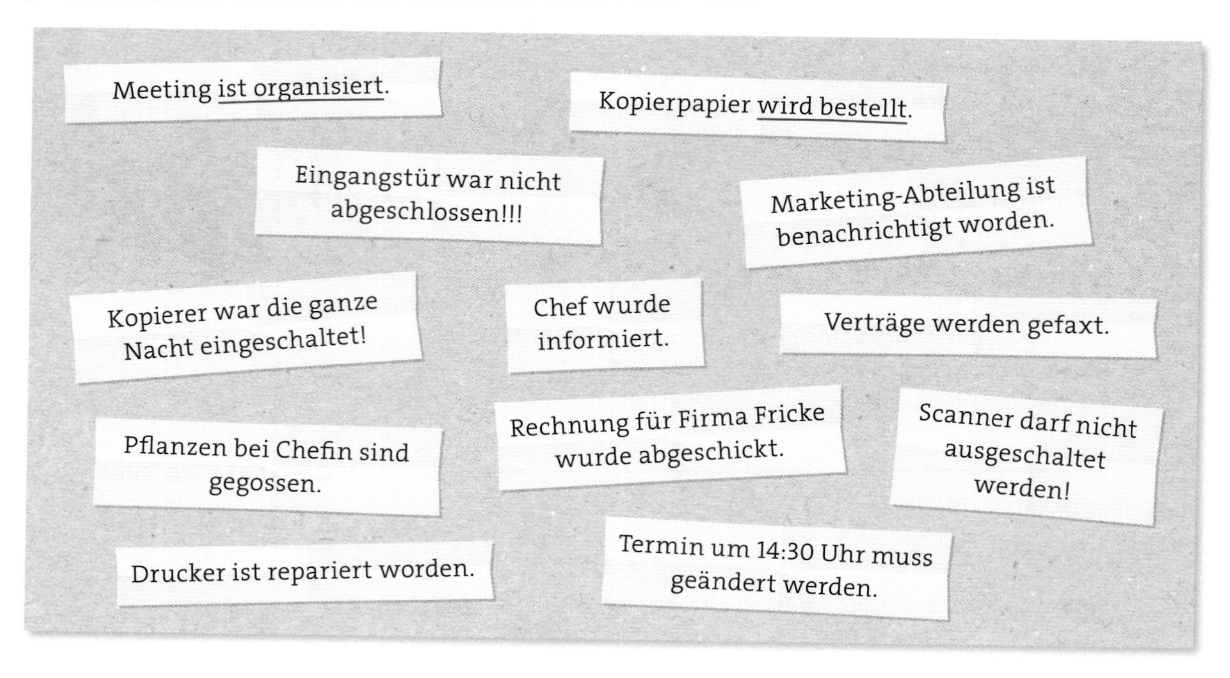

b **Ergänzen Sie die Tabelle mit den Verben aus a.**

Vorgangspassiv				Zustandspassiv	
Präsens	Präteritum	Perfekt	Passiv mit Modalverb	Präsens	Präteritum
wird bestellt				ist organisiert	

zu Wortschatz, S. 28, Ü2

11 In der Kaffeepause

GRAMMATIK

Ergänzen Sie die Verben *werden* und *sein* in der richtigen Form.

- ● Sag mal, ist der Praktikant nach seinem Praktikum eigentlich angestellt worden (1)?
- ■ Ja, der ________ (2) seit einer Woche fest angestellt und arbeitet jetzt in unserer Abteilung.
- ● Ist er denn eine Hilfe oder macht er euch nur Arbeit?
- ■ Er ________ ja von der Chefin selbst angelernt ________ (3), aber in unserer Abteilung müssen auch noch andere Aufgaben erledigt ________ (4). Da muss er noch einiges lernen.
- ● Und von wem ________ (5) ihm das jetzt beigebracht?
- ■ Rate mal! Ich ________ letzte Woche von der Chefin gebeten ________ (6), das zu machen. Er versteht aber schnell und ist sehr selbstständig, deshalb ist das kein großes Problem. Weißt du eigentlich, was morgen in der Team-Sitzung besprochen ________ (7)?
- ● Die Tagesordnung ________ (8) gestern verschickt, schau mal in deine Mails. Es geht vor allem darum, wie das neue Modell präsentiert ________ (9) soll.

2

zu Hören, S. 29, Ü4

12 Kurze Pausen richtig nutzen

LESEN

a **Lesen Sie die Pausen-Tipps aus einer Zeitschrift und ordnen Sie die Überschriften den Abschnitten zu.**

- [ ] Rückentraining
- [1] Kaffeeklatsch
- [ ] Gedankenreise
- [ ] Richtig Luft holen

Wer seine Tätigkeit jede Stunde für wenige Minuten unterbricht, ist produktiver. Wir haben vier Tipps für die effektive Fünf-Minuten-Pause, die Sie machen können, ohne sich an einen Therapeuten zu wenden. Sie werden von den Übungen begeistert sein!

1 Spätestens nach 50 Minuten auf den Bildschirm schauen nimmt die Arbeitsleistung ab. Jetzt ist es wichtig, sich für wenige Minuten mit anderen Dingen zu befassen. Der Klassiker unter allen Pausenaktivitäten hat auch den größten Nutzen: kurz aufstehen, sich strecken, sich einen Kaffee holen und sich mit den Kollegen unterhalten. Das bringt Abwechslung für Körper und Geist, wirkt sich positiv auf das Wohlbefinden und die Motivation aus.

2 Wer einem Bürojob nachgeht, wird bis zu seinem Renteneintritt rund 80 000 Stunden im Sitzen gearbeitet haben. Sitzjobs sind eine Belastung für die Wirbelsäule. Es ist sinnvoll, mindestens einmal in der Stunde diesem Körperteil für ein bis zwei Minuten etwas Gutes zu tun. Folgende Übung lässt sich leicht im Büro durchführen: gerade im Bürostuhl sitzen, Beine hüftbreit aufstellen und die Hände auf die Oberschenkel legen. Dann den Oberkörper sachte nach links drehen, die Position kurz halten, schließlich zurückdrehen. Danach die Seite wechseln. Das entspannt die Rückenmuskulatur.

3 Stresssituationen führen zu einer Veränderung der Atmung: Sie wird schneller und flacher. Darum zielen viele Entspannungsübungen auf die Atmung ab. Öffnen Sie das Fenster oder gehen Sie kurz nach draußen. Eine beliebte Übung ist die Atmung mit Wortwiederholung: einfach tief durch die Nase ein- und ausatmen und dabei in Gedanken langsam ein Wort wie „Ruhe" sprechen. Solche Übungen können in drei bis vier Minuten im Büro durchgeführt werden und wirken beruhigend.

4 Sie sollen kreativ sein, aber Ihnen fällt absolut nichts ein? Das passiert sogar den Profis in Kreativberufen. Für folgende Übung sollten Sie sich fünf Minuten Zeit nehmen: Augen schließen, entspannt sitzen, ruhig atmen und den Augenblick bewusst wahrnehmen. Wie fühlt sich der Bürostuhl an, welche Teile des Körpers berühren den Boden? Wo liegen Ihre Arme? Von den Armen geht es weiter in den Bauch und Rücken. Wie fühlt sich die Atmung im Bauch an? Weiter geht es zu den Beinen und den Füßen, schließlich zum Kopf. Am Schluss stellt man sich die Frage, wie man sich fühlt. Diese Übung entspannt den ganzen Körper. Sobald sich ein Wohlgefühl einstellt, die Augen wieder öffnen.

b **Ergänzen Sie die Tabelle.**

	1	2	3	4
Welches Problem?	Arbeitsleistung nimmt ab			
Wie lange dauert die Übung?				
Ziel der Übung				

zu Hören, S. 29, Ü5

13 *von* oder *durch* in Passivsätzen

GRAMMATIK ENTDECKEN

a **Ergänzen Sie.**

1 Der Projektleiter wird _von_ der Assistentin informiert.

2 Der Firmenchef wird ________ einem Journalisten interviewt.

3 Die Assistentin wird ________ eine SMS benachrichtigt.

4 Sven wird ________ seinen großen Ehrgeiz angetrieben.

b **Ergänzen Sie *von* oder *durch*.**

Person, Institution ________

Mittel, Instrument, Ursache ________

zu Hören, S. 29, Ü5

14 Mut zur Pause! ÜBUNG 8

GRAMMATIK

Ergänzen Sie *von* oder *durch*.

Liebe Redaktion,

ich habe Ihre Sendung „Entspannen am Arbeitsplatz" gehört und kann nur sagen: Danke für diesen Beitrag! _Von_ (1) jeder Firmenleitung sollte auf Pausen am Arbeitsplatz Wert gelegt werden, damit die Entspannungsübungen ________ (2) allen Mitarbeitern auch wirklich durchgeführt werden können. Die Pausen sollten ________ (3) Bewegung und ________ (4) kurze Entspannungsübungen aktiv gestaltet werden. ________ (5) Übungen wie Weglegen des Bleistifts, tiefes Durchatmen, kurzes Schließen der Augen kann Stress erfolgreich abgebaut werden. Solche Minipausen werden ja auch ________ (6) vielen Firmenchefs unterstützt. Und noch ein Tipp für die nächste Sendung: Die Freude an der Arbeit kann ________ (7) einen individuell gestalteten Arbeitsplatz mit Pflanzen und Bildern gefördert werden.

Mit herzlichen Grüßen
Daniela Liebig

zu Hören, S. 29, Ü5

15 Neue Arbeitswelt

GRAMMATIK

Schreiben Sie Sätze im Passiv mit *von* oder *durch*.

1 Neue Kommunikationstechniken verändern die Arbeitswelt.
Die Arbeitswelt wird durch neue Kommunikationstechniken verändert.

2 Unsere Mitarbeiter haben neue Kommunikationsstrukturen entwickelt.

____.

3 Die neuen Strukturen lösen die alten Arbeitsmethoden ab.

____.

4 Diese Kommunikationswege verbinden unsere Filialen weltweit miteinander.

____.

5 Flexible Arbeitszeitmodelle erleichtern ein familienfreundliches Arbeitsleben.

....

6 Kein Computer kann den persönlichen Kontakt oder das Gespräch auf dem Flur ersetzen.

....

zu Lesen 1, S. 30, Ü1

16 Berufliche Aktivitäten ÜBUNG 9, 10

WORTSCHATZ

Was bedeutet das? Ordnen Sie zu.

1 einen Blog betreuen
2 Beiträge verfassen
3 die Kommunikation am Laufen halten
4 einen Eindruck hinterlassen
5 unkonventionelle Werbung machen
6 Feedback bekommen

A für ständigen Kontakt mit anderen Personen sorgen
B sich um das Online-Tagebuch einer Firma kümmern
C Rückmeldungen erhalten
D (kurze) Texte schreiben
E eine bestimmte Wirkung erzielen
F sich neue und ungewöhnliche Reklame ausdenken

zu Lesen 1, S. 30, Ü1

17 Neue kreative Berufe

HÖREN

10 CD|AB

a **Hören Sie das Interview und ergänzen Sie.**

1 Was ist Viola von Beruf?

....

2 Worin besteht ihre Tätigkeit?

....

....

3 Was haben Violas Meinung nach viele Firmen noch nicht erkannt?

....

....

b **Hören Sie das Interview noch einmal in Abschnitten.**

11 CD|AB

Abschnitt 1: Welche Aussagen sind richtig (R), welche falsch (F)? Markieren Sie.

	R	F
1 Früher hat Viola in einer Unternehmensberatung gearbeitet.	☐	☐
2 Bei Galaxis-Media war Viola von Anfang an auf sich alleine gestellt.	☐	☐
3 Am liebsten würde Viola als Chefredakteurin beim Magazin FUN arbeiten.	☐	☐
4 Viola ist zufrieden, wenn sie ein Feedback zu ihren Blogs bekommt.	☐	☐

12 CD|AB

Abschnitt 2: Was ist richtig? Markieren Sie.

1 Was sagt Viola über gute Blogger?
- ☐ Eigentlich ist jeder ein guter Blogger.
- ☐ Das sind besondere Leute, die eine emotionale Beziehung zum Internet haben.
- ☐ Es gibt nur ganz wenige, die den Job wirklich gut machen.

2 Nach Violas Meinung bekommen die professionellen Blogger von den Firmen ...
- ☐ zu wenig Aufmerksamkeit.
- ☐ genau die richtige Aufmerksamkeit.
- ☐ zu viel Aufmerksamkeit.

3 Wo werden gute Blogger von einem Netzwerk finanziell unterstützt?
- ☐ In Schweden.
- ☐ In Deutschland.
- ☐ In Schweden und in Deutschland.

2

zu Lesen 1, S. 31, Ü5

18 Wortbildung: Vorsilben bei Nomen

GRAMMATIK ENTDECKEN

a **Lesen Sie den Blogbeitrag der Firma *Web-Guerillas* und markieren Sie die Nomen mit Vorsilben.**

Hurra, der Umzug ist geschafft! Jetzt haben wir wunderschöne neue Räume und jeder seinen kreativen Arbeitsbereich. Das sind doch gute Aussichten für unsere neuen Projekte. Und im Rückblick fragen wir uns, wie wir mit unseren begrenzten Räumlichkeiten bisher zurechtgekommen sind.

Es gibt viele Anfragen dazu, wie man am besten zu uns kommt: Schaut mal in die Anzeige unten. Da findet ihr alle Infos für eine problemlose Anfahrt. Ihr werdet merken: Wir sind jetzt viel besser zu erreichen …

b **Welche Nomen haben eine Endung, welche haben keine? Schreiben Sie die Nomen aus a im Singular mit Artikel in die Tabelle.**

Endung -e	Endung -t	ohne Endung
		der Umzug

c **Was fällt Ihnen auf? Ergänzen Sie.**

- Nomen mit der Endung *-e* und *-t* haben in der Regel den Artikel ______
- Nomen ohne Endung haben in der Regel den Artikel ______

zu Lesen 1, S. 31, Ü5

19 Arbeitsgespräche ÜBUNG 11, 12, 13

GRAMMATIK

Ergänzen Sie die Nomen und die Artikel in der richtigen Form.

1 ● Wann fliegt die Maschine vom Chef morgen ab?
■ Der Abflug ist um 7:25 Uhr.
2 ● Wie viel Kapital setzt Ihre Firma pro Jahr um?
■ Genaue Zahlen kann ich Ihnen nicht sagen, aber ______ ______ ist gestiegen.
3 ● Und wenn Sie auf die letzten 3 Monate zurückblicken?
■ ______ ______ fällt auf jeden Fall sehr positiv aus.
4 ● Hat Direktor Bossert das Meeting abgesagt?
■ Ja, vor einer halben Stunde haben wir ______ ______ erhalten.
5 ● Wann werden die Verhandlungen abgeschlossen?
■ Ich weiß es nicht genau, aber ______ ______ muss spätestens morgen stattfinden.
6 ● Wann steigen wir aus dem alten Projekt aus?
■ ______ ______ ist für nächsten Monat geplant.

zu Schreiben, S. 32, Ü3

20 Kausale Zusammenhänge

GRAMMATIK ENTDECKEN

a Lesen Sie den Artikel und markieren Sie alle Wörter, die kausale Zusammenhänge ausdrücken.

Selbst dem gewissenhaftesten Mitarbeiter kann das passieren: Weil die Zeit morgens knapp geworden ist, kommen Sie zu spät in die Firma. Und hier gibt es jetzt ein Problem: Der Chef ist nämlich schon da und möchte ein Gespräch mit Ihnen führen, in dem er eine plausible Erklärung für die Verspätung erwartet. Was tun?
Die meisten Arbeitgeber schätzen Offenheit, deshalb ist es oft am besten, dem Arbeitgeber einfach die Wahrheit zu sagen: Da der Wecker nicht geklingelt hat, haben Sie verschlafen. Vor Müdigkeit sind Sie nach dem Weckerklingeln wieder eingeschlafen. Weil die Kinder ihre Schulsachen nicht finden konnten, sind Sie zu spät dran. Aufgrund eines Streits mit Ihrem Partner konnten Sie nicht früher kommen. Sie konnten Ihr Auto nicht starten, denn der Autoschlüssel war nicht zu finden. Wegen des Staus im Berufsverkehr haben Sie sich verspätet. Aus Ärger über den Stau haben Sie einen Umweg gemacht, auf dem Sie sich verfahren haben. Dank des Navigationssystems in Ihrem Auto sind Sie jetzt aber endlich da. Bei so guten Erklärungen ist der Chef dann bestimmt nicht mehr verärgert.

b Ordnen Sie die Konnektoren und die Präpositionen in die Tabelle ein.

Verbal		Nominal			
Hauptsatz + Hauptsatz	Hauptsatz + Nebensatz				
	weil		+ Genitiv	vor	+ Dativ

zu Schreiben, S. 32, Ü3

21 *Vor* oder *aus*?

GRAMMATIK ENTDECKEN

a Markieren Sie die Nomen mit Präposition.

1 Martin pendelt zur Arbeit. Vor Erschöpfung schläft er auf der Rückfahrt in der Bahn meistens ein.
2 Aus Langeweile hört Anna im Zug manchmal Musik. So kann sie sich die Zeit etwas vertreiben.
3 Aus Angst, zu spät zur Arbeit zu kommen, hat Lisa sich drei Wecker gekauft.
4 Tanja hat Sven auf dem Bahnsteig gesehen. Vor Aufregung klopfte ihr Herz ganz laut.
5 Aus Liebe zu klassischer Musik hat Tom sich alle CDs von Beethoven gekauft.

b Ergänzen Sie.

______ + Nomen → ein Gefühl, das eine bewusste Handlung zur Folge hat
______ + Nomen → ein Gefühl, das eine unbewusste körperliche Reaktion zur Folge hat

zu Schreiben, S. 32, Ü3

22 Bewusst oder unbewusst?

GRAMMATIK

Ergänzen Sie die Präpositionen *vor* oder *aus*.

1 Aus Zeitmangel konnte das Meeting noch nicht organisiert werden.
2 ______ Schreck ließ der Praktikant die Gläser fallen.
3 ______ Geldnot arbeitet Herr Martens morgens noch als Zeitungsbote.
4 ______ Dankbarkeit für die Hilfe brachte Herr Riedt seiner Kollegin Blumen mit.
5 ______ Wut wurde der Chef ganz rot im Gesicht.

2

zu Schreiben, S. 32, Ü3

23 Der lange Weg zur Arbeit ÜBUNG 14, 15, 16

GRAMMATIK

Schreiben Sie die Nebensätze mit *weil* oder *da*.

1 Aufgrund der Verspätung der Bahn komme ich nicht rechtzeitig zur Arbeit.
Weil die Bahn sich verspätet, komme ich nicht rechtzeitig zur Arbeit.

2 Wegen der Hitze im Abteil fühle ich mich unwohl.

3 Aufgrund der lauten Telefonate meines Nachbarn kann ich mich nicht konzentrieren.

4 Dank der guten Kundeninformation der Bahn weiß ich, dass ich den Anschluss-Zug bekomme.

5 Dank des guten Service im Zug habe ich meinen Kaffee am Platz bekommen.

zu Schreiben, S. 33, Ü4

24 Wie kann man die Zeit im Zug gut nutzen?

KOMMUNIKATION

a **Finden Sie Bildunterschriften.**

A

B

C

D

b **Ergänzen Sie und ordnen Sie dann den Meinungen die Situationen aus a zu.**

Meiner Meinung nach • ~~Deshalb halte ich das für schwierig~~ • Ich bin davon überzeugt, dass • Ich halte das für unhöflich, denn

[D] 1 Ich würde mich vor den mitleidigen Blicken der anderen Passagiere fürchten, wenn ich mein Lied beendet habe. Deshalb halte ich das für schwierig. Trotzdem – ein interessanter Tipp, den meine Mitreisenden hoffentlich nicht umsetzen werden.
Marina S., Leipzig

[ ] 2 __________ geht das gar nicht! Am besten alles unverpackt, sodass sich die Gerüche im ganzen Abteil ausbreiten können. Wer im Zug essen will, kann das im Bord-Restaurant tun.
Tom P., Kiel

[ ] 3 __________ niemand hören will, wie Sie Ihren Mitarbeiter kritisieren. Es will auch ganz bestimmt niemand hören, wie Sie Ihrem Partner Ihren ganzen langweiligen Tag nacherzählen. Wahrscheinlich interessiert das nicht mal Ihren Partner.
Lara K., Bochum

[ ] 4 __________ leider ist es ja so, dass jeder gezwungen ist mitzuhören. Wieso kaufen manche Leute sich ein Smartphone für 1000 Euro und haben dann kein Geld für ordentliche Kopfhörer? Und wieso sind die meisten billigen Kopfhörer so konstruiert, dass alle alles hören?
Paul B., Rostock

zu Lesen 2, S. 34, Ü2

25 So ist das in Deutschland ...

SCHREIBEN

Wie finden Sie die Situationen, die im Kursbuch S. 34–35 geschildert werden? Schreiben Sie einer Freundin / einem Freund Ihre Meinung dazu. Verwenden Sie dabei die Redemittel aus dem Kursbuch.

Liebe .... / Lieber ....,

stell Dir vor, in Deutschland ist es problematisch, wenn man in der Firma sein Handy auflädt und vorher nicht um Erlaubnis gefragt hat. Das finde ich unmöglich, denn ...

zu *Wussten Sie schon?*, S. 35

26 Ihr gutes Recht ÜBUNG 17, 18

LANDESKUNDE / LESEN

Lesen Sie den Zeitungsartikel zum Arbeitsrecht: Welche Aussagen sind richtig? Markieren Sie.

Kündigungsschutz

Mit einer Kündigung beendet der Arbeitgeber oder der Arbeitnehmer das Arbeitsverhältnis. Eine Kündigung ist fast immer eine folgenreiche Entscheidung, denn für die meisten Arbeitnehmer ist der Arbeitsplatz die einzige Möglichkeit, Geld zu (5) verdienen – der Arbeitsplatz ist also ihre Existenzgrundlage. Aus diesem Grund soll der Kündigungsschutz dafür sorgen, dass die Arbeitnehmer ihren Arbeitsplatz behalten, wenn es möglich ist. Sie sollen vor zu schnellen Kündigungen durch den Arbeitgeber geschützt werden. Andererseits muss es dem Arbeitgeber möglich sein, den Arbeitnehmer zu entlassen, wenn ein Arbeitnehmer ungeeignet für seine Position (10) ist, wenn er dem Betrieb schadet oder wenn es die wirtschaftliche Situation erfordert. Dabei muss der Arbeitgeber allerdings bestimmte Fristen beachten.

Die gesetzlichen Kündigungsfristen

Einem Arbeiter oder einem Angestellten kann in der Regel mit einer Frist von vier Wochen zur Mitte oder zum Ende eines Kalendermonats gekündigt werden. Während der Probezeit (15) kann der Arbeitgeber den Arbeitnehmer mit einer Frist von zwei Wochen entlassen. Wenn ein Arbeitgeber einem Arbeitnehmer, der schon sehr lange für den Betrieb tätig ist, kündigen möchte, muss er längere Kündigungsfristen einhalten.

1 Mit einer Kündigung müssen Arbeitgeber und Arbeitnehmer einverstanden sein. ☐
2 Für die meisten Menschen ist Arbeit das einzige Mittel, um ihr Leben zu finanzieren. ☐
3 Der Kündigungsschutz hat das Ziel, möglichst alle Kündigungen zu verhindern. ☐
4 Ein Arbeitgeber darf einen Arbeitnehmer nur dann entlassen, wenn der Arbeitnehmer seine Arbeit nicht gut macht. ☐
5 Wenn ein Betrieb wirtschaftliche Probleme hat, muss der Arbeitgeber keine Kündigungsfristen einhalten. ☐
6 Wenn ein Arbeitnehmer schon lange in einem Betrieb arbeitet, ist die Kündigungsfrist länger als vier Wochen. ☐

zu Lesen 2, S. 35, Ü3

27 Fehler vermeiden

Ergänzen Sie die Endungen der Adjektive.

Lieber Tom,

seit drei Tagen hab' ich einen neuen (1) Job in der Einkaufsabteilung von IKESA.
Ich freu mich natürlich riesig darüber, aber Du weißt ja, wie ungeschickt ich immer bin. ☺ Hoffentlich passiert mir nicht bald ein schlimm___ (2) Fehler!
Hast Du einen gut___ (3) Tipp, wie ich Fehler vermeiden kann und was ich machen soll, wenn mir doch welche passieren?

Tschüss
Jan

Hi Jan,

entspanne Dich erst mal, denn in der Regel wird jeder Fehler bei ernst gemeint___ (4) Entschuldigungen verziehen. Du solltest eigen___ (5) Fehler allerdings durch groß___ (6) Genauigkeit und gut___ (7) Zeitmanagement vermeiden.
Die folgend___ (8) Fehler solltest Du auf keinen Fall machen:

- Beginne mit keiner Deiner nett___ (9) Kolleginnen eine Liebesbeziehung. Ausnahme: Sie ist wirklich Deine groß___ (10) Liebe.
- Fang keinen richtig___ (11) Streit mit Deinen Vorgesetzten an, auch wenn es der unsympathisch___ (12) Chef verdient hätte.
- Trinke bei den üblich___ (13) Betriebsfeiern nicht zu viel Alkohol. Denn dann ist es nur noch ein klein___ (14) Schritt, bis Du die Fehler 1 und 2 machst ... ☺

Das schaffst Du sicher locker – also alles Gute in Deinem neu___ (15) Job!

LG ☺
Tom

zu Lesen 2, S. 35, Ü3

28 Partizip I und Partizip II als Adjektive

GRAMMATIK ENTDECKEN

a **Lesen Sie die Umfrage, markieren Sie die Partizipien und ergänzen Sie die Tabelle.**

Das nervt die Kollegen

Wir haben in unserem Betrieb eine Umfrage gemacht und unsere Mitarbeiter gefragt, was sie an ihren Kollegen/innen am meisten stört. Hier die Ergebnisse:
5 Ein rauchender Kollege stört die meisten Mitarbeiter, aber ebenso empfinden die meisten Kollegen stark riechendes Essen oder Körpergeruch als unangenehm. Ein verschmutzter Arbeitsplatz ist genauso ärgerlich, z. B. wenn unsere neue Teeküche oder die renovierten Waschräume nicht sauber sind. Viele ärgern sich auch über lang andauernde Privat-
10 gespräche am Telefon. Musik mögen die meisten nicht, auch wenn das Radio nur nebenbei läuft. Die Geschmäcker sind eben verschieden … ☺

	Text		Das passiert jetzt.	Das ist schon passiert.
1	ein rauchender Kollege	ein Kollege, der raucht	X	
2		Essen, das stark riecht		
3		ein Arbeitsplatz, der verschmutzt worden ist		
4		die Waschräume, die renoviert wurden		
5		Privatgespräche, die lang andauern		

b **Ergänzen Sie.**

Das passiert jetzt: Partizip ______ Das ist schon passiert: Partizip ______

zu Lesen 2, S. 35, Ü3

29 Im Büro

GRAMMATIK

Bilden Sie Relativsätze wie in Übung 28a und schreiben Sie: Ist die Bedeutung aktiv oder passiv?

1	der mich nervende Kollege der genervte Kollege	der Kollege, der mich nervt der Kollege, der genervt worden ist	Aktiv Passiv
2	das begonnene Projekt das beginnende Projekt		
3	der kritisierende Vorgesetzte der kritisierte Vorgesetzte		
4	die gelesene E-Mail die lesende Praktikantin		
5	das geschlossene Fenster das schlecht schließende Fenster		

zu Lesen 2, S. 35, Ü3

30 Dr. Winter rät ÜBUNG 19, 20 — GRAMMATIK

Ergänzen Sie das Partizip I oder Partizip II in der richtigen Form.

Fragen an unseren Experten

Von unserem kürzlich eingestellten (einstellen) (1) Vorgesetzten halte ich nicht allzu viel. Ich sage schon manchmal einen Satz wie „Was war denn das wieder für eine schlecht __________ (machen) (2) Präsentation vom Chef!" Aber was passiert, wenn das der neue Chef mal hört? Kann mir dann sofort gekündigt werden? *(H. Krause, Hamburg)*

Antwort von Dr. Winter

Dr. Winter

Zunächst einmal: Sie sind nicht allein. Jeder zweite Mitarbeiter ist mit seinem direkten Vorgesetzten unzufrieden, das ergab eine vor Kurzem __________ (veröffentlichen) (3) Studie der Universität Bochum. Doch so groß Ihr Ärger über den Chef auch sein mag, mit laut __________ (formulieren) (4) Unzufriedenheit sollten Sie vorsichtig sein. Erlaubt ist nur __________ (passen) (5) Kritik – __________ (verletzen) (6) Bemerkungen müssen sich Vorgesetzte nicht gefallen lassen. Wenn solche kritischen Sätze öfter vorkommen, kann der von Ihnen so wenig __________ (lieben) (7) Chef eine formale Warnung aussprechen. Dann dürfen Sie Ihre Unzufriedenheit nicht mehr laut äußern. Wenn Sie das dann trotzdem tun, kann Ihnen gekündigt werden.

zu Sprechen 2, S. 37, Ü2

31 Urlaubsplanung — KOMMUNIKATION

Lesen Sie das Telefongespräch und ergänzen Sie.

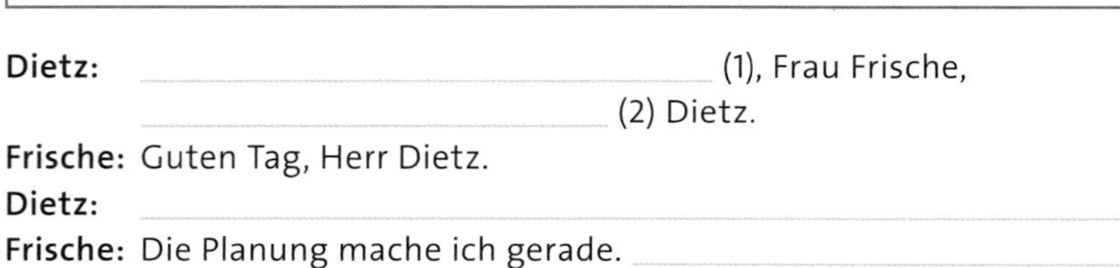

Der Grund meines Anrufs ist • Ihren Urlaubsantrag • Guten Tag • Nun hätte ich gern • wären Sie so freundlich • Auf Wiederhören • hier spricht • ~~Ich würde Sie bitten~~ • für diese Woche

Dietz: __________ (1), Frau Frische, __________ (2) Dietz.

Frische: Guten Tag, Herr Dietz.

Dietz: __________ (3) die Urlaubsplanung.

Frische: Die Planung mache ich gerade. __________ (4) habe ich schon.

Dietz: Ja, und da hätte ich ein Anliegen, bei mir hat sich nämlich etwas geändert. __________ (5) im Juli in einer anderen Woche Urlaub – und zwar vom 8. 7. bis 12. 7. Ich würde Sie bitten (6), das zu ändern.

Frische: Da muss ich erst mal sehen, wie viele Urlaubsanträge __________ (7) schon da sind. Vorher kann ich Ihnen nichts versprechen.

Dietz: Ja, ich weiß. Aber __________ (8), meinen Wunschtermin schon mal zu notieren? Ich schicke den neuen Urlaubsantrag dann auch noch schriftlich.

Frische: Gut, und wenn da nicht zu viele andere Kollegen in Urlaub wollen, gibt es kein Problem.

Dietz: Prima. Vielen Dank.

Frische: Bitte. __________. (9)

Dietz: Auf Wiederhören.

32 Speed – auf der Suche nach der verlorenen Zeit

FILMTIPP / LESEN

a **Suchen Sie Filmausschnitte im Internet.**
Was für eine Art Film ist „Speed"? Markieren Sie.

☐ ein Krimi ☐ ein Dokumentarfilm ☐ ein Actionfilm

b **Lesen Sie die Inhaltsangabe des Films.**
Was möchte der Filmemacher herausfinden? Schreiben Sie.

Wir verfügen heutzutage über viele technische Geräte und sparen dadurch immer mehr Zeit ein. Warum haben wir trotzdem das Gefühl, immer weniger davon zu haben? Oder gibt es Möglichkeiten, die Zeit für uns neu zu entdecken?
Dieser Frage geht der Filmemacher und Autor Florian Opitz in seinem Kinofilm nach. Er befragt Therapeuten, Wissenschaftler und Zeitmanagement-Experten nach Ursachen und Auswirkungen der chronischen Zeitnot. Auch Menschen, die aus dem Alltagstrott ausgestiegen sind, kommen zu Wort. Er trifft Unternehmensberater und international agierende Manager, also solche, die zur Beschleunigung der Zeit auf dem Arbeitsmarkt beitragen. Ist es der Spagat zwischen Arbeitswelt und Familie, Beruf und Freizeit – wer oder was treibt diese Entwicklung eigentlich voran? Ist sie ein Problem des Einzelnen oder der Gesellschaft? Die gute Nachricht lautet am Ende: Unser Wirtschaftssystem ist kein Naturgesetz, es gibt Alternativen zur Rastlosigkeit unserer Zeit. Auf seiner Suche entdeckt der Autor: Ein anderes Tempo ist möglich, wir müssen es nur wollen.

33 Berufserfahrung

MEIN DOSSIER

Suchen Sie ein Bild oder Foto im Internet zu einem Beruf oder zu einem Job, den Sie schon einmal gemacht haben. Schreiben Sie:

- Was haben Sie gemacht?
- Welche Erfahrungen haben Sie dabei gesammelt?
- Waren die Erfahrungen eher positiv oder eher negativ?
- Was könnte man an diesem Arbeitsplatz verbessern?

Ich habe schon mal als Bedienung gearbeitet.
Da musste ich ...
Ich habe die Erfahrung gemacht, dass ...
Positiv/Negativ war ...
Das Restaurant, in dem ich gearbeitet habe, war ...

Aussprache: Die Diphthonge *ei – au – eu/äu*

1 Gedicht

13 CD AB

a **Hören Sie das Gedicht und ergänzen Sie *ei, au* oder *eu*.**

Eine kl____ne M____se
machte sich ____f die R____se
zu ihrer Freundin T____be
die wohnt in ____ner L____be*.

Das wird ____n Abent____er
ihr ist nicht ganz geh____er.**

* kleines Holzhaus im Garten
** sie hat ein bisschen Angst, ihr ist etwas unheimlich.

b **Lesen Sie das Gedicht laut vor.**

2 Wortpaare *ei – au*

14 CD AB

Welches Wort hören Sie? Markieren Sie.

1 ☐ Eis ☐ aus
2 ☐ Frau ☐ frei
3 ☐ Rauch ☐ reich
4 ☐ Steinen ☐ staunen
5 ☐ lauter ☐ Leiter
6 ☐ Reifen ☐ raufen

3 Ein Telefongespräch

15 CD AB

a **Hören Sie den Dialog und ergänzen Sie *eu* oder *äu*.**

● Guten Tag, mein Name ist Hoyser. Ich möchte Visitenkarten bei Ihnen bestellen.
■ Guten Tag, Herr Hoyser. Gerne. Wir haben da ein frisches Design mit grünen B____men (1), das nehmen die meisten L____te (2).
● Ist das sehr t____er (3)?
■ Nein, das ist h____te (4) sogar im Sonderangebot. Wie ist Ihr Vorname?
● ____gen (5).
■ Und wie schreibt man Hoyser? Mit *e – u* oder *a – Umlaut* und *u*?
● Mit *o – Ypsilon*.
■ Mit *o – Ypsilon* ... interessant ... das ist ja ungewöhnlich.
● Wieso ist das ungewöhnlich!?
■ Na ja, *oi* schreibt man normalerweise mit *e – u* wie in ____ro (6) oder mit *a – Umlaut* und *u* wie in H____ser (7).
● Das ist aber schön, dass mein Name ungewöhnlich ist. Ich bin ja auch ein besonderer Mensch. Vielen Dank für das Kompliment. Jetzt bestelle ich gleich die doppelte Menge.

b **Schreiben Sie den Singular.**

1 Häuser *Haus* 2 Träume ____ 3 Bäume ____ 4 Verkäufe ____

c **Wie schreibt man den „oi"-Laut? Markieren Sie.**

☐ immer mit *äu*.
☐ meistens mit *eu*, nur dann mit *äu*, wenn es eine Grundform mit *au* gibt.
☐ manchmal mit *eu* manchmal mit *äu*, es gibt keine feste Regel.

d **Suchen Sie selbst weitere Wörter mit *eu* und *äu* und diktieren Sie diese Ihrer Lernpartnerin / Ihrem Lernpartner.**

LEKTION 2 LERNWORTSCHATZ

EINSTIEGSSEITE, S. 25

das Profil, -e

SPRECHEN 1, S. 26–27

die Anforderung, -en
der Bereich, -e
das Bundesgebiet, -e
die Klinik, -en
das Konzept, -e
die Messe, -n
die Schicht, -en
  der Schichtdienst, -e
die Spontaneität, -en
das Unternehmen, -
die Visitenkarte, -n
die Vorlesung, -en

erläutern
forschen
knüpfen
  Kontakte knüpfen

mobil sein
ins Stocken geraten, geriet,
  ist geraten
tätig sein
zur Verfügung haben

WORTSCHATZ, S. 28

die Ablage, -en
der Assistent, -en
der Bereichsleiter, -
die Konferenz, -en
die Position, -en
der Projektleiter, -
die Unterlage, -n

(sich) durchsetzen

dominant
durchsetzungsstark
ehrgeizig
strukturiert
teamfähig
unabhängig

HÖREN, S. 29

die Arbeitskraft, ⸚e
der Effekt, -e
die Motivation, -en
die Reportage, -n
der Therapeut, -en
die Veränderung, -en
der Zusammenbruch, ⸚e

spüren

erfahren sein (in) (+ Dat.)

begeistert

LESEN 1, S. 30–31

die Persönlichkeit, -en
die Steigerung, -en
der Umsatz, ⸚e
die Werbeaktion, -en

erfüllen
hinterlassen, hinterließ,
  hat hinterlassen
sich spezialisieren auf (+ Akk.)
verdreifachen

am Laufen halten, hielt,
  hat gehalten

kreativ
ungezwungen
unkonventionell

SCHREIBEN, S. 32–33

das Gewissen, -
die Offenheit (Sg.)
das Stichwort, -e

pendeln

Bezug nehmen auf, nahm,
  hat genommen
ein Gespräch führen
sich die Zeit vertreiben, vertrieb,
  hat vertrieben

flüssig

aufgrund
ausführlich
dank
zumindest

LESEN 2, S. 34–35

das Arbeitsgericht, -e
der Arbeitsrechtler, -
die Aufregung (Sg.)
das Aufsehen
  Aufsehen erregen
die Besprechung, -en
der Diebstahl, ⸚e
das Einverständnis, -se
der Fachanwalt, ⸚e
die Genehmigung, -en
der Keks, -e
die Sitte, -n

aufladen, lud auf,
  hat aufgeladen
sich befassen mit
erwähnen
naschen

Bedenken äußern
den Job kosten

ausdrücklich
bedenklich
fristlos
(un)üblich

eine Reihe von

SEHEN UND HÖREN, S. 36

die Konvention, -en

SPRECHEN 2, S. 37

das Anliegen, -

weswegen

2

LEKTIONSTEST 2

1 Wortschatz

Welches Wort passt nicht? Streichen Sie durch.

1 die Unterlage	das Dokument	das Material	die Vorlesung
2 der Assistent	die Persönlichkeit	der Projektleiter	der Geschäftsführer
3 pendeln	mobil sein	reisen	erfahren sein
4 durchsetzungsstark	teamfähig	bedenklich	ehrgeizig
5 die Konferenz	die Besprechung	die Ablage	das Treffen
6 arbeiten	tätig sein	beschäftigt sein	begeistert sein

Je 1 Punkt **Ich habe ______ von 6 möglichen Punkten erreicht.**

2 Grammatik

a **Ergänzen Sie *werden* in der richtigen Form und markieren Sie die passende Präposition.**

1 Das Buch ______ letztes Jahr *von / durch* einer Autorin mit viel Erfahrung geschrieben.
2 Motivation und gute Laune können *von / durch* ein bestimmtes Training gestärkt ______.
3 Die Team-Sitzung morgen ______ *vom / durch den* Chef selbst geleitet.

Je 2 Punkte **Ich habe ______ von 6 möglichen Punkten erreicht.**

b **Bilden Sie aus den unterstrichenen Verben Nomen.**

1 Ich hänge Ihnen die Datei in der E-Mail an. Im ______ finden Sie alle Informationen.
2 Hast du den Film aufgenommen? – Ja, aber die ______ ist nichts geworden.
3 Wann zieht Silke um? – Der ______ ist am Wochenende.
4 Wann fährt Herr Lindner zurück? – Ich glaube, er hat die ______ für morgen geplant.

Je 1 Punkt **Ich habe ______ von 4 möglichen Punkten erreicht.**

c **Bilden Sie die passende Partizip-Form und markieren Sie die passende Präposition.**

1 Bei diesem Telefon gibt es manchmal ______ (stören) Geräusche. *Aufgrund / Dank / Vor* der schlechten Verbindung habe ich die Adresse des Kunden nicht verstanden.
2 Das ist Tom, unser neu ______ (einstellen) Assistent. *Aus / Dank / Vor* seiner Aufmerksamkeit konnten die Fehler im Text noch korrigiert werden.
3 Heute beginnt mein erstes selbst ______ (organisieren) Projekt. *Aufgrund / Dank / Vor* Aufregung habe ich letzte Nacht fast nicht geschlafen.
4 Tanja lässt immer ihr Handy liegen und es klingelt sehr oft. Das ständig ______ (klingeln) Handy stört alle Kollegen. *Aus / Dank / Aufgrund* Ärger hat es Max gestern versteckt.

Je 2 Punkte **Ich habe ______ von 8 möglichen Punkten erreicht.**

3 Kommunikation

Ergänzen Sie.

☐ Aus diesem Grund kann • ☐ Ich denke, dass • ☐ deshalb muss • ☐ halte ich es • ☐ Deiner Meinung nach • ☐ ist es schwierig

(1) kann man im Zug gut mit dem Laptop arbeiten. (2) Du da nicht Recht hast. In einem sehr vollen Zug (3), denn man hat nur sehr wenig Platz. (4) man an seinem Laptop überhaupt nicht richtig arbeiten. Eine Steckdose gibt es auch nicht überall, (5) der Akku vor der Reise voll sein. Außerdem (6) für problematisch, denn: was passiert, wenn ich einschlafe? Also ich lese im Zug lieber ein gutes Buch. ☺

Je 1 Punkt **Ich habe ______ von 6 möglichen Punkten erreicht.**

Auswertung: Vergleichen Sie Ihre Lösungen mit S. AB 113.
Ihre Erfolgspunkte tragen Sie unter jeder Aufgabe ein.

Ich habe ______ von 30 möglichen Punkten erreicht.

☺	😐	☹
30–26	25–15	14–0

WIEDERHOLUNG WORTSCHATZ

1 Digitale Medien

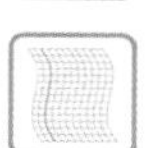

a Was passt nicht? Streichen Sie durch.

1 Dateien — *öffnen – ~~recherchieren~~ – speichern*
2 Daten — *weitergeben – ins Netz stellen – zeichnen*
3 im Internet — *fahren – surfen – recherchieren*
4 Filme — *ansehen – herunterladen – lesen*
5 SMS — *schreiben – hören – verschicken*

b Ergänzen Sie einige Verben aus a in der richtigen Form.

1 Gestern konnte ich eine Datei, die ich vor Jahren geschrieben hatte, nicht mehr öffnen. Wahrscheinlich, weil ich sie damals in einem anderen Format ________ hatte.
2 Für die Uni ________ ich heute im Internet und ________ Informationen.
3 Ich habe immer noch nicht gelernt, wie man SMS ________ und ________.
4 Persönliche Daten sollte man nie einfach so an soziale Netzwerke ________. Ich finde, man sollte genau darüber nachdenken, ob man private Dinge ins ________.
5 Leider wissen viele Jugendliche nicht, dass es illegal ist, bei Tauschbörsen Filme und Musik ________. Sie wollen sich die neuen Filme ________, ohne dafür zu bezahlen.

zur Einstiegsseite, S. 39, Ü1

2 Medienkonsum ÜBUNG 1, 2

HÖREN

a Evelyn Maier nimmt an einer Befragung zum Thema Medienkonsum teil. Ergänzen Sie ihre Antworten und bringen Sie sie dann in die richtige Reihenfolge.

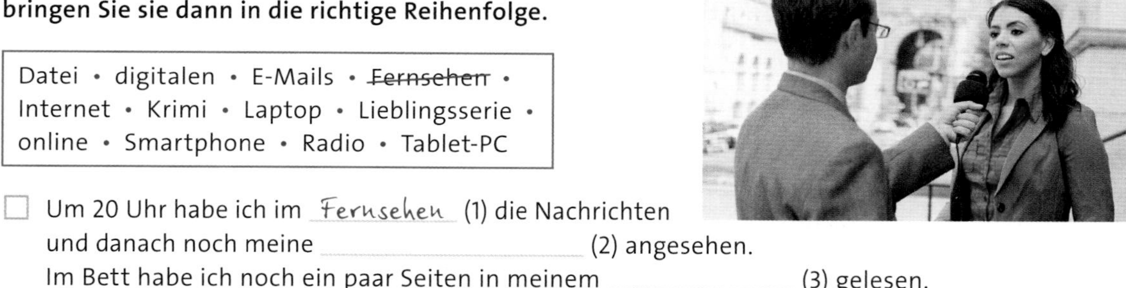

Datei • digitalen • E-Mails • ~~Fernsehen~~ • Internet • Krimi • Laptop • Lieblingsserie • online • Smartphone • Radio • Tablet-PC

☐ Um 20 Uhr habe ich im Fernsehen (1) die Nachrichten und danach noch meine ________ (2) angesehen. Im Bett habe ich noch ein paar Seiten in meinem ________ (3) gelesen.
☐ Also, beim Aufwachen habe ich zuerst zwei, drei Hits im ________ (4) gehört, damit ich wach werde.
☐ Auf dem Weg zur Arbeit habe ich in der S-Bahn angefangen, meine E-Mails auf dem ________ (5) zu checken. Das Gerät ist so handlich und man braucht es nicht wie den Laptop aufzuklappen. Danach habe ich mir in meinem ________ (6) Terminkalender die Termine für den heutigen Tag angesehen.
[4] Beim Umsteigen habe ich kurz mit meinem Chef telefoniert, dazu habe ich das neue ________ (7) benutzt, das mir die Firma zur Verfügung gestellt hat.
☐ Im Büro habe ich dann für eine Reportage einige Informationen im ________ (8) recherchiert. In der Mittagspause habe ich ein halbes Stündchen ________ (9) meine Lieblingszeitschrift gelesen. Danach habe ich dann Pressemitteilungen geschrieben.
☐ Na ja, die ________ (10) lesen und beantworten, das hat eine Weile gedauert. Den Terminkalender checken ging schneller.
☐ Den Tablet-PC benutze ich nur unterwegs, im Büro dann den ________ (11), wegen der Tastatur. Damit kann ich vor allem längere Texte besser schreiben. Die fertige ________ (12) mit einer Pressemitteilung habe ich per Mail an meine Kollegin verschickt.

16 CD1 AB

b Hören Sie das Interview und vergleichen Sie.

zu Sehen und Hören 1, S. 40, Ü2

3 Was Kunden an „Buch & Bohne" schätzen ÜBUNG 3 WORTSCHATZ

Lesen Sie drei Meinungsäußerungen von Kunden. Ergänzen Sie.

angenommen • animiert • ~~Bilderbücher~~ • Buchhändlerin • Buchladen • Lesungen • Neuheiten • quatschen • Sachbücher • Stammkunde • verführerisch

1 „Mit meinem dreijährigen Sohn komme ich öfters her zum Kaffeetrinken. Wir gucken dabei neue *Bilderbücher* (1) für den Kleinen an. Ich lass mich hier auch gern von der ______ (2) beraten. In diesem Laden gibt's auch ab und zu ______ (3) von jungen Autoren. Der Laden ______ (4) einfach dazu, sich hinzusetzen und die Atmosphäre zu genießen."

2 „Ich finde diesen ______ (5) extrem ______ (6). Ich interessiere mich weniger für Romane, sondern lese fast nur ______ (7). Ich sehe mir regelmäßig die neuen Titel an. Dann bin ich so begeistert von den ______ (8), dass ich gleich zehn mitnehme."

3 „Ich bin hier ______ (9). Ich komme schon ziemlich lange hierher, eigentlich, seitdem es diesen Laden gibt. Das Angebot wird von den Leuten hier aus dem Viertel gut ______ (10). Ich lese gern Bücher, trinke hier einen Kaffee und kann mit der Buchhändlerin über aktuelle Titel ______ (11)."

zu Schreiben, S. 41, Ü3

4 Das richtige Geschenk ÜBUNG 4 KOMMUNIKATION

Lesen Sie die E-Mail und ergänzen Sie die Redemittel aus dem Kursbuch, S. 41.

Lieber Stefan,

danke für Deine Initiative. Also wenn Ihr mich fragt: *Beide Vorschläge finde ich interessant, denn* (1) beide würden sehr gut zu Sophie passen. Einerseits spricht einiges dafür, ihr einen Bildband zu schenken, da sie schön bebilderte Bücher sehr schätzt. ______ (2) einen E-Reader, da Sophie ja sehr viel liest; der E-Reader hat ______ (3), dass man darauf ziemlich viele Bücher speichern kann. ______ (4), dass dieses Geschenk Sophie viel Spaß machen würde. Mein Nachbar hat einen E-Reader. Er hat gute ______ (5) damit gemacht und ist richtig begeistert davon. ______ (6) der E-Reader das passendere Geschenk für Sophie zu sein.

Wir sehen uns übermorgen,
bis dahin!
Paul

zu Schreiben, S. 41, Ü3

5 E-Mail korrigieren

SCHREIBEN

Sie sollen die E-Mail einer Kollegin korrigieren. Markieren Sie den Fehler und schreiben Sie die richtige Form an den Rand (Beispiel 01). Wenn ein Wort falsch platziert ist, schreiben Sie es zusammen mit seinem Begleiter auch an den Rand (Beispiel 02).

	E-Mail		Korrektur	
	Liebes Kolleginnen und Kollegen,	1	Liebe	(01)
	sicher Ihr wisst, dass Anita Berger übernächsten Freitag ihren	2	wisst Ihr	(02)
	Abschied aus unserer Abteilung feiert. Deshalb wir möchten ihr	3		
	ein besonderes Geschenk machen. Vor ich zum Geldeinsammeln	4		
5	vorbeikomme, bitte ich Euch: Macht ein paar Vorschläge über ein	5		
	passendes Geschenk. Was würde Anita besonders gefallen?			
	Folgende Ideen geben es schon:	6		
	▪ ein Fotoalbum mit allen Aufnahmen, auf dem Anita gut getroffen ist	7		
	▪ einen Reise-Gutschein für ein besonderes Wochenende			
10	▪ etwas für ihre Kletterausrüstung			
	Welcher Vorschlag Euch gefällt am besten?	8		
	Und hast Du noch andere Ideen?	9		
	Da es sich handelt um einen besonderen Anlass, darf das Geschenk	10		
	etwas mehr kosten wie ein gewöhnliches Geburtstagsgeschenk.	11		
15	Bitte schreibt mir Eure Meinung zu den Vorschlägen, denn werden	12		
	wir sicher etwas Passendes finden!			
	Herzliche Grüße			
	Eure Linda			

zu Lesen 1, S. 42, Ü2

6 Medien und mehr ÜBUNG 5

WORTSCHATZ

Was passt? Ordnen Sie zu.

1 die Branche — C	A eine Sache oder eine Person ist sehr bekannt oder sehr beliebt
2 das Printmedium	B jemand, den man so bewundert, dass man so werden will wie sie oder er
3 die Popularität	C Betriebe und Firmen, die ähnliche Produkte herstellen, z. B. Autos
4 die Auflage	D Personen, die in einem bestimmten Gebiet wohnen
5 das Vorbild	E die Zahl der gedruckten Exemplare einer Zeitung oder eines Buches
6 die Bevölkerung	F etwas, was passiert ist oder was gerade passiert
7 das Geschehen	G ein gedrucktes Publikationsmittel

zu Lesen 1, S. 42, Ü3

7 Leseverhalten von Jugendlichen

Lesen Sie die Beiträge in einem Forum und ergänzen Sie die Präpositionen und Präpositionalpronomen *(da(r)-)*.

Interessieren sich wirklich Menschen in jedem Alter für (1) Zeitungen? Einige der 13- bis 20-Jährigen interessieren sich vielleicht nur dafür (2), weil sie zu Hause bei den Eltern auf dem Tisch liegen. Ich wundere mich sehr ______ (3) die Ergebnisse der Umfrage und sicher werden sich ______ (4) auch noch mehr Teenager wundern.
XxLL

Genau! Es ging bei der Umfrage ja um das Lesen, nicht bloß ______ (5) das Durchblättern einer Zeitung. Bilder, Überschriften – ______ (6) geht es doch den meisten. Die schauen sich nur die Schlagzeilen an und lesen keinen Artikel komplett.
Golohan

Mein ältester Sohn ist 17. Und wir Eltern haben eine Tageszeitung abonniert. Am besten fand unser Sohn am Anfang den Sportteil. ______ (7) hat er sich jeden Morgen beschäftigt. Inzwischen liest er aber auch den überregionalen Teil. Darin wird ja viel ______ (8) Politik berichtet und ______ (9) muss er auch im Sozialkunde-Unterricht Bescheid wissen.
Friederike G. (44 Jahre)

zu Lesen 1, S. 43, Ü3

8 Verweiswörter im Text ÜBUNG 6, 7, 8 — GRAMMATIK ENTDECKEN

a **Lesen Sie Svens Brief an seine Großmutter und unterstreichen Sie die Verben mit den dazugehörigen Präpositionalpronomen *(da(r)-)*.**

Liebe Oma,

hast Du schon gehört, dass wieder mehr Liebesbriefe geschrieben werden? Also ist Opa Erwin gar nicht der letzte, der das tut, wie Du immer sagst. ☺
5 Aber es liegt gar nicht daran, dass die Leute wieder selber mehr schreiben, sondern an einer neuen Erfindung. Die funktioniert so: Man gibt im Internet „Liebesbrief-Generator" ein, dann öffnet sich eine Seite und die erkundigt sich danach, ob der Brief romantisch, schüchtern
10 oder leidenschaftlich sein soll. Dann informiert man den Liebesbrief-Generator darüber, welche Augenfarbe, welche Haarfarbe und welchen Charakter die geliebte Person hat. Dann klickt man auf „okay" – und fertig ist der Liebesbrief. Was hältst Du davon? Diese Liebesbrief-Generatoren führen dazu, dass es wieder mehr Liebesbriefe gibt. Vielleicht solltest Du Dir Opas Briefe mal etwas genauer anschauen ... ☺

15 Liebe Grüße
Sven

b **Markieren Sie die Sätze oder Satzteile, auf die die Pronomen verweisen.**

c **Lesen Sie die Antwort von Svens Großmutter und unterstreichen Sie die Pronomen *dies* und *das*.**

Lieber Sven,

dass sogar Liebesbriefe von einem Computer geschrieben werden, das wusste ich nicht. Heute drücken die meisten jungen Leute ihre Gefühle ja wohl über SMS oder eine E-Mail aus, das finde ich auch völlig in Ordnung. Aber ich erinnere mich auch an früher, wenn ich
5 da den Briefkasten geöffnet habe und dort lag ein Brief, der eine andere Farbe und eine andere Schrift hatte – das war doch sehr aufregend! Und wenn man heute so einen schönen Brief bekommt und dann merkt, dass der von einer Maschine geschrieben worden ist, dann kann dies für den Absender doch sehr unangenehm werden, oder? Aber einen echten, altmodischen Liebesbrief zu bekommen, das ist sicher auch heute noch ganz wunderbar!

10 Ganz liebe Grüße von
Deiner Oma

d **Markieren Sie Sätze oder Satzteile, auf die die Pronomen *das* oder *dies* verweisen.**

e **Was ist richtig? Markieren Sie.**

1 Die Präpositionalpronomen *(da(r)-)* verweisen im Text
- ☐ nach vorne.
- ☐ zurück.
- ☐ nach vorne oder zurück.

2 Die Pronomen *dies* und *das* verweisen im Text
- ☐ nach vorne.
- ☐ zurück.

zu Lesen 1, S. 43, Ü3

9 Alte und neue Medien ÜBUNG 9, 10 GRAMMATIK

Schreiben Sie Sätze mit den Pronomen *da(r)-* oder *das*.

1 *Manche Leute • sich wundern*
Manche Leute wundern sich darüber ,
dass so viele Jugendliche Zeitung lesen.

2 *ich • nicht rechnen* (Perfekt)
Es lesen wieder mehr Leute Bücher.
____
____________________ .

3 *ich • lustig finden*
Dass inzwischen Computer Liebesbriefe schreiben,
____________________ .

4 *Ich • nicht mehr • sich erinnern können*
Wann habe ich meinen letzten Brief geschrieben?
____________________ .

5 *doch • normal sein*
Heute schicken fast alle Leute statt eines Briefes eine SMS.
____________________ .

zu Wortschatz, S. 45, Ü2

10 Film, Buch & Co. ÜBUNG 11, 12

WORTSCHATZ

Was ist richtig? Markieren Sie.

1 Wenn in einem Film nicht viel passiert, ist er …
☐ turbulent. ☒ handlungsarm. ☐ abwechslungsreich.

2 Ein gut gemachter Krimi ist …
☐ ereignisreich. ☐ unsachlich. ☐ zahlreich.

3 Die Sendung über Chemie in Lebensmitteln enthielt viele neue Informationen und war …
☐ lehrreich. ☐ sorgenvoll. ☐ handlungsarm.

4 Das Filmende von „Titanic" ist ausgesprochen …
☐ unsachlich. ☐ gefühlvoll. ☐ erfolgreich.

5 Markus und Sonja waren in Südafrika und haben ein … Reise-Tagebuch ins Internet gestellt.
☐ bilderreiches ☐ temporeiches ☐ gruseliges

6 In dem Artikel über das Privatleben der Fußball-Stars war vieles übertrieben, mir war der zu …
☐ langweilig. ☐ reißerisch. ☐ lustig.

7 Die Diskussion über die letzte Finanzkrise fand ich sehr …
☐ bilderreich. ☐ romantisch. ☐ sachlich.

3

zu Wortschatz, S. 45, Ü3

11 Auf der Berlinale

GRAMMATIK

Bilden Sie Adjektive auf *-ant, -ig, -lich, -isch, -ell* und ergänzen Sie in der richtigen Form.

Journalistin: Herr Langer, Ihr neuer Film hat zwei Hauptfiguren: Auf der einen Seite einen brutalen und korrupten Polizisten, auf der anderen Seite einen interessanten (1) Gentleman-Gangster. Solche Charaktere sind typisch für Ihre Filme. — das Interesse

Regisseur: In meiner Welt gibt es keine guten, __________ (2) Helden und finstere Bösewichte. Solche Konstellationen finde ich __________ (3). Und meine __________ (4) Erfahrungen haben mir gezeigt, dass die Welt auch nicht so ist. — der Charme, die Langweile, die Person

Journalistin: Sie sagen, dass Sie keine Proben mögen. Wie arbeiten Sie dann mit Ihren Schauspielern?

Regisseur: Es gibt zwei __________ (5) Typen von Schauspielern. Der eine hat das Drehbuch gelesen und verstanden. Er braucht von mir nur noch __________ (6) Anweisungen. Der andere Typ muss lang nachdenken und diskutieren, was er tun soll, bevor er die Rolle spielen kann. — der Unterschied, die Technik

Journalistin: Ihr letzter Film war ein __________ (7) Erfolg. Hat Ihnen das auch __________ (8) Unabhängigkeit verschafft? — die Sensation, die Finanzen

Regisseur: Ich habe mich __________ (9) über die positiven Kritiken gefreut und kann es mir jetzt leisten, nur die Sachen zu machen, die mich wirklich interessieren. — der Wahnsinn

zu *Wussten Sie schon?*, S. 46

12 Deutsch-türkische Filmemacherinnen

LANDESKUNDE / LESEN

a Lesen Sie den Text und ordnen Sie die Überschriften den Abschnitten zu.

Zukunft • Herkunft • Berufliche Erfolge • Ausbildung

Die Schwestern Şamdereli

____

Die Schwestern Yasemin (* 1973) und Nesrin (* 1979) Şamdereli sind deutsche Filmregisseurinnen und Drehbuchautorinnen mit türkischen Wurzeln. Die Großeltern von Yasemin und Nes-
5 rin kamen als Gastarbeiter aus der Türkei nach Deutschland. Die Familie lebt jetzt in der dritten Generation im Ruhrgebiet.

____

Yasemin und Nesrin sind in Dortmund geboren, haben dort auch die Schule besucht und Abitur gemacht. Yasemin absolvierte danach ein Studium an der Hochschule für Fernsehen und Film München, Nesrin schloss ihr Studium an der Deutschen Film- und Fernsehakademie Berlin ab.

____

10 Die beiden Schwestern haben in verschiedenen Filmprojekten zusammen gearbeitet: Sie sind Spezialistinnen für lustige Filme. Ihr erster Spielfilm „Alles Getürkt" lief 2003 im Privatfernsehsender Pro 7. Der ebenfalls gemeinsam gedrehte Kurzfilm „Kısmet" (2002) wurde als bester Film für den Max Ophüls Preis nominiert. Eine Folge der mehrfach ausgezeichneten Fernsehserie „Türkisch für Anfänger" (2006) stammt ebenfalls aus den Federn der Schwestern. Ende 2009 drehten beide gemeinsam ihr Kinodebüt
15 „Almanya – Willkommen in Deutschland". Die Komödie über die Identität türkischer Gastarbeiter in Deutschland kam im März 2011 in die Kinos und lief außer Konkurrenz im Wettbewerbsprogramm der 61. Berlinale. Für diesen Film erhielten Nesrin und Yasemin Şamdereli den Deutschen Filmpreis 2011 für das beste Drehbuch. „Almanya" wurde zudem mit dem Filmpreis in Silber in der Kategorie „bester Spielfilm" ausgezeichnet.

____

20 Ihr nächster Film wird allerdings nichts mit dem eigenen Migrationshintergrund zu tun haben. Es wird wahrscheinlich eine Dokumentation.

b Lesen Sie den Text noch einmal. Markieren Sie die richtige Antwort.

1 Wo wurden die beiden Regisseurinnen geboren?
- [a] Eine in der Türkei, die andere in Deutschland.
- [b] In der Türkei.
- [c] In Deutschland.

2 Die beiden Schwestern ...
- [a] verließen die Schule ohne Abschluss.
- [b] besuchten ein Gymnasium.
- [c] unterrichten an unterschiedlichen Filmhochschulen.

3 Ihre bisherigen Filme sind hauptsächlich ...
- [a] Fernsehfilme.
- [b] Kurzfilme.
- [c] Komödien.

4 Welche Anerkennungen haben die Schwestern bereits bekommen?
- [a] Internationale Filmpreise.
- [b] Deutsche Filmpreise.
- [c] Türkische Filmpreise.

5 Was für einen Film wollen die Schwestern als Nächstes drehen?
- [a] Einen Heimatfilm.
- [b] Einen Dokumentarfilm.
- [c] Eine Fernsehserie.

zu Hören, S. 46, Ü3

13 Filme empfehlen

SCHREIBEN

a Ergänzen Sie sehenswerte Filme in Ihrer Sprache.

Filme in meiner Sprache	Genre
	1 Komödie
	2 Krimi / Thriller / Actionfilm
	3 Dokumentarfilm
	....

b Schreiben Sie in einem Blog eine Empfehlung für einen unter a genannten Film. Verwenden Sie folgende Redemittel und schreiben Sie, ...

- um welchen Film und welches Genre es sich handelt.
- was Ihnen an dem Film gefallen hat.
- warum Sie diesen Film empfehlen.

„Ich kann Euch ... empfehlen.
Auf ... heißt er ...
Übersetzt heißt das ...
Es handelt sich um ...
Darin geht es um ...
Besonders gefallen hat mir ...
Die Hintergründe zu ... waren gut recherchiert.
Die Aufnahmen der Schauplätze waren ...
Die Leistung der Schauspieler war ...
... solltet Ihr Euch unbedingt ansehen"

Ich kann Euch einen Film aus meiner Heimat Dänemark empfehlen.
Auf Dänisch heißt er „Italiensk for begyndere". Übersetzt heißt das „Italienisch für Anfänger".
Es handelt sich um eine romantische Komödie ...

3

zu Hören, S. 47, Ü5

14 Service-Telefon ÜBUNG 13

GRAMMATIK

CD AB

a Hören Sie die Ansage und ergänzen Sie die *wenn*-Sätze.

1 Wenn Sie Fragen zu unseren Elektrogeräten haben haben, drücken Sie bitte die 1.
2 Wenn Sie ______ verbunden werden möchten, drücken Sie bitte die 2.
3 Wenn Sie ______ haben, drücken Sie bitte die 3.
4 Wenn Sie ______ informieren wollen, drücken Sie bitte die 4.
5 Wenn Sie ______ verbunden werden möchten, drücken Sie bitte die 5.

b Bilden Sie aus den Sätzen in a Sätze ohne *wenn*.

1 Haben Sie Fragen zu unseren Elektrogeräten, drücken Sie bitte die 1.
2 ______, drücken Sie bitte die 2.
3 ______, drücken Sie bitte die 3.
4 ______, drücken Sie bitte die 4.
5 ______, drücken Sie bitte die 5.

zu Lesen 2, S. 49, Ü4

15 *dass*-Sätze oder Infinitiv + *zu* ÜBUNG 14

GRAMMATIK ENTDECKEN

a **Lesen Sie die E-Mail und markieren Sie die Subjekte in den Haupt- und Nebensätzen.**

Lieber Peter,

(ich) bin gerade in Hamburg und mache viele neue Erfahrungen. Zum Beispiel: Public Viewing! Ich fand es toll, dass ich so eine Veranstaltung miterleben konnte. Normalerweise mag ich das Gedränge ja gar nicht so und ich habe erwartet, dass ich in der
5 Menschenmenge Platzangst bekomme. Aber es war in der „Strandbar" gar nicht so voll. Die Leinwand war riesig, und ich fand es super, dass ich nicht einmal für eine Bratwurst lange anstehen musste. Nach dem zweiten Bier habe ich meinen Nachbarn gebeten, dass er mir ein neues Bier mitbringt – das hat er auch netterweise gemacht. Blick auf die Elbe, ein Bier in der Hand und
10 ein spannendes Fußballspiel – das ist Sommer in Hamburg! Ich weiß jedenfalls genau, dass ich wiederkomme und ich würde Dir empfehlen, dass Du dann mitkommst.

Bis bald!
15 Michael

P. S. Schau mal nach, wann das nächste Heimspiel vom FC St. Pauli ist!

b **Markieren Sie die *dass*-Sätze und formen Sie sie in Infinitivsätze um, wo möglich.**

Ich fand es toll, so eine Veranstaltung miterleben zu können.

c **Vergleichen Sie die Sätze unten mit den Sätzen im Text. Markieren Sie dann: Was ist richtig?**

1 Nach dem zweiten Bier habe ich meinen Nachbarn gebeten, mir ein neues Bier mitzubringen.
2 Und ich würde Dir empfehlen, dann mitzukommen.

Man kann einen Infinitivsatz bilden, wenn …

- ☐ das Subjekt in Hauptsatz und Nebensatz gleich ist.
- ☐ das Subjekt/Objekt in Hauptsatz und Nebensatz verschieden sind.
- ☐ das Objekt im Hauptsatz und das Subjekt im Nebensatz gleich ist.
- ☐ im Hauptsatz die Verben des Wissens, der Wahrnehmung und des Sagens stehen.

d **Wo ist *zu* richtig platziert? Markieren Sie.**

1 [X] Es ist spannend, das Fußballspiel anzusehen.
[b] Es ist spannend, das Fußballspiel zu ansehen.

2 [a] Ich bin zufrieden, das Spiel zu sehen können.
[b] Ich bin zufrieden, das Spiel sehen zu können.

3 [a] Ich mag es nicht, angesprochen zu werden.
[b] Ich mag es nicht, zu angesprochen werden.

zu Lesen 2, S. 49, Ü5

16 *dass*-Sätze oder Infinitivsätze als Ergänzung ÜBUNG 15, 16 GRAMMATIK ENTDECKEN

a **Lesen Sie die Textvorlage und markieren Sie die *dass*-Sätze und Infinitivsätze.**

1 Die Stadt Calw ist stolz darauf, dass sie ein Fest für den berühmtesten Bürger der Stadt, den Schriftsteller Hermann Hesse, veranstaltet.
2 Ein Regisseur hat sich dazu entschlossen, eine Erzählung von Hesse zu verfilmen.
3 Das Stück „Die Heimkehr" spielt in einer Kleinstadt wie Calw, und es geht darum, dass ein Mann nach Liebe und Heimat sucht.
4 Hesse kritisiert in dem Stück, dass sich die Einwohner der Stadt herzlos verhalten.
5 Der Film ermöglicht es den Bürgern von Calw, in die Vergangenheit ihrer Stadt zu blicken.
6 Wir freuen uns darüber, den Film im „Public Viewing" zu präsentieren, und wünschen Ihnen einen interessanten Kinoabend!

b **Ergänzen Sie mithilfe der Textvorlage aus a.**

1 Die Stadt Calw ist stolz auf (1) die Veranstaltung (2) eines Festes für den berühmtesten Bürger der Stadt, den Schriftsteller Hermann Hesse.
2 Ein Regisseur hat sich ______ (3) der ______ (4) einer Erzählung von Hesse entschlossen.
3 Das Stück „Die Heimkehr" spielt in einer Kleinstadt wie Calw, und es geht ______ (5) die ______ (6) eines Mannes nach Liebe und Heimat.
4 Hesse kritisiert in dem Stück das herzlose ______ (7) der Einwohner der Stadt.
5 Der Film ermöglicht den Bürgern von Calw einen ______ (8) in die Vergangenheit ihrer Stadt.
6 Wir freuen uns ______ (9) die ______ (10) des Films im „Public Viewing" und wünschen Ihnen einen interessanten Kinoabend!

zu Lesen 2, S. 49, Ü5

17 Urlaub ÜBUNG 17 GRAMMATIK

a **Bilden Sie aus den unterstrichenen Satzteilen *dass*-Sätze oder Infinitivsätze.**

1 

Lisa (22, Bedienung) träumt von einem Urlaub in der Karibik.

Lisa träumt davon, in der Karibik Urlaub zu machen.

2 

Michael (34, Journalist) hat noch nicht mit der Urlaubsplanung begonnen.

______

3

Dennis (26, Praktikant) freut sich auf das Ausschlafen in den Ferien.

______

4 

Eva (42, Sekretärin) wartet auf die Bestätigung ihrer Reisebuchung.

______

b **Bilden Sie aus den unterstrichenen Sätzen Ergänzungen.**

1 Tanja befürchtet, dass sich die Nachbarn über die lauten Gäste beschweren.
Tanja befürchtet die Beschwerden der Nachbarn über die lauten Gäste.

2 Paul hat vergessen, dass er zur Abschlussfeier eingeladen wurde.
....
....

3 John freut sich darüber, dass seine Fußballmannschaft gesiegt hat.
....

4 Peter hat nicht daran gedacht, die Plätze zu reservieren.
....

5 Hanna sorgt dafür, dass die Veranstaltung erfolgreich ist.
....

6 Michael und Leonie erinnern sich gern daran, dass sie ihr Freund im letzten Jahr besucht hat.
....

zu *Wussten Sie schon?*, S. 49

18 „Public Viewing"

LANDESKUNDE / HÖREN

18 CD | AB

Sie hören einen Ausschnitt aus einer Radiosendung über „Public Viewing". Wer sagt was? Markieren Sie. Sie hören den Text zweimal.

	Journalist	Herr Elsner	Frau Becker
1 Beim „Public Viewing" geht es darum, Fußballspiele mit anderen zusammen anzusehen.	☐	☐	☐
2 Der Trend wurde in den deutschsprachigen Ländern durch eine Fußball-Weltmeisterschaft bekannt.	☐	☐	☐
3 Möglich wurde das „Public Viewing" durch neue technische Geräte.	☐	☐	☐
4 Wichtig ist dabei, dass man Emotionen mit anderen teilen kann.	☐	☐	☐
5 Oft wird es dabei sehr eng, was manche unangenehm finden.	☐	☐	☐
6 „Public Viewing" muss nicht immer eine Riesenveranstaltung mit Gedränge sein.	☐	☐	☐

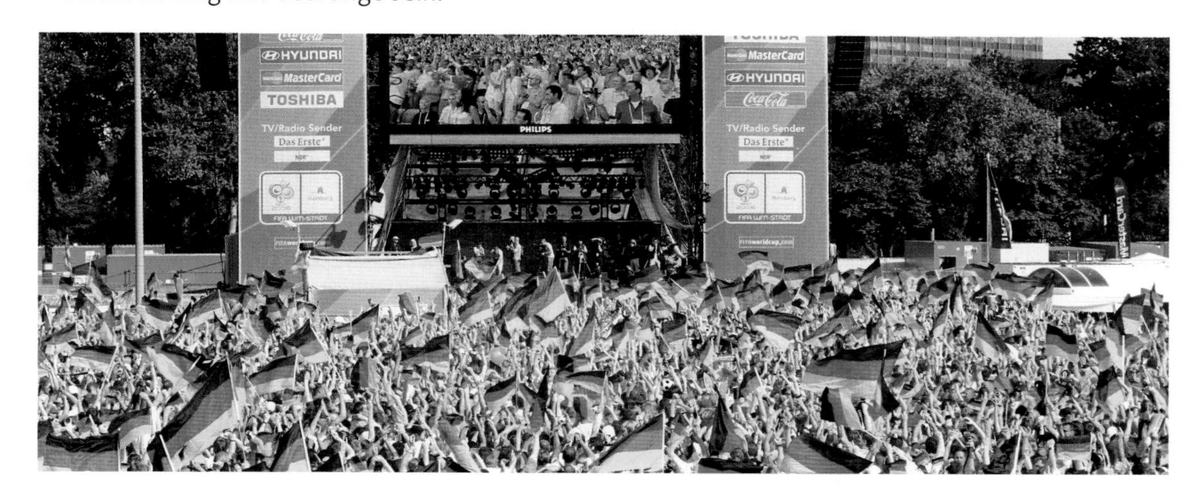

zu Sprechen, S. 50, Ü2

19 Nachrichten analysieren ÜBUNG 18, 19

KOMMUNIKATION

a **In welche Rubrik gehören diese Nachrichten? Ordnen Sie zu.**

KULTUR	GESELLSCHAFT	POLITIK	SPORT	WETTER
___	___	___	___	1

1 Schnee und Eis haben in ganz Deutschland zu Verkehrsbehinderungen geführt. Der Verkehrswetterdienst warnt Autofahrer daher ausdrücklich vor Gefahren.

2 In den Karnevalshochburgen am Rhein hat am Vormittag die fünfte Jahreszeit begonnen. Um Punkt 11.11 Uhr fiel der Startschuss für die Narren. Allein in der Kölner Altstadt waren mehrere Zehntausend Faschingsfans unterwegs.

3 In Schwedens Hauptstadt Stockholm wird heute der alternative Nobelpreis verliehen. Ausgezeichnet werden die afghanische Menschen- und Frauenrechtsaktivistin Sima Samar, der US-Konfliktforscher Gene Sharp und eine britische Kampagne gegen Waffenhandel.

4 Beim Skirennen am Münchner Olympiaberg hat Felix Neureuther seinen dritten Weltcup-Sieg gefeiert. Rund 17 000 Zuschauer bejubelten den Garmisch-Partenkirchener.

5 Der Deutsche Theaterpreis ist am Abend in Erfurt an den Dramatiker Tankred Dorst und seine Ehefrau Ursula Ehler für ihr Lebenswerk verliehen worden.

b **Ergänzen Sie.**

bebildert • Darstellung • Komplexität • Quelle • übersichtlich • ~~Zeitung~~ • herunterladen • sprachliche

Die abgedruckten Nachrichten stammen nicht aus einer *Zeitung* (1), wie man aufgrund der schriftlichen ______ (2) vielleicht denken könnte. Die ______ (3) ist vielmehr das Internet. Der Radiosender hat seinen Service durch eine umfangreiche Website erweitert. Dort kann man Nachrichtensendungen als Podcasts ______ (4) und hören oder auch als schriftliche Texte nachlesen. Die Präsentation der Texte im Internet ist ______ (5) gestaltet, teilweise sogar mit Pressefotos ______ (6). Typisch für die ______ (7) Gestaltung der Nachrichten im Internet ist, dass auf ______ (8) im Satzbau verzichtet wird. Es gibt fast nur einfache Hauptsätze.

c **Präsentation einer Meldung aus den Nachrichten. Ergänzen Sie die Redemittel aus dem Kursbuch, S. 50.**

Ich habe eine Nachricht aus dem gesellschaftlichen Bereich *ausgesucht* (1). Die Meldung ______ ______ (2) dem Internet.
Am 11. November um 11 Uhr 11 ______ ______ in Köln ______ (3): Die sogenannte „fünfte Jahreszeit“ hat begonnen. Wie berichtet wird, feierten tausende von Menschen auf den Straßen.
Ich habe diese Nachricht ______, ______ (4) man darin kurz und knapp einige landeskundliche Informationen erhält. ______ ______ (5) finde ich, dass es für „Karneval“ regional unterschiedliche Ausdrücke gibt.
______ ______ (6) ist gut verständlich. Er ist sehr kurz, aber leider nicht bebildert.

zu Sehen und Hören 2, S. 51, Ü2

20 *Kokowääh*

LESEN

Bringen Sie die Inhaltsangabe in die richtige Reihenfolge.

1 Drehbuchautor Henry hat kein Glück in der Liebe, und auch im Job geht zurzeit alles schief. Eines Tages erhält er ein sensationelles Angebot: Er soll als Co-Autor an einer Bestsellerverfilmung arbeiten.

___ Die 8-jährige Magdalena behauptet, seine Tochter zu sein.

___ Die Sache hat nur einen Haken: Er soll ausgerechnet zusammen mit seiner Ex-Freundin Katharina, in die er einmal sehr verliebt war, an dem Projekt arbeiten.

___ Doch es hilft nichts. Er muss seine Pflichten als Vater erfüllen und sich um seine Tochter kümmern, während Magdalenas Mutter in die USA reist. Magdalena stellt Henrys Leben völlig auf den Kopf.

___ Henry kann sich aber an die Liebesnacht mit Magdalenas Mutter vor acht Jahren nicht erinnern.

___ In dieser emotional schwierigen Lage bekommt Henry ein weiteres Problem: Plötzlich steht ein kleines Mädchen bei ihm vor der Tür.

___ Nach weiteren Verwicklungen mit Tristan, der sich bislang für den Vater der Kleinen hielt, endet die Geschichte mit einem „Happy End".

21 Mein deutschsprachiger Lieblingsfilm

MEIN DOSSIER

Schreiben Sie einen kurzen Text über Ihren deutschsprachigen Lieblingsfilm. Beantworten Sie dabei folgende Fragen:

- Wie heißt der Film? Warum gefällt er Ihnen so gut?
- Wo haben Sie den Film gesehen?
- Zu welchem Genre gehört der Film?
- Wer sind die Darsteller?

Mein deutschsprachiger Lieblingsfilm heißt „Der Schlussmacher". Er gefällt mir deshalb so gut, weil er sehr lustig und unterhaltsam ist. Ich habe ihn mit meiner Freundin in Köln gesehen. Es ist eine Komödie mit ...

AUSSPRACHE: Die Konsonanten *l* – *r*

1 Buchstabensalat

a Lesen Sie das Gedicht des österreichischen Dichters Ernst Jandl.

lichtung

manche meinen
lechts und rinks
kann man nicht velwechsern
werch ein illtum

b Korrigieren Sie. Wie wurden die Buchstaben geändert?

c Überlegen Sie sich einen Satz, in dem die Buchstaben *l* und *r* vorkommen, und verändern Sie ihn nach dem gleichen Prinzip.

2 *l* und *r*

Hören Sie und sprechen Sie nach.

1 strahlen	starren	4 Leinwand	reine Wand
2 Stil	Stier	5 Quelle	Quere
3 Auflage	Anfrage	6 einfallen	einfahren

3 *r*-Laute ÜBUNG 20

a Arbeiten Sie zu zweit. Lesen Sie abwechselnd einen der Sätze laut vor. Unterstreichen Sie die Wörter, bei denen Sie ein *r* hören.

Im Jahr zweitausenddreizehn wurden zwei Österreicher mit dem Oscar ausgezeichnet.
Der deutsch-österreichische Schauspieler Christoph Waltz erhielt den Preis für seine Nebenrolle in dem Western „Django unchained".
Waltz spielt darin einen tragikomischen deutschen Zahnarzt.
Der österreichische Regisseur Michael Hanecke bekam den Oscar für seinen Film „Amour".
Ein großer Erfolg für deutschsprachige Filmschaffende.

b Hören Sie und vergleichen Sie.

c Ergänzen Sie jeweils 1 passendes Wort aus 2 und 3a in der Tabelle.

	Man hört das *r*	Man hört das *r* nicht
am Wortanfang	Rolle	
nach Konsonanten		
nach kurzen Vokalen		
nach langen Vokalen		
am Wort- oder Silbenende		

4 Zungenbrecher

Hören Sie den Zungenbrecher erst langsam, dann immer schneller. Sprechen Sie dann nach.

Bierbrauer Breuer braut braunes Bier.

EINSTIEGSSEITE, S. 39

das Medium, -ien
die Nutzung, -en

benutzen
nutzen

SEHEN UND HÖREN 1, S. 40

die Buchhändlerin, -nen
die Lesung, -en
die Neuheit, -en
das Sachbuch, ¨-er
der Stammkunde, -n

animieren zu
beurteilen
quatschen

angenommen werden

verführerisch

SCHREIBEN, S. 41

die Aufnahme, -n
die Luftaufnahme, -n
der Bildband, ¨-e
die Leseratte, -n

anrühren
greifen zu, griff zu, hat zugegriffen

jedermanns Sache sein

LESEN 1, S. 42–43

die Auflage, -n
die Befürchtung, -en
die Branche, -n
das Geschehen (Sg.)
die/der Gleichaltrige, -n
die/der Heranwachsende, -n
das Nachrichtenmagazin, -e
die Popularität (Sg.)
das Printmedium, -ien
das Vorbild, -er

imitieren

hierzulande

WORTSCHATZ, S. 44–45

der Dokumentarfilm, -e
das Drehbuch, ¨-er
der Drehort, -e
der Hintergrund, ¨-e
der Horrorfilm, -e
die Komödie, -n
die Literaturverfilmung, -en
der Maskenbildner, -
die/der Prominente, -n
der Redakteur, -e
der Regisseur, -e
das Skript, -s/-e
der Stylist, -en
die Szene, -n
die Vorlage, -n

führen
ein Interview / Regie führen
überarbeiten
umschreiben, schrieb um, hat umgeschrieben
eine Buchvorlage umschreiben

auswendig lernen
einen Film drehen

abwechslungsreich
authentisch
bilderreich
gruselig
handlungsarm
humorvoll
lehrreich
reißerisch
(un)sachlich
turbulent
unterhaltsam
witzig

HÖREN, S. 46–47

die Raute, -n

LESEN 2, S. 48–49

die Großleinwand, ¨-e
die Schwäche, -n

sich abheben von, hob ab, hat abgehoben
anschaffen
dahinterstecken
starren
verfolgen

bemerkenswert
großartig

SPRECHEN, S. 50

die Komplexität (Sg.)
die Logik (Sg.)
die Meldung, -en
die Quelle, -n

erläutern

ansprechend
anspruchsvoll
bebildert
übersichtlich

SEHEN UND HÖREN 2, S. 51

das Herz ausschütten

3

LEKTIONSTEST 3

1 Wortschatz

Was passt? Markieren Sie.

1 Man führt	☐ *ein Interview.*	☐ *einen Film.*	☐ *eine Komödie.*
2 Im Buchladen gibt es	☐ *eine Aufnahme.*	☐ *eine Lesung.*	☐ *eine Szene.*
3 Im Netz kann man etwas	☐ *recherchieren.*	☐ *stellen.*	☐ *laden.*
4 Zu den Printmedien gehören	☐ *Nachrichten.*	☐ *Smartphones.*	☐ *Sachbücher.*
5 Für Filmproduktionen braucht man	☐ *Regisseure.*	☐ *Stammkunden.*	☐ *Bildbände.*

Je 1 Punkt **Ich habe ______ von 5 möglichen Punkten erreicht.**

2 Grammatik

a **Bilden Sie aus den Nomen die passenden Adjektive.**

1 die Sache ______________
2 die Authentizität ______________
3 mit viel Humor ______________
4 mit wenig Handlung ______________
5 die Sensation ______________
6 die Toleranz ______________
7 die Übersicht ______________

Je 1 Punkt **Ich habe ______ von 7 möglichen Punkten erreicht.**

b **Schreiben Sie die *dass*-Sätze in Infinitivsätze um. Ist das nicht möglich, schreiben Sie ✗.**

1 Ich kann mir nicht vorstellen, dass ich den Tatort allein anschaue. ______________
2 Bernd empfiehlt mir, dass ich ein Mal mitgehe. ______________
3 Silvia hat ihren Nachbarn darum gebeten, dass er ihr eine Limo mitbringt. ______________
4 Richard hätte gedacht, dass „Public Viewing" ihn nervt. ______________
5 Er findet es blöd, dass man für ein Getränk anstehen muss. ______________
6 Matthias weiß, dass sehr viele Leute kommen werden. ______________

Je 1 Punkt **Ich habe ______ von 6 möglichen Punkten erreicht.**

c **Ergänzen Sie die passenden Verweiswörter *(da(r)-)*.**

1 Ich wundere mich ______________, dass so viele Jugendliche Zeitung lesen.
2 Viele rechnen ______________, dass Zeitungen nur noch online gelesen werden.
3 Man kann nur ______________ staunen, dass manche Menschen so viele DVDs besitzen.
4 Jemand hat mir ______________ gratuliert, dass ich schon 300 Freunde auf *Facebook* habe.
5 Ich kann mich noch gut ______________ erinnern, dass wir früher mehr telefoniert haben.
6 Der Wirt sorgt ______________, dass die Gäste etwas zu essen und zu trinken haben.

Je 1 Punkt **Ich habe ______ von 6 möglichen Punkten erreicht.**

3 Kommunikation

Ordnen Sie zu.

Eine Nachricht/einen Text ... a zusammenfassen b positiv bewerten c negativ bewerten

1 *Am gestrigen Donnerstag ereignete sich in Köln Folgendes: ...* ☐
2 *Die Nachricht ist auf sehr übersichtliche Weise präsentiert.* ☐
3 *Man erfährt im Text außerdem, dass ...* ☐
4 *Der Text ist nicht ganz logisch aufgebaut.* ☐
5 *Sehr ansprechend finde ich die Darstellung der Kindernachrichten.* ☐
6 *Die Nachrichten in diesem Privatsender sind mir sprachlich zu wenig anspruchsvoll.* ☐

Je 1 Punkt **Ich habe ______ von 6 möglichen Punkten erreicht.**

Auswertung: Vergleichen Sie Ihre Lösungen mit S. AB 113.
Ihre Erfolgspunkte tragen Sie unter jeder Aufgabe ein.

Ich habe ______ von 30 möglichen Punkten erreicht.

☺	😐	☹
30–26	25–15	14–0

WIEDERHOLUNG WORTSCHATZ

1 Die Schule ist zu Ende

Was passt nicht? Streichen Sie durch.

1 das Abitur	*machen*	*bestehen*	~~*durchfallen*~~	*ablegen*
2 die Schule	*abschließen*	*beenden*	*abbrechen*	*enden*
3 einen Praktikumsplatz	*versuchen*	*finden*	*auswählen*	*aussuchen*
4 in einem Betrieb	*jobben*	*erkundigen*	*kündigen*	*lernen*
5 eine Berufsausbildung	*beginnen*	*studieren*	*machen*	*absolvieren*
6 eine Au-pair-Stelle	*anbieten*	*annehmen*	*wechseln*	*verwechseln*
7 von den Eltern	*versorgt werden*	*unterstützt werden*	*geholfen werden*	*abhängig sein*

zu Lesen, S. 54, Ü2

2 Möglichkeiten nach der Schule ÜBUNG 1

WORTSCHATZ

Lesen Sie und ergänzen Sie in der richtigen Form.

bereich • Dienstleistungs • Einheimische • Gegenseitigkeit • gegenüberliegend • ~~gemeinnützig~~ • herausfinden • Schulabgänger • vorgehen

1 In gemeinnützigen Einrichtungen wie zum Beispiel in einem Sportverein kann man einen Freiwilligendienst absolvieren. Inzwischen nutzen viele ________ diese Möglichkeiten.
2 Man sollte aber vor einer Bewerbung möglichst viel über die Organisation ________.
3 Dabei kann man ganz systematisch ________ und zum Beispiel Internetseiten mit Erfahrungsberichten lesen oder Leute fragen, die selbst schon „Bufdis" waren oder sind.

4 Wer nach dem Schulabschluss erst einmal Geld verdienen will, findet am leichtesten einen Job im Service________, zum Beispiel als Verkäufer, an der Kasse im Drogeriemarkt oder als Bedienung im Restaurant. Leider verdient man in der ________branche oft nicht so gut.
5 Martina lebt in einer Wohngemeinschaft in Hamburg-Altona und fand im ________ Kindergarten einen Praktikumsplatz. Sie geht oft zum Mittagessen kurz nach Hause.
6 Manchmal ist man von einer Stelle gleich begeistert, weil einem die Chefin / der Chef und die Kollegen sympathisch sind. Diese Sympathie beruht im besten Fall auf ________.
7 Wer „Work & Travel" macht oder eine Au-pair-Stelle im Ausland sucht, möchte meist das Land, aber auch die ________ kennenlernen.

zu Lesen, S. 54, Ü2

3 Zwei Erfahrungsberichte ÜBUNG 2

HÖREN

CD1AB

a **Hören Sie, was Franka und Sven nach ihrem Schulabschluss gemacht haben bzw. machen, und ergänzen Sie.**

Franka arbeitete als ________ in ________. In diesem Job lebt und ________ man bei einer ________.

Sven machte zuerst ein paar Gelegenheitsjobs und leistete dann einen ________ ________ beim ________.

23 CD|AB

b **Hören Sie die Berichte nun ganz. Wer sagt was (Franka = F, Sven = S)? Markieren Sie. Manche Aussagen treffen auf beide zu.**

	F	S
1 Man bekommt die Unterkunft, die Krankenversicherung, Verpflegung und ein Taschengeld bezahlt.	☐	☐
2 Wenn es einem nicht gefällt, kann man sich eine neue Stelle suchen.	☐	☐
3 Man erfährt viel über eine andere Kultur.	☒	☐
4 Man hat viel Verantwortung.	☐	☐
5 Man kann Einheimische kennenlernen.	☐	☐
6 Man erweitert seine Fremdsprachenkenntnisse.	☐	☐
7 Man bekommt viele neue Kontakte und kann die Leute vielleicht später mal besuchen.	☐	☐
8 Man wird durch so eine Erfahrung selbstständiger und reifer.	☐	☐
9 Die Person war mit ihrer Wahl von Anfang an zufrieden.	☐	☐

zu Lesen, S. 54, Ü2

4 Beste Zeit

FILMTIPP / LESEN

a **Verbinden Sie die Sätze und lesen Sie den Filminhalt.**

1 Die Freundinnen Kati und Jo erleben	auf die Zusage für ein Auslandsjahr in Amerika.
2 Sie machen, wie viele Jugendliche,	in Kati verliebt.
3 Kati wartet	für Kati noch einiges ungeklärt.
4 Was die Liebe betrifft, ist	gemeinsam eine schöne Teenagerzeit.
5 Kati ist sich nicht sicher,	ob ihr Freund Mike sie auch liebt.
6 Rocky, Katis alter Schulfreund, ist aber auch heimlich	auch mal verbotene Dinge.

b **Lesen Sie nun die Filmkritik und notieren Sie. Was schreibt der Kritiker über …**

- die Themen des Films?
- die Auswahl der Schauspieler?
- das Genre?

Marcus H. Rosenmüllers warmherziger, nachdenklicher, aber auch humorvoller Film „Beste Zeit" ist den schönen und zugleich schwierigen Jahren des Erwachsenwerdens und der Selbstsuche gewidmet. Eine wichtige Rolle spielt dabei auch der Kontrast zwischen den konservativen Vorstellungen, die auf dem Land noch vorherrschen, und der Weite der Landschaft. Wie in seinen anderen Filmen bewegt sich der Regisseur und Drehbuchautor auf dem schmalen Grat zwischen Komik und Tragik. Dynamik und Spannung kommen allerdings erst allmählich ab der Mitte der Filmhandlung auf und auch da ohne die vermutete tragische oder besondere Wendung. Ein Lob gilt der Auswahl der Darsteller. Alles in allem ein gelungener Heimatfilm ohne den üblichen Kitsch, mit vielen Wiedererkennungsmomenten, nicht nur für das jugendliche Publikum.

WIEDERHOLUNG GRAMMATIK

zu Lesen, S. 56, Ü3

5 Jeder hat seine eigenen Pläne

Ergänzen Sie *wenn, als, seit(dem)* oder *bis*.

1 Immer ________ Jonas einen Gelegenheitsjob hatte, konnte er Geld für ausgedehnte Reisen verdienen. ________ er dann 22 Jahre alt war, fühlte er sich reif genug für ein Studium und schrieb sich an der Universität für Jura ein.
2 Seit Hanna sich entschieden hat, nach der Schule ein Praktikum zu machen, fühlt sie sich besser. Sie kann nun praktische Kenntnisse erwerben, ________ sie ihr Studium beginnt.
3 Frederic wollte schon ins Ausland gehen, ________ er 14 war. ________ er seine Ausbildung zum Speditionskaufmann beendet hat, lebt und arbeitet er in England.
4 ________ Marie eine Stelle als Marketingassistentin gefunden hat, bleibt sie noch bei ihren Eltern.
5 ________ Viktor die Schule beendet hat, möchte er einen Bundesfreiwilligendienst absolvieren.

zu Lesen, S. 56, Ü3

6 Temporales ausdrücken: *als, während, solange* ÜBUNG 3 GRAMMATIK ENTDECKEN

a **Verbinden Sie die Sätze mit den Konnektoren *als, während* oder *solange*.**

1 Jannik bewirbt sich zurzeit an mehreren Unis um einen Studienplatz. Außerdem arbeitet er als Bedienung in einer Kneipe.

____
____
____

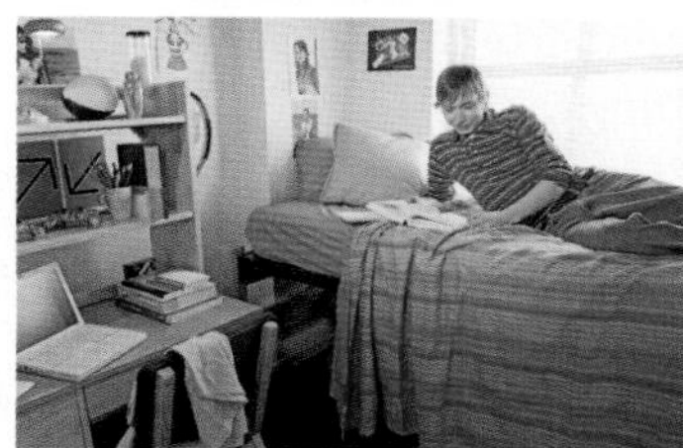

2 Julius studiert noch an der Fachhochschule. In dieser Zeit kann er kostengünstig im Studentenwohnheim wohnen.

____
____
____

3 Elke und Markus absolvierten beide ein Praktikum in einer Behindertenwerkstatt. Damals verbrachten sie auch viel Freizeit miteinander.

____
____
____
____

b **Was passt? Markieren Sie.**

Die Handlung im Nebensatz und die Handlung im Hauptsatz passiert bei diesen Konnektoren ...
☐ nicht gleichzeitig.
☐ gleichzeitig.

zu Lesen, S. 56, Ü3

7 Temporales ausdrücken: Zeitenfolge ÜBUNG 4, 5

GRAMMATIK ENTDECKEN

a **Unterstreichen Sie die Nebensatzkonnektoren. Ergänzen Sie wie im Beispiel. Was passiert *zuerst*? Was passiert *danach*?**

Nebensatz	Hauptsatz
1 Bevor Marta ihre Ausbildung als Restauratorin begann, danach	absolvierte sie noch ein einmonatiges Auslandspraktikum in Italien. zuerst
2 Nachdem sie aus dem Ausland zurückgekehrt war,	suchte sie eine Wohnung in der Nähe ihres neuen Ausbildungsplatzes.
3 Sobald sie eine neue Wohnung gefunden hat,	zieht sie um.
4 Ehe sie den alten Mietvertrag kündigt,	möchte sie zuerst einen neuen in der Tasche haben.
5 Nachdem sie alles andere geregelt hat,	macht sie vielleicht auch noch den Führerschein.

b **Ergänzen Sie. Bei welchen Nebensatzkonnektoren ist ...**

Konnektor

1 die Handlung im Nebensatz nach der Handlung im Hauptsatz? bevor, ______
2 die Handlung im Nebensatz vor der Handlung im Hauptsatz? ______

c **Markieren Sie die Zeitformen in den Sätzen. Benutzen Sie für unterschiedliche Zeiten unterschiedliche Farben.**

d **Bei welchen Konnektoren ist die Zeit ...**

Konnektor

1 im Haupt- und Nebensatz gleich? ______
2 im Hauptsatz Perfekt oder Präteritum, im Nebensatz Plusquamperfekt? ______
3 im Hauptsatz Präsens, im Nebensatz Perfekt und die Bedeutung in die Zukunft gerichtet? ______

zu Lesen, S. 56, Ü3

8 Ein spannendes Abenteuer

GRAMMATIK

Ergänzen Sie *bevor/ehe*, *nachdem* oder *sobald* und setzen Sie die Verben in die richtige Zeit in der Vergangenheit.

Julia belegte (1) (belegen) mehrere Spanischkurse, bevor (2) sie einige Monate „Work & Travel" in Lateinamerika ______ (3) (machen). ______ (4) sie in Kolumbien ______ ______ (5) (ankommen), ______ (6) (besichtigen) sie zuerst einmal die wichtigsten Sehenswürdigkeiten in Bogotá. Sie verbrachte einige Tage in einer Jugendherberge in der Hauptstadt, ______ (7) sie ihre erste Arbeitsstelle auf einem großen Pferdehof auf dem Land ______ (8) (antreten). Dort meldete sie sich zuerst beim Verwalter des Pferdehofs. ______ (9) Julia ihn nach der Busverbindung zum Hof ______ ______ (10) (fragen können), ______ (11) (sagen) er ihr, dass er sie abholen würde. ______ (12) sie den Hof ______ ______ (13) (erreichen), ______ (14) (bekommen) sie eine spannende Führung und ein tolles Essen. ______ (15) der Besitzer ihr alles ______ ______ (16) (erklären), ______ (17) (beginnen) sie fröhlich mit der Arbeit.

zu Lesen, S. 56, Ü3

9 Vorher oder nachher?

GRAMMATIK

**Verbinden Sie die Sätze mit *während, solange, als, ehe/bevor, nachdem* oder *sobald*.
Manchmal gibt es mehrere Möglichkeiten.**

1 Karina wurde Volontärin in einer gemeinnützigen Einrichtung. Davor jobbte sie als Kassiererin in einem Supermarkt.
2 Daniel wartet auf eine Zusage für einen „Work & Travel"-Einsatz in Brasilien. Er macht in der Zwischenzeit einen Portugiesischkurs.
3 Laura war ein Jahr als Au-pair-Mädchen in Schweden. Vorher hatte sie aber schon öfter auf die Kinder von ihrer Cousine aufgepasst.
4 Niko lebte mit seiner Familie zwei Jahre in Italien. Damals lernte er die Sprache sehr schnell.
5 Martin bekommt in zwei Wochen sein Abschlusszeugnis. Sofort danach will er sich bei verschiedenen Firmen um einen Ausbildungsplatz bewerben.
6 Miriam hat zuerst ein Praktikum bei der Firma Schmidt gemacht. Danach hat sie sich dort als Volontärin beworben.

1 Bevor/Ehe Karina Volontärin in einer gemeinnützigen Einrichtung wurde, jobbte sie als Kassiererin im Supermarkt.

zu Lesen, S. 56, Ü3

10 Temporale Zusammenhänge: verbal oder nominal

GRAMMATIK ENTDECKEN

a **Lesen Sie und unterstreichen Sie die temporalen Nebensätze / nominalen Ausdrücke. Markieren Sie dann: Sind sie *verbal* oder *nominal*?**

	verbal	nominal
1 Bevor sie mit dem Studium beginnt, möchte Jana die Welt kennenlernen.	☒	☐
2 Nach der Berufsausbildung zum Schreiner zog Tom von zu Hause aus.	☐	☐
3 Während ihres Auslandsaufenthalts kann Lena keine Bewerbungen schreiben.	☐	☐
4 Sobald er die Schule abgeschlossen hat, macht Sebastian seinen Führerschein.	☐	☐

b **Ergänzen Sie die unterstrichenen Satzteile in der Tabelle in c und markieren Sie die Konnektoren bzw. Präpositionen.**

c **Verbinden Sie und ergänzen Sie die temporalen Nebensätze / nominalen Ausdrücke in der Tabelle an passender Stelle. Ergänzen Sie auch den Kasus.**

1 nachdem — Schulabschluss
2 solange/während — Studium
3 vor — sich im Ausland aufhalten
4 gleich nach — Berufsausbildung beenden

Verbal	Nominal	Präposition und Kasus
1 Bevor sie mit dem Studium beginnt	Vor dem Studium	vor + Dativ
2		
3		
4		

d **Formulieren Sie nun die Sätze aus a neu.**

1 Jana möchte vor dem Studium die Welt kennenlernen.

zu Lesen, S. 56, Ü3

11 Am anderen Ende der Welt

GRAMMATIK

Schreiben Sie den Text um. Benutzen Sie dabei anstelle der Nebensätze nominale Ausdrücke.

Ehe Sandro zum Arbeiten nach Australien aufbrach, besuchte er einen Kurs „Englisch im Hotel". Bevor er seine Ausbildung begann, wollte er noch etwas erleben. Während er ans andere Ende der Welt flog, dachte er viel über seine Zukunft nach. Nachdem Sandro dann in Sydney angekommen war, freute er sich richtig auf seine Zeit in Australien. Sobald Sandro im Hotel in Sydney eingearbeitet war, hatte er Zeit, Land und Leute kennenzulernen. 5

Vor seinem Aufbruch nach Australien besuchte Sandro einen Kurs „Englisch im Hotel".

zu Lesen, S. 56, Ü3

12 Lillys Job in den Alpen ÜBUNG 6, 7

GRAMMATIK

Ersetzen Sie die nominalen Ausdrücke durch Nebensätze mit *bevor/ehe, sobald, nachdem* oder *während/solange*.

1 Lilly hat einen Job auf einer Skialm in Tirol. Vor dem Eintreffen der ersten Skifahrer hilft sie in der Küche.
2 Eine Stunde nach Öffnung der Skilifte kommen meist die ersten Gäste.
3 Lilly hat während des Bedienens keine Zeit, sich mit den Gästen ausführlich zu unterhalten.
4 Manchmal macht sie vor Dienstbeginn einen Spaziergang im Schnee.
5 Gleich nach Ende ihres Jobs möchte sie selbst skifahren lernen.

1 Bevor die ersten Skifahrer eintreffen, hilft sie in der Küche mit.

zu Hören, S. 57, Ü3

13 Eine Infosendung ÜBUNG 8

WORTSCHATZ

Lesen Sie Ausschnitte aus dem Radiobeitrag im Kursbuch, S. 57, und ergänzen Sie.

Finanziere • wenden • durchzuatmen • ~~erfüllen sich~~ • unterstützen • leisten

Moderatorin: Möchtest du für ein paar Monate oder sogar Jahre weit weg von zu Hause verbringen? Immer mehr junge Menschen *erfüllen sich* (1) diesen Traum. Sie entscheiden sich dafür, nach der Schule erst mal ein Jahr __________ (2), bevor sie den nächsten wichtigen Schritt tun und ein Studium oder eine Berufsausbildung beginnen. Klingt gut, findest du? Aber dir fehlt das nötige Geld, um dir eine richtig große und lange Reise zu __________ (3)? Kein Problem.
__________ (4) dir deinen Auslandsaufenthalt mit spannenden Nebenjobs! „Work & Travel" heißt das Zauberwort. Auf Deutsch: Arbeit und Reisen. Darüber sprechen wir heute.
Wenn du gerne Hilfe bei der Planung von „Work & Travel" hast, kannst du dich an Agenturen __________ (5). Sie organisieren die Anreise und die ersten Tage. Vor allem __________ (6) sie dich aber bei der Jobsuche und sind Ansprechpartner bei Problemen. Wenn dir Agenturdienste zu teuer sind, kannst du dir auch kostenlose Tipps im Internet holen. Zum Beispiel bei Florian Scheller, der heute bei mir zu Gast ist. Er ist 19 und hat vor einem Jahr seine Fachhochschulreife gemacht. Danach war er ein Jahr in Australien.

Auszeit • Erfahrungen • Brückenjahr • ist man berechtigt • Trip • ist jedem vollkommen selber überlassen

Moderatorin: Florian, du machst jetzt einen Podcast für Leute, die sich für das Programm „Work & Travel" interessieren. Worum geht es dabei genau?

Florian: Ich gebe einfach meine ______ (7) weiter. In der ersten Folge geht es zum Beispiel darum, wie man den ______ (8) plant, was man braucht und wie viel alles kostet. Wenn man sagt, ich mache „Work & Travel", dann bedeutet es eigentlich nur, dass man sich eine persönliche ______ (9) nimmt, also ein Jahr Zeit für sich ... oder ein halbes Jahr ... oder wie auch immer ... wie lange man das eben machen will.
Viele nutzen es auch als ______ (10) zwischen dem Schulabschluss und dem Studium oder der Berufsausbildung.
„Work & Travel" bedeutet eigentlich nur, dass man ein Visum hat. Mit diesem Visum ______ (11), ein Jahr in einem bestimmten Land zu arbeiten. Wie man dieses Jahr gestaltet, ______ (12).
Man kann im Land herumreisen, man kann aber auch die ganze Zeit in einer Stadt bleiben und die ganze Zeit arbeiten. Wie man eben will.

zu Hören, S. 57, Ü3

14 „Work & Travel" mit „TravelWorks" ÜBUNG 9 — SCHREIBEN

a **Lesen Sie den folgenden Textanfang. Welche Aussagen sind richtig? Markieren Sie.**

Der Text ...
- ☐ informiert über konkrete Arbeitsmöglichkeiten in verschiedenen Ländern.
- ☐ weist auf mögliche Schwierigkeiten bei einem Auslandsaufenthalt hin.
- ☐ wirbt für eine Organisation, an die man sich vor dem „Work & Travel"-Aufenthalt wenden kann.

Erlebe was mit „TravelWorks"

Du möchtest Dir einfach mal frischen Wind um die Nase wehen lassen, eine Auszeit vom Alltag nehmen? Du möchtest einfach frei und unabhängig die Welt ent-(5) decken und eine längere Zeit im Ausland verbringen? Dann kann „Work & Travel" bzw. Arbeiten und Reisen im Ausland für Dich genau die richtige Wahl sein!

(10) „Work & Travel" – Deine Möglichkeiten

Als „TravelWorker" kannst Du weltweit abseits der typischen Touristenpfade wandeln und ein anderes Land und seine Bewohner hautnah erleben – dabei ist es ganz egal, ob es Dich im Rahmen von „Working Holidays" ans andere Ende der Welt – etwa nach Australien oder Neuseeland – zieht oder Du unsere europäischen Nachbarländer durch Arbeit auf dem Bauernhof oder im Hotel erkunden möchtest – beim Reisen und Jobben im Ausland ist alles möglich! „TravelWorks" hilft Dir bei der Organisation. (15)

b **Lesen Sie nun den zweiten Teil des Textes. Leider ist der rechte Rand unleserlich. Rekonstruieren Sie den Text, indem Sie jeweils das fehlende Wort an den Rand schreiben.**

Vorteile von „Work & Travel" mit „TravelWorks"

Für viele „Work & Travel"- Reisende stellt sich zu Beginn der Reiseplanungen die Frage, ______ 01
sie ihren Auslandsaufenthalt selber organisieren oder mit einer Organisation ______ 02
„TravelWorks" verreisen sollen. Wenn Du Deinen Aufenthalt selber organisierst, ______ 03
Du häufig etwas Geld sparen, vorausgesetzt, Du bist geschickt bei der ______ 04
Deiner Flugverbindung und umgehst alle potenziellen Schwierigkeiten. Der ______ 05
einer „Work & Travel-Reise" mit „TravelWorks" ist, dass wir uns für Dich darum ______ 06
Du ersparst Dir einiges an Arbeit, Problemen und vor allem Zeit. Außerdem kannst Du ______ 07
einem erfahrenen Partner wie „TravelWorks" Deinen Trip unbeschwerter angehen. ______ 08
wir helfen Dir bei der Jobsuche, dem Flug, einem Visum und einer ersten Orientierung 09
nach der Ankunft. Wenn es einmal zu Problemen vor Ort kommt, dann haben ______ 10
eine 24-h-Notrufnummer und kompetente Ansprechpartner vor Ort, die Du immer kontaktieren kannst.

c **Schreiben Sie eine Anfrage an die Organisation „TravelWorks". Erkundigen Sie sich nach ...**

- den Arbeitsmöglichkeiten in einem Land Ihrer Wahl.
- dem Arbeitsumfang und der durchschnittlichen Bezahlung.
- dem Ablauf beim Wechsel einer Arbeitsstelle.
- der konkreten Unterstützung bei Ihren Reisevorbereitungen.

4

zu *Wussten Sie schon?*, S. 59

15 Das Leonardo da Vinci-Projekt ÜBUNG 10, 11 WORTSCHATZ

Lesen Sie Auszüge aus der Infobroschüre zu einem Leonardo da Vinci-Projekt. Die unterstrichenen Wörter sind durcheinandergeraten. Schreiben Sie die unterstrichenen Wörter an der richtigen Stelle und in der richtigen Form in die rechte Spalte.

1 Was ist das Leonardo da Vinci-Projekt „Team Volterra"?

Leonardo da Vinci heißt das Programm der Europäischen Union für die nationale Zusammenarbeit in der dreimonatigen Aus- und Weiterbildung. Als Teilnehmer erhalten Sie die Chance, sich in Europa über verschiedene Grenzen hinweg fortzubilden. Dieser Erfahrungsaustausch soll die Berufsbildungssysteme weiterentwickeln und die Bildungsangebote modernisieren. Die Finanzierung der jungen Projekte wird von der EU übernommen. Im Rahmen dieses Programms ermöglicht die Handwerkskammer Region Stuttgart seit über 12 Jahren ~~länderübergreifenden~~ Gesellen einen beruflichen Lern- und Arbeitsaufenthalt in der Toskana.

länderübergreifende

2 Die Bestandteile des Projekts

Unterkunft und Kennenlernen bei einem gemeinsamen Wochenende in Deutschland – Start mit vierwöchigem Italienisch-Rahmenprogramm in Volterra. Anschließend zweimonatige Vorbereitung in spannenden Projekten, überwiegend an denkmalgeschützten, jahrhundertealten Sprachkursen.
Gemeinsame Mitarbeit mit eigenverantwortlicher Organisation, Exkursionen und kulturelles Bauwerk.

3 Warum sollten Sie teilnehmen?

25 Die Teilnahme am Leonardo da Vinci-Projekt „Team Volterra" verbessert Ihnen viele Vorteile. Sie profitieren, wie Sie die in der Ausbildung erworbenen Kenntnisse im Ausland unter anderen Bedingungen in die Tat lernen. Von diesen Erfahrungen fördern nicht nur
30 Sie selbst, sondern auch Ihr zukünftiger Arbeitgeber. Ein dreimonatiger Auslandsaufenthalt bietet nicht nur Ihre berufliche Perspektive, sondern setzen auch die eigene Persönlichkeitsentwicklung um.

zu Schreiben, S. 59, Ü3

16 Unsere Zeit in Volterra ÜBUNG 12, 13

KOMMUNIKATION

a **Lesen Sie die Blogeinträge von drei jungen Leuten, die am Leonardo da Vinci-Projekt teilnahmen. Über welche Bereiche berichten sie? Ergänzen Sie.**

1 Ronja: ______ 2 Hajo: ______ 3 Robert: ______

b **Ergänzen Sie die Redemittel.**

- ☐ hier beigefügt
- ☐ bewerten müsste
- ☐ eine große Bereicherung
- ☐ Vorteile verschafft
- ☐ nur weiterempfehlen
- ☐ vorher nicht gerechnet
- ☑ 1 eine tolle und lohnende Erfahrung
- ☐ auf keinen Fall missen

Ronja, Hajo und Robert bei Leonardo: Unsere Erfahrungen

»Alles in allem war es (1) . Das Hostel „Il Vile" ist perfekt geeignet für Gruppen, wie wir es waren. Die Lage ist toll.
In unserer Freizeit hatten wir viele Möglichkeiten: Fitnesscenter, Fußball spielen, Kino, Ausflüge nach Florenz und Rom. Ein Ausflugsfoto habe ich (2) .
So einen Auslandsaufenthalt kann ich (3) .«

Ronja 20, Malerin und Lackiererin

»Ich möchte diese Zeit und Erfahrung (4) und würde mich jederzeit wieder dieser Herausforderung stellen. Beruflich habe ich durch das Restaurieren einen neuen Bereich erschlossen, der mir bis dato unbekannt war. Hinsichtlich meiner Karriere hat es mir nur (5) . So ein Auslandsaufenthalt ist in meinen Augen (6) . Vielen Dank für die super Zeit.«

Hajo, 24, Metallbauer

»In dem einen Monat Italienisch-Sprachkurs haben wir sehr viel gelernt. Ich muss zugeben, damit hatte ich (7) . Schon nach kurzer Zeit konnten wir uns bereits ganz gut mit Italienern verständigen. Wenn ich den Kurs mit einer Note (8) , wäre das eine glatte Eins.«

Robert 23, Stuckateur

zu Sprechen, S. 60, Ü1

17 Berufsmessen

LESEN

Lesen Sie den Text. Schreiben Sie passende Fragen zu den folgenden Antworten.

1 Schülern, Studierenden, Uni-Absolventen und Berufserfahrenen
2 sich persönlich vorzustellen
3 bei der Berufswahl
4 einen Überblick über berufliche Möglichkeiten
5 in ihren Zielgruppen

Frage: 1 Wem ermöglicht eine Berufsmesse eine direkte Kontaktaufnahme mit Unternehmen?

Berufseinstieg über eine Berufsmesse

Auf sogenannten Berufsmessen erhalten Schüler, Studierende, Uni-Absolventen, aber auch Berufserfahrene die Möglichkeit, mit interessanten Unternehmen direkt Kontakt aufzunehmen. Das erweitert die Chance für den Berufseinstieg, weil man sich, anders als bei
5 elektronischen Bewerbungen, persönlich vorstellen kann.
Außerdem kann eine Berufsmesse jungen Menschen bei ihrer Berufswahl helfen. Hier ist es leichter, sich einen Überblick über mögliche Berufe und die damit verbundenen Aufgaben und Tätigkeiten zu verschaffen. Die Interessenten erhalten auch wichtige Informationen über Karrierechancen in verschiedenen Berufen und Sparten und darüber, welche Unter-
10 nehmen welche Stellen anbieten.
Die verschiedenen Berufsmessen haben häufig unterschiedliche Zielgruppen. Einige suchen vor allem Schüler für die Besetzung von Ausbildungsplätzen, andere wenden sich an Hochschulabsolventen für Direkteinstiege oder Trainee-Stellen, wiederum andere an Arbeitssuchende mit Berufserfahrung. Eine Berufsmesse kann sich aber auch an bestimmte Berufs-
15 gruppen wie Handwerker oder Ingenieure richten.

WIEDERHOLUNG GRAMMATIK

zu Sprechen, S. 60, Ü1

18 Wünsche und Vorlieben

Lesen Sie die Aussagen junger Besucher einer Berufsorientierungsmesse. Ergänzen Sie die richtigen Formen der Verben *sein, werden, können, sollen, kommen* und *bekommen* im Konjunktiv II.

1 Melissa: „Am liebsten ______ ich einige Zeit als Volontärin in einer dieser coolen Werbeagenturen jobben. Ich glaube, ich _wäre_ für so eine kreative Arbeit geeignet."
2 Alex: „In solchen Firmen steht man aber ganz schön unter Leistungsdruck. Das ______ nichts für mich. Da ______ eine Stelle in einer sozialen Einrichtung, beispielsweise in einer Behindertenwerkstatt, schon eher für mich infrage."
3 Hanna: „Ich glaube nicht, dass man immer nach den momentanen Vorlieben entscheiden ______. Ich ______ mir zum Beispiel auch gut vorstellen, erst einmal zu einer Beratung bei der Arbeitsagentur zu gehen."
4 Jonas: „Mit meinem Notendurchschnitt ______ ich vermutlich sogar eine Zusage für einen Studienplatz in Psychologie."
5 Björn: „Ich ______ am liebsten etwas mit viel Sport machen. Weiß jemand, wie ich eine passende Ausbildung finden ______?"
6 Niko: „Vielleicht ______ du dich bei der Feuerwehr bewerben, mehr als ein Absage kannst du ja nicht bekommen."

zu Sprechen, S. 60, Ü1

19 Auf der Berufsorientierungsmesse ÜBUNG 14, 15

KOMMUNIKATION

a **Hören Sie ein Gespräch zwischen dem Schüler Markus (M) und der Messevertreterin Frau Winkler (W). Wer verwendet welche der folgenden Redemittel? Ordnen Sie zu.**

- [W] Für diese Stelle müssen Sie
- [ ] ich habe sowohl theoretische Vorkenntnisse als auch praktische Erfahrung
- [ ] das käme dann für Sie erst nächstes Jahr infrage
- [ ] ab dem Sommersemester anbieten
- [ ] ich könnte mir gut vorstellen
- [ ] ich halte Sie durchaus für die Tätigkeit geeignet
- [ ] Wie sieht es denn bei Ihnen aus mit
- [ ] würde ich wirklich gern machen!
- [ ] eingesetzt werden Sie nämlich vor allem
- [ ] Mich interessiert vor allem

24 CD1AB b **Hören Sie das Gespräch noch einmal und kontrollieren Sie.**

c **Lesen Sie nun ein zweites Gespräch und ergänzen Sie die folgenden Satzteile.**

- [ ] im Rahmen eines Stadtteilprojekts
- [ ] welche Grundqualifikationen Sie mitbringen
- [ ] Nehmen Sie doch einfach
- [ ] wäre etwas für mich
- [ ] Sie denn Ihre persönlichen Stärken
- [1] um ein einzigartiges Orientierungs- und Vorbereitungsjahr
- [ ] muss ich Ihnen erklären

Klara: Guten Tag, mein Name ist Klara Freitag. Ich wollte mich mal über das Orientierungsjahr „Bildende Kunst" informieren, das Sie anbieten.

Herr Kindler: Ja, es handelt sich _(1)_ für junge Menschen ab 18 Jahren, die an künstlerischen Berufen interessiert sind. Sie können sich bei uns etwa auf die Aufnahme an einer Kunstakademie oder auf eine Ausbildung an einer pädagogischen Hochschule vorbereiten.

Klara: Da klingt ja sehr interessant! Welche Fächer bieten Sie an?

Herr Kindler: Die Schwerpunkte liegen auf den bildkünstlerischen Bereichen: Malerei, Grafik, Skulptur, Plastik, Objektkunst, Videoarbeit und Fotografie. Worin sehen _(2)_ ?

Klara: Also, auf dem Gymnasium waren Kunst und Englisch meine Schwerpunkte. In Kunst habe ich mich auf Skulpturen aus Keramik und Ton spezialisiert und habe _(3)_ bereits an einer Ausstellung teilgenommen. Mich würde noch interessieren, wie man an Ihrer Schule aufgenommen wird?

Herr Kindler: Also, Sie müssen ein Motivationsschreiben und eine Mappe mit Ihren bisherigen künstlerischen Arbeiten einreichen. Das können zum Beispiel auch Schulprojekte im musisch-künstlerischen Bereich sein. Daran sehen wir dann schon in etwa, _(4)_ . Anschließend würden wir Sie zu einem persönlichen Gespräch einladen.

Klara: Ich denke, dieses Orientierungsjahr _(5)_ , weil man danach vermutlich viel genauer weiß, in welche Richtung man gehen will und auch eine Menge gelernt hat. Ist das denn kostenlos, weil da „staatlich finanziert" steht?

Herr Kindler: Ja, das _(6)_ . Das Land Baden-Württemberg finanziert einen Großteil der Kosten. Die Studierenden müssen dann noch eine monatliche Gebühr von 295,– Euro bezahlen.

Klara: Oh, ach so! Das müsste ich natürlich erst noch alles mit meinen Eltern besprechen.

Herr Kindler: Aber natürlich! _(7)_ mal unsere Infobroschüre mit, da steht alles Wichtige und auch unsere Internetadresse drin.

4

zu Wortschatz, S. 62, Ü2

20 Auf welche „-weise"? ÜBUNG 16, 17 — GRAMMATIK

Ergänzen Sie die passenden Adverbien.

ausnahmsweise • ~~dummerweise~~ • normalerweise • probeweise • stellenweise • überraschenderweise • vergleichsweise • verständlicherweise • erfreulicherweise

1 Ich muss heute Abend gleich nach dem Praktikum zum Zahnarzt. Dummerweise habe ich meine Krankenversicherungskarte vergessen.
2 Super! Seit Jan bei einem „Work & Travel"-Einsatz auf einer Schweizer Berg-Alm ist, fühlt er sich sehr wohl. Er hat __________ sogar mit dem Rauchen aufgehört.
3 Viele Schulabgänger haben __________ nicht sofort Lust, in einem Studium wieder den ganzen Tag hinter Büchern zu sitzen.
4 Martina möchte bereits während ihres Studiums das Arbeitsleben __________ kennenlernen. Nach mehrmaligen Anfragen bei einem großen Autohersteller bekam sie nun doch __________ eine Zusage für eine Stelle als Werksstudentin.
5 In den meisten Ländern sind die Abiturienten ungefähr 18 bis 19 Jahre alt. In Russland und der Ukraine sind sie mit 17 oder manchmal sogar erst 16 __________ jung.
6 Sebastian fährt __________ immer mit dem Fahrrad zu seinem Ausbildungsplatz. Gestern hat es stark geschneit und es ist auf den Straßen und Wegen __________ glatt. Deshalb nimmt er heute __________ mal den Bus und die U-Bahn.

4

zu Sehen und Hören, S. 63, Ü2

21 Auf der Theaterakademie ÜBUNG 18, 19 — WORTSCHATZ

Was passt zusammen? Ordnen Sie zu.

1 die Aufnahmeprüfung — bestehen
2 vielfältige Bühnenbilder
3 den Spielplan
4 eine Niederlage
5 einen Klassiker oder zeitgenössische Stücke
6 einen künstlerischen Studiengang
7 eine Vorliebe

veröffentlichen
haben
belegen
bestehen
entwerfen
erleiden
einstudieren und aufführen

zu *Wussten Sie schon?*, S. 63

22 Auf der Homepage eines Stadttheaters — LANDESKUNDE / WORTSCHATZ

Ordnen Sie die Definitionen den Rubriken auf der Homepage auf S. 71 zu und ergänzen Sie passende Verben.

- [ ] welche Stücke derzeit __________
- [C] wie man Tickets bekommt und wie viel sie kosten
- [ ] was für Kinder und Jugendliche __________
- [ ] was es Neues __________
- [ ] wer fest am Stadttheater __________
- [ ] welche Leistungen das Theater __________

23 Eine wichtige Zeit

MEIN DOSSIER

Erinnern Sie sich, wie Sie sich fühlten, als Sie volljährig wurden und Ihre Schulzeit zu Ende war? Haben Sie ein Foto aus dieser Zeit? Kleben Sie es ein und schreiben Sie.

AUSSPRACHE: Die Konsonanten *p – t – k, b – d – g*

1 Die „aspirierten" Konsonanten

a Nehmen Sie ein Blatt Papier und halten Sie es etwa zehn Zentimeter vor Ihren Mund. Sprechen Sie mehrmals den Laut *b*, dann mehrmals den Laut *p*. Wann bewegt sich das Papier?

b Versuchen Sie das Gleiche nun mit *d* und *t*, sowie mit *g* und *k*. Bei welchen Buchstaben bewegt sich hier das Papier?

2 Wortpaare

Hören Sie und sprechen Sie nach.

p – b	*t – d*	*k – g*
Perücke – Brücke passen – basteln praktisch – Bratfisch	tosen – Dosen Träume – Dramen trauern – dauern	Kälte – Geld Kern – gern Kanzler – ganze
Oper – Ober Sopran – sobald Lippe – Liebe	scheitern – scheiden Leute – Leder Enten – enden	Lücken – lügen markiere – Magie wecken – Wegen

3 *b – d – g* am Wortende ÜBUNG 20

a Hören Sie und sprechen Sie nach.

1 Druck – trug
2 Auszeit – Hauskleid
3 Bergwelt – Bergwald
4 Typ – Betrieb
5 Block – Blog
6 Dozent – tosend

aber:
7 Beitrag – Beiträge
8 Wald – Wälder
9 Betrieb – Betriebe
10 Krug – Krüge
11 Freund – Freundin
12 halb – halbe

b Wie spricht man die Buchstaben *b – d – g* am Ende des Wortes? Markieren Sie.

Sie klingen wie ... ☐ b – d – g ☐ p – t – k

4 Lautkombinationen

Diktieren Sie Ihrer Lernpartnerin / Ihrem Lernpartner Teil 1 oder Teil 2 der Übung. Wer das Diktat schreibt, schließt das Buch.

1

Ein Bufdi leistet den Bundesfreiwilligendienst.
Dieser dauert in der Regel ein halbes bis ein ganzes Jahr.
Die jungen Leute erhalten Taschengeld, Verpflegung und Unterkunft.
„Work & Travel" vermittelt Jobs im Ausland.
Agenturen unterstützen junge Reisende im Inland und vor Ort.

2

Eine Ausbildung kann man auch im Handwerk oder in der Landwirtschaft absolvieren.
Wer Kinder mag, kann bei einer Gastfamilie als Au-pair tätig sein.
Während des Studiums kann man als Werkstudent bereits in einem Betrieb arbeiten und Geld verdienen. Vielleicht bekommt man später dort einen Arbeitsvertrag.
Einige junge Leute haben schon eine Menge Auslandserfahrungen gesammelt.

EINSTIEGSSEITE, S. 53

das Bildungswerk, -e
der Bundesfreiwilligendienst, -e
(Bundes)Freiwilligendienst leisten
die Einrichtung, -en

LESEN, S. 54–56

die Behindertenwerkstatt, ¨-en
die Beliebtheitsskala, -en
die Dienstleistung, -en
die/der Einheimische, -en
die Faust, ¨-e
etwas auf eigene Faust organisieren
die Gegenseitigkeit (Sg.)
auf Gegenseitigkeit beruhen
der Gelegenheitsjob, -s
der Schulabgänger, -
die Weise, -n
auf diese Weise
der Zuschuss, ¨-e

vorgehen, ging vor, ist vorgegangen

Kenntnisse anwenden, wendete/wandte an, hat angewendet/angewandt
Wissen erwerben, erwarb, hat erworben

einheimisch
gegenüberliegend
gemeinnützig

ehe
in der Regel
sobald
solange

HÖREN, S. 57

die Aufenthaltserlaubnis, -se
die Auszeit, -en
das Brückenjahr, -e

begrenzen
durchatmen
sich etwas erfüllen
sich leisten
sich wenden an (+ Akk.)

berechtigt sein
jedem selbst überlassen sein

SCHREIBEN, S. 58–59

die Bereicherung, -en
der Eintrag, ¨-e
das Mitbringsel, -

beifügen
bewerten
zugeben, gab zu, hat zugegeben

eine Erfahrung nicht missen wollen

lohnend

SPRECHEN, S. 60–61

die Berufsorientierung
die Berufsorientierungsmesse, -n
der Notendurchschnitt, -e
der Leistungsdruck (Sg.)
die Vorliebe, -n
der Werkstudent, -en

jemandem absagen
jemandem zusagen

geeignet sein für
infrage kommen für, kam, ist gekommen

WORTSCHATZ, S. 62

ausnahmsweise
dummerweise
erfreulicherweise
erstaunlicherweise
normalerweise
probeweise
sinnvollerweise
stellenweise
überraschenderweise
vergleichsweise
verständlicherweise

SEHEN & HÖREN, S. 63

die Aufnahmeprüfung, -en
das Bühnenbild, -er
der Klassiker, -
die Niederlage, -n
der Spielplan, ¨-e
der Studiengang, ¨-e

aufführen

vielfältig
zeitgenössisch

LEKTIONSTEST 4

1 Wortschatz

Ergänzen Sie *anwenden, erwerben, rechnen, unternehmen, wenden.*

1 Wer ständig Neues dazulernen will, möchte Wissen ______________.
2 Wer ausprobieren will, was er kann, sollte seine Kenntnisse ______________.
3 Wer einen Auslandsaufenthalt nicht allein planen will, kann sich an eine Organisation ______________.
4 Wer keine Hilfe braucht, kann die Reise selbstständig ______________
5 Wer die Sprache des Gastlandes nicht kann, muss eventuell mit Schwierigkeiten ______________.

Je 1 Punkt **Ich habe ____ von 5 möglichen Punkten erreicht.**

2 Grammatik

a **Markieren Sie den passenden Konnektor.**

1 *Während / Sobald* die Schüler die Berufsmesse besuchten, bereiteten ihre Lehrer ein Projekt vor.
2 *Nachdem / Ehe* man zu einer Auslandsreise aufbricht, sollte man sich über das Land informieren.
3 Viele junge Leute wohnen noch zu Hause, *sobald / solange* sie noch kein Geld verdienen.
4 *Nachdem / Solange* man sich für einen Beruf entschieden hat, sollte man sich bewerben.

Je 1 Punkt **Ich habe ____ von 4 möglichen Punkten erreicht.**

b **Ersetzen Sie die Nebensätze durch nominale Ausdrücke mit den Präpositionen *während, nach, gleich nach, vor.* Schreiben Sie Ihre Lösungen auf ein separates Blatt.**

1 *Bevor Sandra als Au-pair-Mädchen arbeitete,* hatte sie nie mit kleinen Kindern zu tun.
2 *Während sie sich auf ihre Reise vorbereitete,* erzählte sie allen Freundinnen begeistert davon.
3 *Nachdem sie in Santiago angekommen war,* bekam sie von der Gastfamilie eine Stadtführung.
4 Sie begann Spanisch zu lernen, *sobald die Gastfamilie in Chile zugesagt hatte.*

Je 2 Punkte **Ich habe ____ von 8 möglichen Punkten erreicht.**

c **Ergänzen Sie die passenden Adverbien *ausnahmsweise, beispielsweise, erfreulicherweise, probeweise.***

1 Bei einem Schnupperpraktikum können junge Leute ______________ ein paar Tage in einer Firma arbeiten.
2 Bens Notendurchschnitt war im Abschlusszeugnis ______________ besser als erwartet.
3 Bei manchen Jobs hat man Schichtdienst, ______________ von 8–16 Uhr oder von 16–22 Uhr.
4 Als Werkstudent ist man meist nur Teilzeit beschäftigt. Marion arbeitet zurzeit ______________ Vollzeit.

Je 2 Punkte **Ich habe ____ von 8 möglichen Punkten erreicht.**

3 Kommunikation

Ergänzen Sie *Stärken, Qualifikationen, Rahmen, Erfahrung, Buchhaltungskenntnissen.*

1 Ich habe bereits ______________ in Datenverwaltung.
2 Wo sehen Sie denn Ihre ______________?
3 Welche ______________ bringen Sie denn für diese Stelle mit?
4 Wie sieht es denn bei Ihnen mit ______________ aus?
5 Im ______________ eines Praktikums habe ich bereits Werbematerial für Messen zusammengestellt.

Je 1 Punkt **Ich habe ____ von 5 möglichen Punkten erreicht.**

Auswertung: Vergleichen Sie Ihre Lösungen mit S. AB 114.
Ihre Erfolgspunkte tragen Sie unter jeder Aufgabe ein.

Ich habe ____ von 30 möglichen Punkten erreicht.

😊	🙂	☹
30–26	25–15	14–0

WIEDERHOLUNG WORTSCHATZ

1 Rund ums Aussehen

Finden Sie noch sieben Wörter. Markieren und ergänzen Sie.

K	P	F	V	F	Z	U	X	R	I	V	U	T	K
P	V	I	O	P	T	E	Z	I	L	P	O	Z	L
E	I	G	M	W	K	B	R	B	F	N	S	A	E
S	G	U	Z	S	P	W	U	A	Z	I	G	H	I
C	E	R	L	O	A	U	K	D	E	J	I	F	D
H	O	T	A	R	L	G	I	O	N	W	P	O	U
L	F	S	C	H	O	E	N	H	E	I	T	N	N
A	S	P	X	K	F	Y	J	Y	P	R	O	G	G
N	E	H	B	V	A	T	O	W	V	K	L	E	V
K	B	P	F	L	E	G	E	N	A	U	X	S	I
K	Q	I	U	O	P	C	Z	D	J	N	G	I	Q
O	M	V	Q	M	L	X	E	I	C	G	F	C	I
W	U	K	V	P	E	I	P	S	H	B	I	H	L
A	U	S	S	E	H	E	N	B	L	A	F	T	P

1 Elena findet, dass sie nicht *schlank* genug ist. Deshalb will sie ein paar Kilo abnehmen.
2 „Wahre ______ kommt von innen", sagt ein Sprichwort. Das heißt, es geht nicht nur darum, wie man aussieht oder was man anhat, sondern auch darum, was man denkt und wie man sich fühlt.
3 Die Kosmetikindustrie bietet nicht nur Produkte zum Schminken, sondern auch solche, um Haut und Haare zu ______.
4 Matthias mag die neuen engen Jeans, die besonders tief sitzen. Er findet, sie machen eine gute ______.
5 Im Gegensatz zum Tier braucht der Mensch ______, um seinen Körper vor Kälte, Hitze und anderen Einflüssen zu schützen.
6 Mit einem guten Make-up erreicht man mit wenigen Mitteln eine große ______.
7 Man sagt, dass bei männlichen Schauspielern gutes ______ weniger wichtig ist als bei Schauspielerinnen. Das finde ich ungerecht.
8 Toni findet, bei seiner Partnerin kommt es vor allem auf ein hübsches ______ an, weniger auf die Figur.

zur Einstiegsseite, S. 65, Ü1

2 Models wie du und ich

KOMMUNIKATION

Lesen Sie das Gespräch und ergänzen Sie.

aussieht • ~~Cover~~ • Eindruck • Gesichtsausdruck • Bildhälfte • wirkt • würde • Hilfsmitteln • lassen • Styling • Vermutlich

- ● Hast du die neue Ausgabe von LUISA gesehen? Die hat ein interessantes *Cover* (1).
- ■ Lass mal sehen. Aha. Auf der linken ______ (2) sieht man, wie die Frau von Natur aus ______ (3). Die andere Bildhälfte zeigt das Gesicht, nachdem es mit einigen ______ (4) professionell gestylt wurde.
- ● Der ______ (5) ist bei beiden Fotos derselbe.
- ■ Trotzdem ______ (6) sie auf der linken Seite komplett anders, nicht so intensiv.
- ● Finde ich auch.
- ■ Man hat den ______ (7), dass sie gar nicht besonders hübsch ist. ______ (8) würde sie uns auf der Straße gar nicht besonders auffallen.
- ● Ja, wenn man nur die linke Seite betrachtet, ______ (9) man denken, dass sie eine durchschnittlich aussehende Frau ist.
- ■ Genau. Was so ein ______ (10) aus einem machen kann! Ich stelle mir das interessant vor, mich für so ein Foto schminken zu ______ (11).
- ● Ach, ich weiß nicht. Ich glaube, darauf könnte ich verzichten.

zu Lesen 1, S. 66, Ü2

3 Was bedeutet das eigentlich genau? ÜBUNG 1, 2, 3 — WORTSCHATZ

Ordnen Sie zu oder schreiben Sie die Wörter auf Kärtchen.

Nomen

1 die Modenschau
2 die Ausschreibung
3 die Ausgabe
4 die Aufnahme
5 der Wettbewerb
6 der Makel

A Fehler, den jemand oder etwas hat
B Leute konkurrieren miteinander
C Foto oder Ton, den man hören und abspielen kann
D bei Zeitschriften gibt es sie wöchentlich oder monatlich
E damit fordert man Leute auf, sich zu bewerben
F Veranstaltung, bei der neue Mode-Kollektionen gezeigt werden

Verben

1 sich oder jemanden stylen
2 über jemanden/etwas staunen
3 irritieren
4 sich beschränken auf
5 durchblättern
6 etwas vorschreiben
7 etwas vorführen
8 etwas sein lassen

A sich konzentrieren auf
B etwas nicht machen
C überrascht sein, sich wundern
D unsicher machen, verwirren, stören, ärgern
E Make-up, Haare und Kleidung professionell gestalten
F Produkte zeigen, z. B. bei einer Messe
G in einem Buch, einer Zeitschrift von Seite zu Seite gehen
H bestimmen, dass und wie etwas gemacht wird

5

Adjektive

1 vielseitig
2 selbstbewusst
3 professionell
4 attraktiv

A gut aussehend, hübsch
B an vielen Dingen interessiert
C fachmännisch, qualifiziert
D man weiß, was man will, und tritt sicher auf

zu Lesen 1, S. 66, Ü2

4 *Liebe Laura!* ÜBUNG 4 — KOMMUNIKATION

a **Welches Redemittel drückt eine Zustimmung aus, welches eine Ablehnung? Markieren Sie.**

	Zustimmung	Ablehnung
1 Ich finde, dass Laura recht hat, wenn sie sagt, dass ...	☒	☐
2 Ich bin anderer Meinung als Laura. Ich finde, dass ...	☐	☐
3 Der Meinung von Markus kann ich leider nicht zustimmen.	☐	☐
4 Ich teile die Meinung von Patrizia. Ich finde auch, dass ...	☐	☐
5 Am meisten spricht mich der Kommentar von Markus an.	☐	☐
6 Ich sehe das ähnlich wie Laura.	☐	☐
7 Patrizia hat ganz und gar recht, wenn sie sagt ...	☐	☐
8 Ich könnte mir schon vorstellen, dass ...	☐	☐
9 ... kommt für mich nicht infrage.	☐	☐

b **Wie finden Sie die Meinungsäußerungen von Patrizia und Markus (Kursbuch, S. 66/67)? Schreiben Sie einen Kommentar mit Ihrer eigenen Meinung an Laura.**

Liebe Laura,

auch ich freue mich sehr für Euch. ...

zu *Wussten Sie schon?*, S. 67

5 Voll im Trend!

LANDESKUNDE

Lesen Sie den Text und ordnen Sie die Überschriften zu.

- ☐ Trend in den deutschsprachigen Ländern
- ☐ Die neuen Leser
- ☐ Männer entdecken ein Medium für sich
- ☐ Frauenthemen interessieren auch die Männerwelt

1 Deutschlands Männer haben sich verändert. Das Lesen von Zeitschriften war eigentlich eine der Tätigkeiten, die den Mann eher selten auszeichnete. Das hat sich in den letzten Jahren grundlegend gewandelt, nicht zuletzt aufgrund von Online-Publikationen und einem breiten Angebot an Männerzeitschriften.

2 Männer wenden sich immer mehr den Themen zu, die früher als „Frauendomäne" galten. Uhren, Autos, Geld und Finanzen, Themen also, die in den letzten Jahrzehnten „Männersache" waren, sind nicht mehr gefragt. Das Interesse der Männer an Tipps für Partnerschaft, Kosmetik, Gesundheit, Ernährung, Mode, Beruf und Reisen ist deutlich gestiegen. (5)

3 Der Trend greift um sich: Auch das Lifestyle-Magazin für den Mann, „WIENER", setzt mit den Schlagwörtern *Männer*, *Zeitgeist*, *Lifestyle* und *Kultur* den Schwerpunkt ganz bewusst auf männliche Identität in Österreich, während man in der Schweiz das Männer-Kochmagazin BEEF oder ANNABELLE MANN (Mode, Beauty, Lifestyle, Trends) für den Mann anbietet. (10)

4 „Die Leserschaft hat sich verändert. Unsere selbstbewussten und erfolgreichen Leser haben erkannt, dass eine gut funktionierende Partnerschaft genauso wichtig ist wie die berufliche Karriere. Der moderne Mann strebt nach Familie, Bildung und Beruf", so der Geschäftsführer eines großen deutschsprachigen Zeitschriftenverlages. (15)

zu Lesen 1, S. 67, Ü3

6 Das Verb *lassen* ÜBUNG 5

GRAMMATIK ENTDECKEN

a **Pauls Eltern kommen zu Besuch. Ordnen Sie zu.**

Du lässt deine Mutter Kaffee kochen? • ~~Aus dieser Wohnung lässt sich etwas machen.~~ • Paul lässt die Katze in seinem Bett schlafen! • Ich lasse die Wohnung, wie sie ist.

Aus dieser Wohnung lässt sich etwas machen.

etwas kann gemacht werden

man verändert/macht etwas nicht

man macht etwas nicht selbst

jemandem etwas (nicht) erlauben

b **Bilden Sie die Vergangenheit (Präteritum und Perfekt).**

1 Aus dieser Wohnung ließ sich etwas machen.
Aus dieser Wohnung hat sich etwas machen lassen.

zu Lesen 1, S. 67, Ü3

7 Model-Bilanz ÜBUNG 6

GRAMMATIK

Lesen Sie den Blogbeitrag der Chefredakteurin einer Frauenzeitschrift und ersetzen Sie die unterstrichenen Stellen.

lassen ... uns ziehen • lassen ... für uns arbeiten • lassen wir • lässt sich • lässt sich ... machen • ~~ließen ... fotografieren~~

In der Vergangenheit beauftragten (1) wir unsere Fotografen, mehr als 1000 Frauen zu fotografieren, egal ob Sängerin, Polizistin oder Studentin. Wir wollten zeigen: Aus natürlicher Schönheit kann professionelle Schönheit werden (2). Nun erlauben Sie uns, Bilanz zu ziehen (3). Viele unserer Leserinnen haben dazu gesagt: „Die Idee ist ja gut, aber Mode kann man (4) nicht so gut anschauen, wenn sie von einer ganz normalen Frau gezeigt wird.“ Darüber haben wir nachgedacht und uns Folgendes überlegt. In Zukunft beauftragen (5) wir immer dann professionelle Models, wenn wir glauben, dass es für ein Thema besser passt. Eins bleibt (6) aber auch in Zukunft so, wie es ist: Size-Zero-Figuren kommen nicht in unsere Hefte! Und natürlich werden wir auch weiterhin wunderbare Frauen suchen, finden und fotografieren.

1 In der Vergangenheit ließen wir unsere Fotografen mehr als 1000 Frauen fotografieren, ...

zu Lesen 1, S. 67, Ü3

8 Typ-Veränderung: Vorher – Nachher ÜBUNG 7

GRAMMATIK

Regina berichtet, wie sie zu einem neuen Aussehen kam. Schreiben Sie Sätze mit *lassen* im Perfekt.

1 zum ersten Mal im Leben in Modefragen beraten
2 zuerst – ein neues Make-up machen
3 dann – die Haare schneiden
4 außerdem – die Haare färben
5 als Nächstes – eine Farbberatung für die Kleidung machen
6 durch die Kommentare meiner Mutter nicht aus der Ruhe bringen
7 allerdings: das mit den super hohen Schuhen, nicht gemacht – das lassen

1 Ich habe mich zum ersten Mal in meinem Leben in Modefragen beraten lassen.

zu Hören, S. 68, Ü2

9 Schönheitsideale international

SCHREIBEN

27 CD1AB

a Hören Sie das Interview mit Kenta Kuhne noch einmal. Was sagt er über den Unterschied zwischen dem europäischen und dem japanischen Geschmack in Bezug auf Haare und Körperbau? Ergänzen Sie die Sätze.

1 Kenta erklärt, dass die Schönheitsideale in Europa und Asien
____

2 Er meint, dass man es in Europa schätzt, wenn ein Mann
____

3 In Japan dagegen kann ein Mann seiner Meinung nach
____

b Schreiben Sie über das Schönheitsideal in Ihrem Heimatland und wie Sie mit Schönheitsidealen anderer Kulturen umgehen. Verwenden Sie dabei folgende Redemittel.

„In meiner Heimat / meinem Heimatland möchten junge Leute zurzeit ...
In ... gilt es als schön, wenn man ... hat.
In meinem Heimatland ist/sind ... ganz normal / etwas ungewöhnlich / ...
Mir ist hier in ... aufgefallen, dass ... sehr beliebt ist/sind.
Ich habe außerdem festgestellt, dass besonders die jungen Männer ...
Die jungen Leute, mit denen ich (bei mir in der Gegend / hier) zu tun habe, ...“

WIEDERHOLUNG GRAMMATIK

zu Hören, S. 69, Ü4

10 Männliche Models

Lesen Sie das Interview und ergänzen Sie die Vermutungen im Futur I.

Reporter: Über weibliche Models wissen wir aus dem Fernsehen: Sie essen fast nichts, um schlank zu bleiben und machen viel Gymnastik. Das _wird_ wohl unter Männern nicht anders _sein_ (1), oder? (sein)

Ben: Unter Jungs will jeder cool sein, auch bei Models. Da ist nichts mit Kalorienzählen und Salatblättchen essen. Wir essen, was uns schmeckt. Sicher ________ viele intensiv Sport ________ (2), ich aber nicht. (treiben)

Reporter: Bei dem Job ________ man wohl viel für seine Muskeln ________ (3), oder? (tun müssen)

Ben: Nicht unbedingt, auch in Zukunft ________ vermutlich viele Models eher schmal und schlank ________ (4). (aussehen) Ich habe einmal erlebt, dass zwei muskulöse Jungs heimgeschickt wurden, weil sie nicht in die Hosen passten.

Reporter: Ihr männlichen Models, ihr ________ euch wahrscheinlich alle sehr für Mode ________ (5), oder? (interessieren)

Ben: Naja, manche ________ es bestimmt toll ________ (6), dass sie als Erste die neuen Kollektionen sehen können – aber manche kommen auch in Skaterklamotten und interessieren sich null für Designermode. (finden) Und zu denen gehöre ich.

zu Hören, S. 69, Ü4

11 Futur II – Vermutungen

GRAMMATIK ENTDECKEN

a Welche Sätze sind richtig formuliert? Markieren Sie.

1 Arnold wird oft ins Fitness-Studio gegangen sein. ☒
2 Er wird wohl im Solarium gewesen haben. ☐
3 Er wird sich um den Job beworben haben. ☐
4 Die Fotos werden viel Geld gekostet sein. ☐
5 Er wird beim Casting kein Glück gehabt sein. ☐
6 Er wird es nicht in die Kartei der Agentur geschafft haben. ☐
7 Arnold wird wohl enttäuscht gewesen sein. ☐

b Ergänzen Sie.

Partizip II • werden • haben/sein

Das Futur II bildet man aus ________ (1) + ________ (2) + ________ (3).

c Schreiben Sie die falschen Sätze aus a richtig.

2. Er wird wohl im Solarium gewesen sein.

zu Hören, S. 69, Ü4

12 Wie wird man Statist beim Film? ÜBUNG 8, 9

GRAMMATIK

a Lesen Sie und ergänzen Sie die Verben im Futur I oder II.

sein • spielen • sein • haben • machen • ~~bewerben~~

- ● Weißt du was? Ich werde mich wahrscheinlich als Statist beim Film bewerben (1), denn ich muss endlich mal etwas Geld verdienen. Hast du eine Ahnung, welche Anforderungen man da erfüllen muss?
- ■ Genau weiß ich es auch nicht. Ich vermute, das Aussehen ________ eine entscheidende Rolle ________ (2).
- ● Und was ist mit dem Körperbau? Ist der wichtig? Sehr muskulös bin ich ja nicht.
- ■ Muskeln sind nicht entscheidend, glaube ich. Arnold, der auch als Statist arbeitet, hat im letzten Jahr keinen Auftrag bekommen, vielleicht gerade deshalb, weil er wie ein Bodybuilder aussieht. Er ________ wohl zu viele Muskeln ________ ________ (3).
- ● Arnold hat letztes Jahr auch ziemlich zugenommen. Der ________ für die meisten Filme einfach zu kräftig ________ ________ (4). Da brauche ich mir ja keine Gedanken zu machen. Ich bin mir sicher, dass mir die Arbeit als Statist Spaß ________ ________ (5). Meinst du, dass ich eine Chance habe?
- ■ Also ich bin mir da nicht sicher, aber eine sympathische Ausstrahlung ________ ja auch wichtig ________ (6) – und die hast du ja.

b Welche Vermutungen beziehen sich auf die Vergangenheit, welche auf die Zukunft? Markieren Sie.

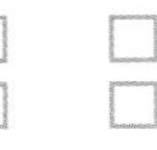

	1	2	3	4	5	6
Gegenwart/Zukunft	☒	☐	☐	☐	☐	☐
Vergangenheit	☐	☐	☐	☐	☐	☐

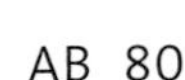

zu Hören, S. 69, Ü4

13 Andys Karriere ÜBUNG 10

GRAMMATIK

a **Lesen Sie die E-Mail und unterstreichen Sie Adverbien, die eine Vermutung ausdrücken.**

Hallo Anke,

gestern habe ich im Kino den Film „Brooklyn“ gesehen und weißt Du, wer da in einer gar nicht so kleinen Rolle zu sehen war? Unser alter Schulfreund Andy!
Andy wollte ja hier Jura studieren, doch das war ihm wohl zu langweilig. Er ist
5 sicher nach Berlin, Hamburg oder München gegangen, und dort hat man ihn vermutlich für den Film entdeckt. Er verdient jetzt wahrscheinlich ziemlich viel Geld und ganz sicher kennt er viele berühmte Leute. Vermutlich hat er auch eine Freundin, die super aussieht.
Aber er freut sich wahrscheinlich, wenn er eine E-Mail von seinen lieben Schulfreun-
10 dinnen bekommt. Vielleicht lädt er uns ein? Du hast bestimmt auch Lust auf einen New-York-Trip, oder? Ich rufe mal seine Mutter an und frage nach seiner E-Mail Adresse. Was hältst Du von dieser Idee?

Liebe Grüße
Tanja

b **Schreiben Sie die Sätze neu. Verwenden Sie statt der unterstrichenen Adverbien Futur I oder II.**

1 Andy wollte ja hier Jura studieren, doch das wird ihm zu langweilig gewesen sein.

zu Sprechen, S. 70, Ü1

14 Angebote der Schönheitsbranche ÜBUNG 11

WORTSCHATZ

a **Womit beschäftigt man sich in diesen Berufen? Ordnen Sie zu. Manche Begriffe passen zu mehreren Berufen.**

1 der Friseur   2 die Kosmetikerin   3 der Fitnesstrainer

___ das Make-up • ___ der Schnitt • ___ die Augenbrauen • ___ die Muskeln • ___ die Frisur • ___ die Fußnägel • ___ die Gesichtshaut • ___ die Körperbehaarung • ___ die Leistung des Herzens • ___ die Fingernägel • ___ die Wimpern • ___ der Fettabbau

b **Wie lassen sich Elsa und Sven stylen? Bilden Sie Sätze.**

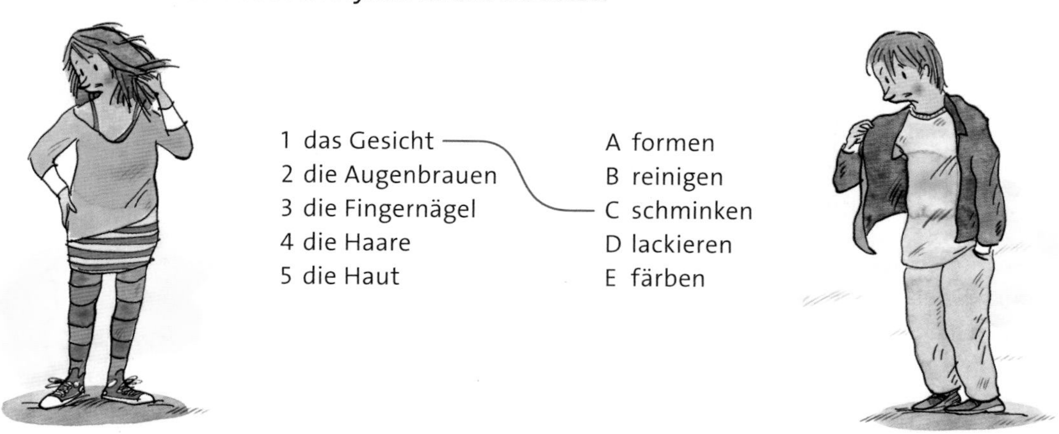

1 das Gesicht
2 die Augenbrauen
3 die Fingernägel
4 die Haare
5 die Haut

A formen
B reinigen
C schminken
D lackieren
E färben

1 Elsa lässt sich das Gesicht schminken.

zu Sprechen, S. 70, Ü2

15 Ratschläge ÜBUNG 12

KOMMUNIKATION

a Welche Redemittel haben diese Bedeutung? Markieren Sie.

	Mach das doch!	Mach das bitte nicht!
1 Auf keinen Fall solltest du ...	☐	☒
2 Das solltest du lieber lassen.	☐	☐
3 Das musst du unbedingt ausprobieren, das ist sehr effektiv.	☐	☐
4 Davon kann ich nur abraten.	☐	☐
5 Probier doch mal ...	☐	☐
6 Warum versuchst du es nicht mit ...?	☐	☐
7 ... finde ich übertrieben!	☐	☐
8 ... ist sehr empfehlenswert!	☐	☐

b Lesen Sie nun einige Angebote. Welche möchten Sie ausprobieren? Markieren Sie.

☐ **Gesichtsbehandlung „Royal"**
Verwöhnen Sie Ihre Haut mit intensiven Feuchtigkeitsprodukten, die Ihrer Haut Elastizität und Jugendlichkeit bieten. Reinigung, Hautdiagnose, Peeling, Korrektur der Augenbrauen, Massage, Tagespflege. Ca. 90 Minuten.

☐ **Nageldesign**
Maniküre „Basic" für Naturnägel (Feilen, Formen, Handbad, Nagelhautpflege, Polieren). Ca. 30 Minuten; anschließend verschönern wir Ihre Nägel mit den neuesten Designs der Nagelkunst.

☐ **Hand- und Fußpflege „DOKTOR FISCH SPA"**

Konventionelle Pediküre oder Maniküre, anschließend Behandlung der Hände bzw. Füße durch Doktorfische, die sich mit Heißhunger auf Ihre Hautschuppen stürzen und dabei ein salzhaltiges Sekret abgeben, das Ihre Haut samtweich werden lässt. Ca. 20 Minuten.

☐ **Meersalzgrotte**
Wie schon seit Jahrtausenden bekannt ist, hat Meersalz eine heilsame Wirkung auf den menschlichen Organismus und die Atemwege. Entspannen Sie in der Grotte mit sanften Klängen und beruhigendem Licht. Ca. 90 Minuten.

☐ **Sportmassage**
Auch für die tieferen Schichten der Muskulatur. Teilkörpermassage, ca. 30 Minuten, Ganzkörpermassage ca. 60 Minuten.

c Schreiben Sie eine E-Mail an eine Freundin. Welche Ratschläge geben Sie ihr? Von welchen Angeboten raten Sie ihr ab?

```
Liebe Caja,

neulich habe ich etwas Neues ausprobiert. Davon muss ich
Dir unbedingt erzählen. Ich war in einer Meersalzgrotte.
Es war einfach fantastisch und so entspannend! ...
```

zu Wortschatz, S. 71, Ü1

16 Sprichwörter, Redewendungen ÜBUNG 13, 14

WORTSCHATZ

a **Was passt? Ordnen Sie zu.**

1 ein Auge	öffnen
2 den Kopf	zudrücken
3 auf eigenen Füßen	verlieren
4 jemandem die Augen	stehen

b **Lesen Sie die Erklärungen. In welcher Situation sagen Sie das? Ordnen Sie zu.**

1 Als Anna merkte, wie viel Arbeit sie noch vor sich hatte, bekam sie kalte Füße.
2 Jeden Morgen Müsli, das hängt Uwe langsam zum Hals heraus.
3 Roland nimmt seine Prüfungen auf die leichte Schulter.
4 Nina hat einfach zwei linke Hände.
5 Mia braucht eine starke Schulter zum Anlehnen.
6 Was Karin mir da über Paul erzählt hat, hat mir die Augen geöffnet.
7 Wassili macht noch viele Fehler. Aber da muss man ein Auge zudrücken, er ist ja noch Anfänger.

A Etwas ist jemandem klar geworden.
B Jemand ist in praktischen Dingen nicht sehr geschickt.
C Man sollte etwas nicht so genau nehmen.
D Jemand hätte gern Unterstützung.
E Jemand nimmt etwas nicht sehr ernst.
F Etwas ist jemandem zu viel, man mag es nicht mehr.
G Jemand hat Zweifel, bekommt Angst.

5

zu Lesen 2, S. 72, Ü1d

17 Wie kann man das verbessern? ÜBUNG 15

WORTSCHATZ

a **Was passt? Markieren Sie.**

Frage	Antwort		
1 Beweglichkeit verbessern?	☒ Zumba	☐ Kopfschütteln	☐ Schwimmen
2 mehr Kraft in den Beinen bekommen?	☐ Schulterzucken	☐ Kniebeugen	☐ die Hüfte drehen
3 Koordination von Armen und Beinen verbessern?	☐ Seil springen	☐ Radfahren	☐ Gewicht heben
4 Schultergelenke beweglich halten?	☐ Skifahren	☐ Armkreisen	☐ Armbeugen
5 bessere Bauchmuskeln bekommen?	☐ im Liegen Oberkörper heben und senken ☐ Vorwärtshüpfen	☐ Walzer tanzen	
6 Herz und Kreislauf stärken?	☐ Hüftkreisen ☐ Lauftraining	☐ Übungen für das Gleichgewicht	

b **Bilden Sie Fragen und antworten Sie.**

1 Wie kann man seine Beweglichkeit verbessern?
Durch regelmäßiges Zumbatanzen kann man seine Beweglichkeit verbessern.
Man verbessert seine Beweglichkeit am besten durch regelmäßiges Zumbatanzen.

zu Lesen 2, S. 73, Ü2

18 Verbverbindungen ÜBUNG 16

GRAMMATIK ENTDECKEN

a **Lesen Sie den Forumsbeitrag und ergänzen Sie.**

tanzen sehen • joggen gehen • ~~schwimmen gehen~~ • singen hören • stehen bleiben • tanzen lernen

Wie man wieder in Form kommt? Hier ein paar Tipps:

Wenn man Wasser mag, kann man schwimmen gehen (1). Wem das nicht liegt, der kann eine Runde im Wald ______ (2). Wird es einem am Anfang zu anstrengend, sollte man nicht ______ (3), sondern langsam weitergehen und später wieder laufen. Wenn man Joggen nicht mag, sich dafür aber gern zu Musik bewegt, kann man auch ______ (4). Auf viele Leute wirkt es motivierend, wenn sie jemanden live ______ (5) und andere Leute ______ (6).

b **Unterstreichen Sie das Perfekt mit den Verben *gehen, bleiben, lernen, hören* und *sehen*.**

Ich habe die Tipps ausprobiert: Ich bin schwimmen gegangen – das Wasser war zu kalt und das Schwimmbad zu voll. Dann habe ich es mit Joggen versucht, allerdings bin ich zu oft stehen geblieben, deshalb hat das nicht funktioniert. Dann habe ich tanzen gelernt: Ich habe einen tollen Sänger live singen hören und die anderen tanzen sehen – und das war 5 toll! Seit drei Monaten tanze ich und ich werde immer besser und fitter. Danke für den Tipp!

c **Ergänzen Sie die Tabelle.**

Präsens	Perfekt	Präsens	Perfekt
schwimmen gehen	bin schwimmen gegangen	singen hören	
stehen bleiben		tanzen sehen	
tanzen lernen			

zu Lesen 2, S. 73, Ü2

19 Im Fitness-Studio ÜBUNG 17

GRAMMATIK

Ergänzen Sie *hören, sehen, gehen, lernen, bleiben* in der richtigen Form.

Wann bist Du das letzte Mal in den Bergen wandern gegangen (1)? Am Samstag gehen wir auf den Rosskopf. Treffpunkt 7 Uhr vor dem Studio. Thomas

______ jemand von Euch professionell Kickboxen ______ (2)? Wenn ja, dann bitte bei Pit melden. Tel. 0171-5446780

Wenn ich ins Studio gehe, ______ (3) mein Freund zu Hause vor dem Fernseher sitzen. Tess, 0158-6457812

Meine Tochter ______ im Zirkus die Clowns jonglieren ______ (4) und will jetzt selbst jonglieren ______ (5). Jana, Tel. 1246532

Spazieren ______ (6), die Vögel singen ______ (7) und dabei frische Luft atmen – Entspannung pur! Oder: Donnerstags, 18 Uhr, Yoga im Studio 2

Ich ______ letzten Freitag um 18 Uhr in Studio 1 jemanden Fotos machen ______ (8). Kann man sich die Fotos mal anschauen? Rosa, 0172-56782300

zu Schreiben, S. 74, Ü3

20 Die Pilates-Gruppe

SCHREIBEN

Korrigieren Sie die Anzeige. Schreiben Sie die richtige Form an den Rand (Beispiel 01). Wenn ein Wort falsch platziert ist, schreiben Sie es und seinen Begleiter an den Rand (Beispiel 02).

SUCHEN PILATES-GRUPPE

Anzeige		Rand	
Ich (26, w) habe schon viel Gutes über Pilates gehört und möchte gern das	1	SUCHE	(01)
mals ausprobieren. Da ich schon einige Erfahrungen mit Yoga habe und	2	das gern	(02)
habe eine relativ gute Kondition, hoffe ich, dass ich die Übungen schnell	3		
werde lernen. Allerdings steht mir nicht so viel Geld zur Verfügung,	4		
um mich in einem der teuren Fitness-Studios anmelden. Kennt jemand	5		
eine private Gruppe, für was man nichts oder nur wenig zu bezahlen	6		
braucht? Ich hätte gern mehrmals in der Woche trainieren, denn ich	7		
möchte schnell Fortschritte machen. Obwohl ich zurzeit arbeitslos bin,	8		
kann ich jederzeit mal eine Stunde Pilates machen.	9		
Vielleicht hat jemand einen DVD-Tipp für mich auch. Ich würde auch	10		
ganz gern zu Hause ein paar Übung machen.	11		
Bitte schrieb mir unter zamira@nht.de	12		

zu Schreiben, S. 74, Ü3

21 Das neue Fitnessprogramm ÜBUNG 18

HÖREN

Hören Sie die Nachricht und korrigieren Sie oder ergänzen Sie während des Hörens die Informationen. Sie hören den Text nur einmal.

Zeit	Kurs	Ort	Ausrüstung	Anmeldung	Kosten
Montag 18:30 Uhr	Zumba	Grundschule Guardinistraße Beispiel: Leibniz-Grundschule, Baumstraße	Gymnastikschuhe	nicht erforderlich, Gebühr wird pro Abend bezahlt	5 € pro Stunde
Täglich 10:00 Uhr – 22:00 Uhr	Fitness rundum	Studio München-Laim	je nach Programm, Handtuch	nach Termin, Angebot gilt bis 3. 1.	99 € für 1. Quartal 1
Montag bis Freitag 18:30 Uhr	AquaGym	Westbad	Geräte werden gestellt 2	nicht erforderlich	11 € für drei Stunden
Donnerstag 19:15 Uhr – 20:15 Uhr 20:15 Uhr – 21:15 Uhr	Step & Work-out	TOP Fit Sportzentrum	bequeme Kleidung, Sportschuhe	Sparangebot bei Einschreibung vor 1. 1. 3	120 € pro Halbjahr
Dienstag + Donnerstag 19:15 Uhr – 20:15 Uhr 4	Kampfsport für Anfänger	Turnhalle Großhadern	Judoanzug	während der Bürozeiten: 9:00 Uhr – 12:30 Uhr	60 € pro Jahr

zu *Wussten Sie schon?*, S. 74

22 Der FC Bayern

LANDESKUNDE / LESEN

Sie erhalten einen Text. Leider ist der rechte Rand unleserlich. Rekonstruieren Sie den Text, indem Sie jeweils das fehlende Wort an den Rand schreiben.

Fußballclub mit weltweiter Fan-Gemeinde

Der älteste (noch existierende) Sportverein Deutschlands ist ______ nach 1
eigenen Angaben der Turn- und Sportverein TSV 1814 Friedland. ______ 2
200 Jahren haben Sportvereine in Deutschland eine wichtige
soziale Funktion. Das gilt für Großstädte genauso ______ 3
für ländliche Regionen. Jungen ab vier Jahren begeistern ______ 4
häufig für Fußball, Mädchen bevorzugen Sportarten wie ______ 5
Beispiel Turnen. Sportvereine besitzen ihre ______ 6
Sporthallen, Plätze und Vereinslokale für das gesellige
Beisammensein nach dem Training oder Wettkampf.
Der erfolgreichste deutsche Fußballverein ist der FC Bayern München.
Zu diesem Verein gehören die folgenden Sportabteilungen: Fußball ______ 7
Männer als auch für Frauen, Basketball, Handball, Schach, Sportkegeln,
Tischtennis sowie Turnen. Mit rund 185 000 Mitgliedern ______ 8
der Club zu den Sportvereinen mit den meisten Mitgliedern
weltweit. Populär ist der FC Bayern auch bei den Fans. Kein ______ 9
Verein in Deutschland hat so viele registrierte Anhänger.
3000 Fanclubs mit insgesamt 200 000 Mitgliedern gab ______ 10
2011. Organisierte Bayern-Fans fiebern nicht nur in ganz Deutschland, ______ 11
auch weltweit mit, wenn ihr Club spielt.

zu Sehen und Hören, S. 75, Ü5

23 Aufwärm-Übungen ÜBUNG 19

GRAMMATIK

Bilden Sie Nomen und ordnen Sie zu.

Hände öffnen • Schultern kreisen • Arme hinunterdrücken • ~~Beine nebeneinanderstellen~~ • Kopf seitwärts legen

das Neben-einanderstellen der Beine ______ ______ ______ ______

zu Sehen und Hören, S. 75, Ü5

24 Work-out ÜBUNG 20

GRAMMATIK

Lesen Sie das Interview mit einer jungen Frau und ergänzen Sie die Wörter in der richtigen Form.

~~kreisen~~ • beugen • herumhüpfen • herumlaufen • kräftigen • schwitzen • strecken

Elisabeth, Du gehst dreimal in der Woche zum Training. Was macht Dir denn am meisten Spaß dabei?
Dass es den ganzen Körper entspannt. Das Training ist so angenehm. Wir beginnen zum Beispiel ganz einfach mit dem Arm*kreisen* (1). Nach zehn Minuten machen wir dann mit dem ____________ (2) der Bauchmuskeln weiter.

Gibt es auch Sachen, die Dir schwerfallen?
Ja, ich hatte vor etwa zwei Monaten eine Knieoperation. Seitdem ist für mich das ____________ (3) und ____________ (4) des Beines noch etwas schmerzhaft. Manchmal machen wir auch Spiele in der Gruppe. Aber das ____________ (5) oder ____________ (6) vermeide ich im Moment noch, weil ich das Knie nicht zu sehr belasten möchte.

Und was magst Du nicht?
Man kommt bei diesen Übungen leider total ins ____________ (7). Hinterher ist mein T-Shirt total nass und ich bin völlig erschöpft. Aber nach dem Duschen fühle ich mich dann so richtig wohl.

5

25 Mein persönliches Bewegungsprogramm

MEIN DOSSIER

Wie viel Bewegung gönnen Sie sich? Beschreiben Sie Ihr Trainingsprogramm.

Wann?	Was?	Warum?
morgens		
während des Tages		
während ich am Computer sitze		
in der Mittagspause		
auf dem Weg von und zur Arbeit	*Ich nehme das Fahrrad*	*Weil ich mich so an der frischen Luft bewegen kann.*
abends		
am Wochenende		
im Urlaub		

AUSSPRACHE: Die Konsonanten *f – v – w*

1 Wortpaare

29 CD AB

a Hören Sie und sprechen Sie nach.

1 Fernsehen	verstehen	5 Fehler	verlieren
2 Forschung	Vorschlag	6 fiel	viel
3 Fahrt	Vater	7 Foto	Vorteil
4 für	vor	8 fertig	vertiefen

30 CD AB

b Hören Sie und sprechen Sie nach.

1 vital	Fitness	4 Visakarte	Fax
2 Visum	fair	5 Votum	Fastfood
3 vegetarisch	Film	6 Video	Foto

c gleich oder unterschiedlich? Was passt? Ergänzen Sie.

Die Buchstaben *f* und *v* werden in deutschen Wörtern ______________ ausgesprochen.
Bei Internationalismen ist die Aussprache von *v* und *f* ______________.

d Bilden Sie aus den Wörtern in a und b lustige Fantasiesätze und schreiben Sie diese jeweils auf einen Papierstreifen. Sammeln Sie diese ein und verteilen Sie sie neu. Jeder liest einen Satz laut vor. Der Kurs entscheidet über den originellsten Satz und über die beste Aussprache.

Moderne Väter sehen viele Vorteile in vegetarischem Fastfood.

2 Meersalzgrotten in Baden-Baden

a Ergänzen Sie die fehlenden Buchstaben *f*, *v* und *w* im Text.

Entdecken Sie die Meersalzgrotten, die sich im Zentrum des f acettenreichen und ___eltbekannten Kurorts Baden-Baden be___inden. ___ie schon seit Jahrtausenden bekannt ist, hat Meersalz eine ___ohltuende ___irkung au___ den menschlichen Organismus und die Atem___ege. Erleben Sie diesen E___ekt mit san___ten Klängen und beruhigendem Licht. Tun Sie Ihrem Körper et___as Gutes. Hier können Sie sich ___ollkommen entspannen!

31 CD AB

b Hören Sie und vergleichen Sie.

3 Rückendiktat

**Arbeiten Sie zu zweit. Setzen Sie sich Rücken an Rücken und diktieren Sie Ihrer Lernpartnerin / Ihrem Lernpartner Teil 1 oder Teil 2 der Übung.
Wer das Diktat hört und schreibt, schließt das Buch.**

1
Das wie vielte Foto haben wir heute bereits weggeworfen? Frieda war zuerst Staatsbeamtin. Sie konnte schließlich in der freien Wirtschaft Fuß fassen. Frauen lassen sich heute nicht mehr so viel vorschreiben wie in den Fünfzigerjahren.

2
Darf ich einen Vorschlag machen: Wir verkaufen den Videorekorder und den DVD Spieler. Das Vieh frisst den ganzen Tag frisches Futter. Der Vogel war lange krank, jetzt singt er wieder.

EINSTIEGSSEITE, S. 65

die Fotomontage, -n
das Hilfsmittel, -
die Kampagne, -n
das Styling, -s

wirken

LESEN 1, S. 66–67

die Ausgabe, -n
die Ausschreibung, -en
der Aspekt, -e
die Klamotten (Pl.)
der Laufsteg, -e
der Makel, -
das Model, -s
der Wettbewerb, -e

sich beschränken auf (+ Akk.)
durchblättern
irritieren
sein lassen, ließ sein,
hat sein gelassen
staunen über (+ Akk.)
stylen
vorführen
vorschreiben, schrieb vor,
hat vorgeschrieben
verzichten auf (+ Akk.)
zustimmen

attraktiv
selbstbewusst
vielseitig

HÖREN, S. 68–69

die Entdeckung, -en
die Mentalität, -en
das Schönheitsideal, -e

prägen

entdeckt werden
neidisch sein
riskant sein
stammen aus

souverän

SPRECHEN, S. 70

die Augenbraue, -n
die Äußerlichkeit, -en
die Garderobe, -n
die Körperbehaarung (Sg.)
die Kosmetikerin, -nen
die Wimper, -n

abraten von, riet ab,
hat abgeraten
sich engagieren für (+ Akk.)
färben
lackieren
plädieren für (+ Akk.)
übertreiben, übertrieb,
hat übertrieben

effektiv

WORTSCHATZ, S. 71

die Lücke, -n

kein Auge zutun, tat zu,
hat zugetan
jemandem die Augen öffnen
beide Augen zudrücken
auf eigenen Füßen stehen,
stand, hat gestanden
auf großem Fuß leben
kalte Füße bekommen, bekam,
hat bekommen
etwas hängt einem zum Hals
heraus, hing, hat gehangen
jemandem um den Hals fallen,
fiel, ist gefallen
Hals über Kopf
etwas in die Hand nehmen,
nahm, hat genommen
zwei linke Hände haben
in festen Händen sein
den Kopf verlieren, verlor,
hat verloren
sich etwas durch den Kopf gehen
lassen, ließ, hat gelassen
von Kopf bis Fuß
eine starke Schulter zum
Anlehnen brauchen
etwas auf die leichte Schulter
nehmen, nahm, hat genommen

LESEN 2, S. 72–73

die Beweglichkeit (Sg.)
die Fitness (Sg.)
das Gelenk, -e
das Gleichgewicht, -e
die Haltung, -en
die Kondition (Sg.)
die Koordination, -en
der Muskel, -n

berühren
kratzen
kreisen
rutschen
verschränken
sich vorbeugen

jemandem liegt etwas (nicht),
lag, hat gelegen

gelenkig
sanft

etwas Ausgefallenes

SCHREIBEN, S. 74

der Inserent, -en
das Niveau, -s

SEHEN UND HÖREN, S. 75

die Choreographie, -n

ausprobieren
(herum)hüpfen
klatschen
schütteln

LEKTIONSTEST 5

1 Wortschatz

Was ist richtig? Markieren Sie.

Wissen Sie, meine Bekannte ist einfach ideal für den Job geeignet! Sie ist eine *attraktive / effektive* (1) Frau Ende 20. Im Kundengespräch kann sie sehr überzeugend sein, denn sie ist sehr *sanft / selbstbewusst* (2). Sie ist insgesamt eine sehr *riskante / souveräne* (3) Frau. Aufgrund ihrer guten Ausbildung ist sie außerdem sehr *vielseitig / gelenkig* (4). Etwas extrem sind vielleicht ihre schwarz *lackierten / gefärbten* (5) Fingernägel.

Je 1 Punkt **Ich habe ______ von 5 möglichen Punkten erreicht.**

2 Grammatik

a **Schreiben Sie die Sätze auf ein separates Blatt. Achten Sie dabei auf die Form und Zeit der Verben.**

1 Rebeccas Freund ist Fotograf, aber *Rebecca / fotografieren / lassen / sich / nicht gern*
2 *Früher / sie / die Haare schneiden / sich / jede Woche / lassen*, denn sie wollte immer toll aussehen.
3 Sie wüsste auch gern, *aus ihrem Gesicht / lassen / machen / mithilfe von Stylisten / was sich*
4 *Trotzdem / an Rebeccas Stelle / würde ich / lassen / das extreme Styling / sein*
5 *Sie / lassen / ihr Gesicht / so / wie es ist / sollte*

Je 2 Punkte **Ich habe ______ von 10 möglichen Punkten erreicht.**

b **Vor dem Klassentreffen: Formulieren Sie Vermutungen im Futur II.**

1 Barbara war immer sehr ehrgeizig. ______________________ (Karriere machen)
2 Peter war sehr intelligent. ______________________ (ein Stipendium bekommen)
3 Frida wollte Model werden. ______________________ (sich sehr verändern)
4 Franz hatte vor, aufs Land zu ziehen. ______________________ (einen Bauernhof kaufen)
5 Juliane träumte von einem Mann und Kindern. ______________________ (Familie gründen)

Je 1 Punkt **Ich habe ______ von 5 möglichen Punkten erreicht.**

c **Freundinnen unterhalten sich. Ergänzen Sie die Verben *gehen, lernen, bleiben, sehen* und *hören* in der passenden Form.**

1 Man stellt immer wieder fest: Die Zeit ist nicht stehen ______________.
2 Karin hat mit ihrem neuen Partner Zumba tanzen ______________.
3 Beide sind außerdem fast jedes Wochenende zusammen Ski fahren ______________.
4 In letzter Zeit habe ich die beiden aber kaum noch zusammen ausgehen ______________.
5 Ich habe jemand sagen ______________: Sie sind gar nicht mehr zusammen.

Je 1 Punkt **Ich habe ______ von 5 möglichen Punkten erreicht.**

3 Kommunikation

Ansichten über das Aussehen. Ordnen Sie zu.

☐ anderer Meinung sein	☐ könnte ich mir schon vorstellen	
☐ sehe ich ähnlich wie	☐ teile seine Meinung über	☐ glaube eher, dass

In Bezug auf die Schönheitsideale kann man __(1)__ als Kenta. Ich __(2)__ die Schönheitsideale nicht. Ich persönlich __(3)__ heutzutage junge Leute in der ganzen Welt einen ähnlichen Geschmack haben. Trotzdem __(4)__, dass es noch kleinere Unterschiede gibt. Dass viele die Mischung aus zwei Kulturen attraktiv finden, __(5)__ Kenta.

Je 1 Punkt **Ich habe ______ von 5 möglichen Punkten erreicht.**

Auswertung: Vergleichen Sie Ihre Lösungen mit S. AB 114.
Ihre Erfolgspunkte tragen Sie unter jeder Aufgabe ein.

Ich habe ______ von 30 möglichen Punkten erreicht.

😊	🙂	☹
30–26	25–15	14–0

WIEDERHOLUNG WORTSCHATZ

1 In der Stadt

Was kann man in der Stadt tun? Ergänzen Sie.

Man kann ...
1 sich mit dem Stadtplan (NPLATDSTA) orientieren.
2 mit dem Auto einen ______ (RATZPLAPK) suchen.
3 öffentliche ______ (TELVERMITKEHRS) benutzen.
4 einen ______ (SAUCHSTERNEF)-Bummel machen.
5 in der ______ (GERNEZOGÄNFUß) einkaufen.
6 in einer gemütlichen ______ (TESTAGSTÄT) zu Mittag essen.
7 bei einem Empfang im Rathaus den ______ (STERGERBÜRMEI) kennenlernen.
8 eine Radtour in die ______ (GEMUBUNG) unternehmen.

zur Einstiegsseite, S. 77, Ü3

2 Stadt(ent)führung Dresden

LESEN

a **Lesen Sie, wie Fräulein Kerstin ihr Programm präsentiert. Welche Aussagen sind richtig? Markieren Sie.**

Sie möchte in ihren Stadtführungen ...
- ☐ eine ganz besondere Art „kultureller Dienstleistung" anbieten.
- ☐ spannende und zum Teil auch unbekannte historische Zusammenhänge erklären.
- ☐ hauptsächlich über geschichtliche Daten informieren.
- ☐ den Menschen Geschichten über Dresden und seine Bewohner näherbringen.

Also ganz ehrlich: das Runterrattern staubtrockener Jahreszahlen ist nicht mein Ding. Es sind die Geschichten hinter der Geschichte, die mich interessieren. Unterhaltsam, überraschend, berührend, lustig, spannend, nachdenklich ... Geht es Ihnen genauso? Wäre das folgende Angebot etwas für Sie?

b **Lesen Sie die Information zum Stadtrundgang und ergänzen Sie.**

Gegensätze • Künstlern • gemütlichen • kulinarischer • neugierig • feiert • ~~Veranstaltungen~~ • Galerien

Stadtrundgang „Szeneviertel Innere und Äußere Neustadt"

Dresden gilt heute als das pulsierende Zentrum einer bunten Musik-, Kunst- und Kneipenszene mit unzähligen Veranstaltungen (1). Das Viertel ist nicht nur Geheimtipp zum Shoppen, Flanieren und Genießen ______ (2) Spezialitäten, sondern auch ein Stadtteil der ______ (3). Zu Fuß geht es vorbei an altehrwürdigen Ministerialgebäuden, kultigen DDR-Plattenbauten und barocken Palais hinein ins bunte Gewimmel des jungen Szeneviertels mit seinen ______ (4) Hinterhöfen, seinen coolen Cocktailbars und Klubs, den Straßencafés, den ______ (5) und den kleinen Bühnen, dem alten jüdischen Friedhof sowie der von ______ (6) gestalteten Kunsthofpassage.
Seien Sie ______ (7) auf einen Stadtteil, der wie kein anderer von seinen Bewohnern geprägt ist und sich jedes Jahr im Juni selbst ______ (8).

zur Einstiegsseite, S. 77, Ü3

3 Oh Boy

FILMTIPP / LESEN

a **Lesen Sie die Filmkritik zu „Oh Boy" und ergänzen Sie die Textstellen.**

- ☐ In „Oh Boy" stecken auch seine eigenen Erfahrungen.
- ☐ Auf der Suche nach Lösungen für seine Probleme begibt sich Niko auf eine Odyssee durch die Kneipen und Cafés.
- ☑ 1 Er schildert einige Tage im Leben des Studenten Niko. Dieser wird von Tom Schilling hervorragend gespielt.
- ☐ Der hatte nämlich herausgefunden, dass sein Sohn seit zwei Jahren nicht mehr an der Uni war.

Berlin ist die deutsche Stadt, die junge Menschen am stärksten anzieht, und „Oh Boy" ist ein Film, der diese Atmosphäre einfängt, ohne in die üblichen Klischees zu verfallen. (1) Niko befindet sich gerade auf der Sinnsuche, nachdem ihm sein Vater den Geldhahn zugedreht hat. (2) . Außerdem muss Niko verkraften, dass ihn seine Freundin verlässt und er seinen Führerschein abgeben muss.

Sein Leben ist durch die vielen Ablenkungen der Großstadt schon kompliziert genug. Nun wird Niko aber vor echte Herausforderungen gestellt. (3) . Dabei begegnet er unterschiedlichen Typen, wie sie nur in der Großstadt anzutreffen sind. Mit dem etwas schwierigen Nachbarn, der ehemaligen Klassenkameradin Julika oder den Alten in der Kneipe entsteht ein bunter Strauß an Gesprächen mit hinreißender Komik.

Regisseur Jan-Ole Gerster hat am Drehbuch für seinen ersten Spielfilm viele Jahre gearbeitet. (4) . Die Geschichten, die er erzählt, sind melancholisch mit einem tiefgründigen Humor. Er zeigt uns das Leben abseits der Postkartenmotive und des Metropolenwahns.

b **Welche Elemente im Film „Oh Boy" lobt der Kritiker? Markieren Sie.**

- ☐ Den Hauptdarsteller.
- ☐ Die typischen Bilder der coolen, schillernden Hauptstadt.
- ☐ Dass die Geschichte trotz der schwierigen Situation der Hauptfigur humorvoll erzählt wird.
- ☐ Wie Niko sein Leben bewusst wieder in Ordnung bringt.
- ☐ Wie das „andere" Berlin gezeigt wird.

WIEDERHOLUNG GRAMMATIK

zu Sehen und Hören 1, S. 79, Ü5

4 Salzburg erkunden

Schreiben Sie irreale Sätze mit *wenn*.

1 Ich habe kein Smartphone. Ich kann die App für Salzburg nicht testen und beurteilen.
2 Wir erkunden die Stadt ohne Stadtplan. Wir verfahren uns oft mit unseren Leihfahrrädern.
3 Die Burg ist mit öffentlichen Verkehrsmitteln nicht gut zu erreichen. Deshalb können wir unseren Ausflug nicht dorthin machen.
4 In Mozarts Geburtshaus sind immer so viele Touristen. Ich gehe nicht gern dorthin.
5 Die Salzburger Festspiele sind ein bekanntes gesellschaftliches „Event". Man kann dort viele vornehme Leute sehen.

1 Wenn ich ein Smartphone hätte, könnte ich die App für Salzburg testen und beurteilen.

zu Sehen und Hören 1, S. 79, Ü5

5 Irreale Bedingungssätze in der Vergangenheit ÜBUNG 1, 2, 3

GRAMMATIK ENTDECKEN

a **Lesen Sie, was Katja vor Kurzem passiert ist. Markieren Sie alle irrealen Bedingungssätze in der Vergangenheit.**

Ein nicht ganz gelungenes Wochenende ...

Eigentlich wollte ich ja mit drei Freunden ein Wochenende in Berlin verbringen.
Leider kam bei Sandra kurzfristig eine Geschäftsreise dazwischen. Wenn Sandra früher
von ihrer Geschäftsreise zurückgekommen wäre, wäre sie natürlich mitgefahren.
Und Paul hatte sich die Abfahrtszeit für den ICE falsch gemerkt. Er kam viel zu spät
und deshalb haben wir den Zug nicht mehr bekommen. Wenn wir den ICE um 6.20 Uhr nicht
verpasst hätten, hätten wir den ganzen Tag in der Hauptstadt verbringen können.
So kamen wir erst mittags dort an.
Als Erstes haben wir bei schönstem Sonnenschein eine Rundfahrt mit der Buslinie 100
gemacht, die viele Sehenswürdigkeiten abfährt. Danach wollten wir einen Spaziergang
machen und stiegen am Stadtpark „Tiergarten" aus. Als wir schon ein Stück gegangen
waren, begann es plötzlich heftig zu regnen. Deshalb mussten wir so schnell wie
möglich ins Hotel. Das war schade. Wenn wir zuerst spazieren gegangen wären, wären
wir nicht nass geworden.
Im Hotel haben wir dann festgestellt, dass wir aus Versehen Halbpension mit Frühstück
und Abendessen gebucht hatten. Wenn wir nur Übernachtung mit Frühstück gebucht hätten,
hätten wir abends in den tollen Szenekneipen am Prenzlauer Berg essen gehen können.
Das müssen wir nun das nächste Mal nachholen. Davon werde ich Euch dann berichten. ...

b **Unterstreichen Sie die Verben in den irrealen Sätzen. Was ist richtig? Markieren Sie.**

Den Konjunktiv II der Vergangenheit ...
- ☐ bildet man aus der Konjunktiv II-Form der Verben *haben* oder *sein* + Infinitiv.
- ☐ bildet man aus der Konjunktiv II-Form der Verben *haben* oder *sein* + Partizip II.

In Sätzen mit Modalverben ...
- ☐ steht am Ende eine Partizip II-Form.
- ☐ steht am Ende ein Doppelinfinitiv.

zu Sehen und Hören 1, S. 79, Ü5

6 Was wäre auf dem Stadtfest gewesen, wenn ...? ÜBUNG 4

GRAMMATIK

Schreiben Sie irreale Bedingungssätze in der Vergangenheit.

1 Leider sind wir nicht rechtzeitig angekommen.
Wir haben das Feuerwerk auf dem Stadtplatz nicht miterlebt.
2 Erik hat eine andere Route vorgeschlagen.
Deshalb haben wir uns verfahren.
3 Es gab Live-Musik nach dem Feuerwerk. Wir konnten tanzen.
4 Das Wetter war so schön.
Die Leute wollten alle ins Schwimmbad gehen.
5 Die Oper ist gerade renoviert worden. Wir konnten sie nicht besichtigen.

*1 Wenn wir rechtzeitig angekommen wären / Wären wir rechtzeitig angekommen,
hätten wir das Feuerwerk auf dem Stadtplatz miterlebt.*

zu Sehen und Hören 1, S. 79, Ü5

7 Glück gehabt! ÜBUNG 5

GRAMMATIK

Lesen Sie die Fragen und schreiben Sie negative Antworten mit *beinahe* oder *fast* im Konjunktiv II der Vergangenheit.

1 Habt ihr den Bus nach Köln wirklich verpasst?
Nein, aber beinahe hätten wir ihn verpasst.

2 Musstest du ein teures Hotel nehmen?
Nein,

3 Hast du dein Handy vergessen?

4 Seid ihr in das berühmte „Bierhaus am Rhein" gegangen?

5 Hast du dich in der Stadt verlaufen?

zu Sehen und Hören 1, S. 79, Ü5

8 Was würden Sie tun, wenn ...? Was hätten Sie getan, wenn ...? ÜBUNG 6

GRAMMATIK

Antworten Sie auf folgende Fragen.

1 Was würden Sie tun, wenn Sie keine Lust auf eine Stadterkundung in einer großen Gruppe hätten?

2 Was hätten Sie getan, wenn Sie im Bus Ihren Rucksack verloren hätten?

3 Was würden Sie tun, wenn Sie mit der Funktionsweise eines Audioguides nicht klarkommen würden?

4 Was würden Sie tun, wenn Sie Ihren Hund nicht mit auf die Reise nehmen dürften?

5 Was hätten Sie getan, wenn Sie der Bürgermeister von Rostock ins Rathaus eingeladen hätte?

1 Wenn ich keine Lust auf eine Stadterkundung in einer großen Gruppe hätte, würde ich einen Audioguide benutzen.

zu Lesen 1, S. 80, Ü2

9 Besonderheiten in der Stadt ÜBUNG 7

WORTSCHATZ

Was passt nicht? Streichen Sie durch.

1 das Meisterwerk — *legendär – ~~angenehm~~ – herausragend*
2 das Spektakel — *lohnenswert – glamourös – automatisch*
3 die Kuppel — *eckig – charakteristisch – berühmt*
4 das Uhrwerk — *automatisch – ehrlich – mittelalterlich*
5 die Besichtigung — *lohnenswert – einstig – anstrengend*
6 die Prominenz — *einheimisch – vornehm – unbekannt*
7 das Label — *urban – gefragt – anstrengend*

zu Lesen 1, S. 81, Ü3

10 Was Städte zu bieten haben ÜBUNG 8, 9

GRAMMATIK

a Ordnen Sie die Adjektive mit Präpositionen zu.

~~arm an~~ • befreundet mit • begeistert von • bekannt für • beliebt bei • berühmt für • interessiert an • nett zu • reich an • stolz auf • überrascht von • unabhängig von • verliebt in • verrückt nach • zufrieden mit

Adjektiv + Präposition + Dativ	Adjektiv + Präposition + Akkusativ
arm an	

b Ergänzen Sie die passenden Präpositionen zu den Adjektiven sowie die richtigen Artikel und Endungen.

1 Berlin ist bekannt für sein e multikulturell e Vielfalt, seine legendäre Geschichte, seine abwechslungsreichen Stadtteile und sein großes Unterhaltungsangebot. Deshalb ist es ______ Touristen aus aller Welt sehr ______.

2 Die Stadt Augsburg ist ______ ______ ein___ ihrer berühmtesten „Söhne", den Dichter Bertolt Brecht. Der Autor zahlreicher Theaterstücke und Gedichte lebte später im Exil in USA und war ______ ______ Thomas Mann und Charlie Chaplin.

stolz auf
beliebt bei
befreundet mit
~~bekannt für~~

3 Natürlich ist Wien vor allem ______ ______ sein___ wunderschön___ Oper, zahlreich___ Theater, Museen, d___ Stephansdom und Schloss Schönbrunn. Viele Besucher sind auch ______ ______ d___ lecker___ Süßspeisen und d___ viel___ Kaffeevarianten, die man in der österreichischen Hauptstadt genießen kann.

4 Wer einmal eine Runde durch Regensburg gedreht hat, ist bestimmt gleich ______ ______ dies___ schön___ Stadt an der Donau. Besucher sind meist beeindruckt, wie ______ die Stadt ______ wunderschön___, historisch___ Gebäuden, sehenswert___ Kirchen, gemütlich___ Gaststätten und „cool___" Kneipen ist.

begeistert von
verliebt in
reich an
berühmt für

5 Schweiz-Touristen, die _____ modern___ Kunst und Kultur _______________ sind, sollten sich Basel nicht entgehen lassen. Sie werden _______________ sein _____ d___ weltberühmt___ Meisterwerken im Museum „Foundation Beyerle".

6 Das Münchner Oktoberfest ist in aller Welt _______________ _____ Jung und Alt. Jedes Jahr strömen mehr Touristen zu diesem riesigen Volksfest. Die Hoteliers in der Stadt sind _____ dies___ Entwicklung natürlich sehr _______________.

überrascht von
arm an
bekannt bei
interessiert an
zufrieden mit
unabhängig von

7 Traditionelle Industriestädte wie Essen und Bochum waren früher _______________ _____ touristisch___ Attraktionen. Inzwischen ist jedoch beispielsweise in stillgelegten Industrieanlagen jede Menge Kultur geboten und _______________ _____ d___ Jahreszeit kommen immer mehr Besucher in die Region.

zu Lesen 1, S. 81, Ü3

11 In „Traumstadt" ÜBUNG 10, 11 — GRAMMATIK

Welches Wort passt? Ergänzen Sie Adjektiv oder Nomen – wo nötig mit Artikel – sowie die passende Präposition.

1 Der Bürgermeister von Traumstadt ist verantwortlich für neue Projekte in der Stadt. *(verantwortlich / Verantwortung)*

2 Aufgrund seiner _______________ _____ den Bürgern gewann seine Partei die Wahlen. *(beliebt / Beliebtheit)*

3 Viele Einheimische sind sehr _______________ _____ die erste autofreie Altstadt des Landes. *(stolz / Stolz)*

4 Sie haben gelernt, dass man _____ seinem Auto nicht _______________ ist und auch ohne Auto sehr gut leben kann. *(abhängig / Abhängigkeit)*

5 Sogar ehemals passionierte Autofahrer sind _______________ _____ der stressfreien Fortbewegung mit Minibussen, Elektro-Rikschas und Leihfahrrädern im Stadtzentrum. *(begeistert / Begeisterung)*

6 Auch die Touristen zeigen _______________ _____ der Umweltpolitik der Stadt und flanieren gemütlich über Plätze und Straßen. *(interessiert / Interesse)*

7 Und Hundehalter sind sehr _______________ _____ den neuen Grünflächen, auf denen ihre Vierbeiner nun spielen können. *(zufrieden / Zufriedenheit)*

zu *Wussten Sie schon?*, S. 81

12 Was ist diese Woche in Zürich los? ÜBUNG 12

HÖREN

CD1 AB 32

Lesen Sie das Veranstaltungsprogramm für Zürich. Hören Sie die Nachricht und korrigieren Sie oder ergänzen Sie während des Hörens die Informationen. Sie hören den Text nur einmal.

Termin	Titel – Thema	Ort	Anmeldung/ Reservierung
Samstag, 15.12. 14:00 bis 16:00 Uhr Beispiel: und 18:00 bis 20:00 Uhr	**Ballet Revolución** Brillantes Ballett und kraftvoller zeitgenössischer Tanz vereinen sich mit Street Dance.	Maag Areal	Zürich Tourismus Telefon: +41 44 215 4000
bis 20.01. Führungen täglich 14:00 und 16:00 Uhr außer Montag	**Paul Gauguin** 1 ______ Die Ausstellung wird das Meisterwerk Gauguins beinahe vollständig präsentieren.	Kunsthaus	www.kunsthaus-zuerich.ch
Montag bis Samstag jeweils von 11:00 bis 23:00 Uhr (Küche bis 22:00 Uhr) sonntags von 11:00 bis 22:00 Uhr 2 ______	**Fondue Chalet** Ob ein romantisches Candle-Light-Dinner, ein Geschäftsessen oder einfach ein gemütlicher Abend mit Freunden – im Fondue Chalet fühlt man sich immer wohl.	Fondue-Chalet	E-Mail: reservation@fondue-chalet.ch / Telefon: +41 44 500 96 63
Sonntag, 16.12. 15:15 bis 16:15 Uhr	**«Sag mir, wie du wohnst – Menschen und ihre Häuser»** Unser Schwerpunkt sind Familienführungen – lohnenswert für Groß und Klein!	Schweizerisches Landesmuseum 3 ______	Telefonische Reservierungen unter +41 44 345 098
Montag, 31.12. Silvesterlauf um 11:30 Uhr – Kategorie Familien!	**Zürcher Silvesterlauf** Für den inzwischen legendären Lauf durch die weihnachtlich dekorierte Zürcher Altstadt werden dieses Mal über 20 000 Teilnehmer erwartet.	Innenstadt	Startnummernausgabe Clarastraße 3, am Eingang 4 ______ Samstag und Sonntag, 15./16.12. 10:00 bis 18:00 Uhr

6

zu Schreiben, S. 83, Ü3

13 Was Sie schon immer über Liechtenstein wissen wollten ÜBUNG 13 LESEN

A

B

C

D

E
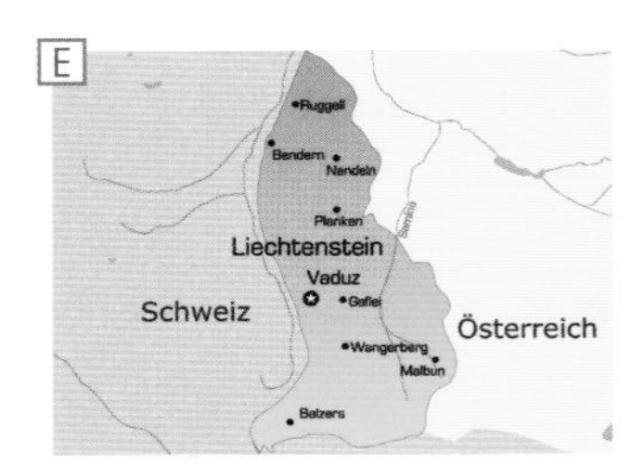

F

a **Sehen Sie die Bilder an und lesen Sie den Text über Liechtenstein. Zu welchem Abschnitt passt welches Bild? Ordnen Sie zu.**

Abschnitt	1	2	3	4	5	6
Bild	E					

Liechtenstein – kurz und knapp

1 Der viertkleinste Staat Europas liegt im Zentrum der europäischen Alpen, zwischen der Schweiz und Österreich. Weltweit ist Liechtenstein der sechstkleinste Staat. Es ist ein Binnenland zwischen der Schweiz und Österreich. Liechtenstein ist klein, man kennt sich. Offiziell gibt es 36 848 Liechtensteiner, von denen 79 % römisch-katholisch und 8 % protestantisch sind. 13 % haben andere Religionen.

2 Das Wahrzeichen von Liechtenstein ist das 700 Jahre alte Schloss Vaduz, das majestätisch auf einem Felsen über der Hauptstadt Vaduz liegt. Seit dem Jahr 1712 befindet sich das Schloss im Besitz der Fürstenfamilie. Seit 1938 ist es auch Wohnsitz der Fürstenfamilie.

3 Die Nationalspeise ist der Ribel, ein Gericht aus Maismehl oder Weizengrieß. Auch Käsknöpfle (Käsespätzle) werden gerne gegessen. Getrunken wurde früher vor allem Most oder Wein. Der Liechtensteiner Wein hat dank guter und innovativer Winzer inzwischen einen sehr guten Ruf. Heute wird auch einheimisches Bier gebraut.

4 Liechtenstein ist – außer der Bundesrepublik Deutschland – der einzige Staat, in dem Deutsch die alleinige Amts- und Landessprache ist. Die Einwohner sprechen allerdings einen alemannischen Dialekt. Die Liechtensteiner sind vor allem Vereinsmenschen; in den elf Gemeinden gibt es rund 600 Vereine.

5 Nicht nur der Finanzplatz ist von Bedeutung, sondern vor allem auch der starke Industriesektor kann sich international mit hochwertigen Produkten behaupten. Rund die Hälfte der Arbeitsplätze ist von Zupendlern aus der Schweiz, Österreich und Deutschland besetzt. Offizielle Währung ist der Schweizer Franken, Euro werden auch akzeptiert.

6 Bildung und Forschung werden in verschiedenen Institutionen auf Hochschulniveau angeboten. Als eigenständiger Staat und als Mitglied der UNO und des Europäischen Wirtschaftsraums hat sich Liechtenstein in den letzten Jahrzehnten zu einem unabhängigen und gleichberechtigten Europastaat entwickelt.

b **Noch mehr Informationen zu Liechtenstein. Verbinden Sie.**

1 Fläche Liechtensteins	A Fürst Hans Adam II.
2 Staatsoberhaupt	B 160 Quadratkilometer
3 Parlament	C 24,6 km lang und 12,4 km breit
4 Größte Ausdehnung	D 76 km (mit der Schweiz 41,1 km, mit Österreich 34,9 km)
5 Staatsform	E 25 Mitglieder mit vierjähriger Legislaturperiode
6 Landesgrenzen	F Konstitutionelle Erbmonarchie auf demokratischer und parlamentarischer Grundlage

c **Ergänzen Sie nun folgende Informationen aus dem Text.**

1 Einwohnerzahl: ______
2 Religionen: ______
3 Hauptstadt: ______
4 Sprache: ______
5 Währung: ______

zu Lesen 2, S. 84, Ü2

14 Wie sich doch alles verändert hat! ÜBUNG 14

WORTSCHATZ

Lesen Sie, wie Heiner Schmidt in einem Interview seine Heimatstadt Berlin beschreibt. Was ist richtig? Markieren Sie.

Als *eingeborener/gebürtiger* (1) Berliner wundere ich mich manchmal, wenn ich nach langer Zeit wieder einmal in ehemals *gutbürgerliche/großzügige* (2) Stadtviertel komme: Vieles hat sich im Laufe der Jahre *gewandelt/repariert* (3). Vor allem am *Stadtende/Stadtrand* (4) sind manche Wohnhäuser ziemlich *abgekommen/heruntergekommen* (5) und ehemalige Alleen sind zu *überlaufenen/mehrspurigen* (6) Straßen ausgebaut worden.
Aber es gibt natürlich auch positive Entwicklungen: Viele historische *Fassaden/Parks* (7) wurden eindrucksvoll *gebaut/saniert* (8). Und im Sommer pulsiert dort das Leben: Die Menschen sitzen auf den begrünten Plätzen, trinken Kaffee und *fragen sich aus/tauschen sich aus* (9).
Man hat doch das Gefühl, in einer *einzigen/einzigartigen* (10) Stadt zu sein.

zu Lesen 2, S. 84, Ü2

15 Mein Stadtteil

SCHREIBEN

Schreiben Sie für eine Kurszeitung einen Beitrag über den Stadtteil, in dem Sie leben, oder über einen Stadtteil, den Sie gut kennen. Beziehen Sie sich dabei auf folgende Punkte:

- Name der Stadt und des Stadtteils
- Lage
- typische Häuser und Gebäude
- Straßen, Verkehrssituation und öffentliche Verkehrsmittel
- Infrastruktur – Einkaufsmöglichkeiten, Schulen, Institutionen, Kindertagesstätten
- Was mir an meinem Stadtteil gut / nicht so gut gefällt
- ...

„Heute möchte ich Euch etwas über meinen Heimatort / den Stadtteil ... berichten.
... liegt im Zentrum/Norden/... der Stadt ...
Dort wohne ich jetzt seit ... / bin ich auch aufgewachsen. Die Menschen, die dort leben, nennt man bei uns ...
Nun habt Ihr eine ungefähre Vorstellung von ...“

zu Lesen 2, S. 84, Ü2

16 Zu Besuch bei Onkel Ferdinand

LESEN

Lesen Sie den folgenden Brief von David an seine Freundin Hannah. Was ist richtig? Markieren Sie.

1. Hannah hat sich von David schon lange mal einen echten Brief gewünscht.
2. David und sein Cousin sind bei ihrem Onkel untergekommen.
3. Mit ihrem Onkel sind sie Tag und Nacht gemeinsam unterwegs.
4. In Wien gibt es fast nur österreichische Spezialitäten zu essen und zu trinken.
5. Es ist in Kneipen nicht besonders schwer, Kontakt zu Einheimischen zu knüpfen.
6. Die sprachliche Verständigung auf Deutsch ist überhaupt kein Problem.

Wien, 22. 5. 20..

Liebe Hannah,

Du wunderst Dich bestimmt, dass Du von mir einen echten Brief statt einer Nachricht auf Facebook bekommst. Aber zu der Stadt, in der ich zurzeit bin, passen „altmodische" Briefe einfach viel besser als kurze elektronische Mitteilungen. ;-)

Stell Dir vor, ich bin mit meinem Cousin Jonas für eine Woche nach Wien geflogen! Erstens hatten wir schon lange mal Lust, die Stadt kennenzulernen, zweitens hat uns unser gemeinsamer Onkel Ferdinand vor Kurzem zu sich nach Wien eingeladen. Er wohnt sogar ganz nah am „Ersten", so heißt der zentralste von insgesamt 23 Bezirken, in die die Stadt eingeteilt ist. Und hier tummeln sich tagsüber auch sprichwörtlich Gott und die Welt. Auch die berühmtesten Kaffeehäuser, die teuersten Geschäfte und die allermeisten Sehenswürdigkeiten (der Stephansdom, der „Graben", die Hofburg, der Heldenplatz, die Kaisergruft, das weltbekannte Museum „Albertina"), liegen fast um die Ecke. Tagsüber sind wir mit Onkel Ferdinand „kulturtouristisch" unterwegs.

Etwas ganz Besonderes ist ein Bummel über den Naschmarkt, den „Bauch von Wien", auf dem man alle erdenklichen ess- und trinkbaren Köstlichkeiten aus der ganzen Welt finden und natürlich auch probieren kann. Besonders lecker finde ich Marillenknödel, das sind mit Aprikosen gefüllte Knödel. Leider habe ich gestern zu viele davon gegessen und mir war die ganze Nacht etwas übel! Aber jetzt geht es wieder!

Ein „Szeneviertel" in Wien, in dem wir abends häufig allein unterwegs sind, heißt „Spittelberg". Ehrlich gesagt, hatte ich den Namen vorher noch nie gehört.

Typisch wienerisch sind die sogenannten „Heurigenlokale". Der Name stammt daher, dass dort Wein von „heuer", also von der letzten Ernte, angeboten wird. Die Stimmung ist hier sehr entspannt, man kommt ganz leicht mit den anderen Leuten am Tisch ins Gespräch, und gestern haben wir auch zwei echte Wienerinnen kennengelernt. Die wollen uns morgen den „Sechsten" (Bezirk), das Szeneviertel „Mariahilf", zeigen. Dort gibt es kleine Galerien, Künstlercafés, In-Bars, „Ethnolokale" und ein paar unkonventionelle Läden. Wir freuen uns jedenfalls schon drauf und finden den Wiener Akzent sehr charmant, wenn auch nicht immer ganz einfach zu verstehen.

So, jetzt müssen wir schon gleich wieder los.
Liebe Grüße auch von Jonas und Onkel Ferdinand

Dein David

P.S.: Auf der beigelegten Postkarte bekommst Du ein paar Eindrücke von dieser tollen Stadt!

zu Lesen 2, S. 85, Ü3

17 Irreale Bedingungen und Wünsche in der Vergangenheit GRAMMATIK ENTDECKEN

a **Welche Sätze sind irreale Bedingungssätze (B), welche irreale Wünsche (W)? Ergänzen Sie.**

1 Wenn ich nicht so viele Knödel gegessen hätte, wäre mir nicht übel geworden. B
2 Wenn ich nur nicht so viele Knödel gegessen hätte! ___
3 Hätte ich nicht so viele Knödel gegessen, wäre mir nicht übel geworden. ___
4 Hätte ich bloß nicht so viele Knödel gegessen! ___

b **Was fällt Ihnen an den irrealen Wünschen auf? Schreiben Sie.**

Ein irrealer Wunschsatz ...
- besteht nur aus einem Nebensatz.
- ...

zu Lesen 2, S. 85, Ü3

18 Leider ist alles anders! ÜBUNG 15, 16 GRAMMATIK

a **Schreiben Sie die irrealen Wünsche der Passanten mit *wenn* und *nur, doch, doch nur* oder *bloß*.**

Umfrage zum Thema Stadtviertel-Sanierung

1

Die mehrspurige Hauptstraße hört man sehr laut. Früher war es hier viel ruhiger.

Wenn man die mehrspurige Hauptstraße nur nicht so laut hören würde!

2

Das alte Stadtviertel hat sich sehr gewandelt. Vorher war es viel charmanter!

3

Die kleinen Geschäfte haben die Sanierung nicht überlebt. Ich habe gern dort eingekauft!

4

Die Mieten im Zentrum sind für normale Menschen unbezahlbar. Das vertreibt viele Menschen aus der Stadt.

b **Schreiben Sie die irrealen Wünsche aus a nun verkürzt, indem Sie mit dem Verb beginnen.**

1 Würde man die mehrspurige Straße nur nicht so laut hören!

c **Schreiben Sie selbst irreale Wünsche zu Ihrer Wohnsituation. Beginnen Sie einige Wünsche mit *wenn*, einige mit dem Verb. Vergessen Sie Verstärkungswörter und Ausrufezeichen nicht.**

Wenn ich doch nur im Stadtzentrum wohnen würde!

zu Wortschatz, S. 86, Ü1

19 Silbenrätsel ÜBUNG 17

WORTSCHATZ

Bilden Sie aus den Wortteilen Überbegriffe zu den Beispielen unten und ordnen Sie sie zu.

~~Ein~~ – Nah – Kultur – ~~kaufs~~ – Infra – ~~gelegen~~ – Dienst – verkehrs – Frei – struktur – ange – ~~heiten~~ – zeit – leistungen – bote – möglich – system – keiten

das Einkaufszentrum der Kiosk — *Einkaufsgelegenheiten* die Einkaufspassage	das Postamt das Bürgerbüro .... die Stadtbibliothek
die Straßenbahn der Bus .... die U-Bahn	die Konzerthalle das Theater .... das Kino
die Wasserleitung die Brücke .... der Flughafen	das Schwimmbad das Eisstadion .... der Zoo

zu Sprechen, S. 88, Ü1

20 Das wäre doch was!

KOMMUNIKATION

33 CD AB

a **Hören Sie die Unterhaltung von zwei Bekannten. Welche Aussagen sind richtig? Markieren Sie.**

- ☐ Die beiden diskutieren verschiedene Vorschläge zur Verschönerung ihrer Stadt.
- ☐ Der Mann erzählt begeistert von einer neuen Freizeitidee.
- ☐ Die Frau findet die Idee nicht geeignet für ihre Stadt.
- ☐ Die Frau stellt einige kritische Fragen, lässt sich am Ende aber doch von der Idee überzeugen.

33 CD AB

b **Hören Sie das Gespräch noch einmal und ergänzen Sie die Redemittel aus der Unterhaltung.**

1 **Einen Vorschlag machen und begründen**

So etwas wäre für ....

2 **Nachfragen stellen / Bedenken äußern**

Aber ist das auch für ....

....

Kann da jeder ....

Von der Idee bin ich ....

....

3 **Fragen beantworten / Bedenken entkräften**

Die Veranstaltung wird ....

So etwas ist doch ....

4 **Zu einer Entscheidung kommen**

Da hast du ....

Dann sind wir also ....

zu Sehen und Hören 2, S. 89, Ü1

21 Irrealer Vergleich

GRAMMATIK ENTDECKEN

a **Ordnen Sie die Sätze auf Seite AB 103 den Bildern zu.**

A

B

C

D

1 Er sieht so aus, als ob er Angst vor dem Sprung ins Wasser hätte; aber als Surfer darf man natürlich keine Angst haben.
2 Es scheint, als wäre der See weit außerhalb einer Stadt; aber er liegt mitten in Hamburg.
3 Es kommt einem so vor, als würden die Leute auf einer speziellen Rollschuhbahn fahren, aber sie sind auf einer der Hauptstraßen der Stadt.
4 Es sieht so aus, als ob hier ein Unglück passiert wäre; aber die Leute haben nur friedlich gefeiert.

b **Welcher Satz aus a bezieht sich auf ein Ereignis in der Vergangenheit?** ______

c **Wie kann man irreale Vergleiche ausdrücken? Markieren Sie.**

☐ mit *als ob* + Verb im Konjunktiv II am Satzende
☐ mit *als* + Verb im Indikativ am Satzende
☐ mit *als* + Verb im Konjunktiv II

d **Schreiben Sie zu jedem der Sätze in a eine Variante:**

1 Er sieht so aus, als hätte er Angst vor dem Sprung ins Wasser.

zu Sehen und Hören 2, S. 89, Ü1

22 Freizeit in der Stadt ÜBUNG 18, 19, 20

GRAMMATIK

Schreiben Sie irreale Vergleichssätze mit *als ob* oder *als*.

1 Sarah und Jan wollen mit zwei Freunden im Stadtpark grillen. (für zehn Freunde grillen müssen)
Aber sie haben so viel Essen eingekauft, als ob sie für zehn Freunde grillen müssten.

2 Ben surft zum ersten Mal am Eisbach in der Stadt. (am Atlantik sein)
Aber er fühlt sich, als ______

3 Er spricht nur noch über seine neue Leidenschaft. (noch nie so fasziniert von etwas gewesen sein)
Es klingt, als ob ______

4 Die Rollschuhfahrer waren zu Tausenden auf den Hauptstraßen. (die Stadt ihnen gehören)
Es schien, als ______

23 Mein Ideal

MEIN DOSSIER

a **Lesen Sie den Anfang des Gedichts „Das Ideal" von Kurt Tucholsky.**

b **Schreiben Sie nun selbst einen kurzen Text oder ein Gedicht dazu, wo und wie Sie gern wohnen würden. Ergänzen Sie die folgenden Satzanfänge.**

Ja, das möchte ich;

Ein/e/en …
vorn …
mit …
vom/von der … (aus)
aber
Das Ganze …
Und …

Das Ideal

Ja, das möchste:
Eine Villa im Grünen mit großer Terrasse,
vorn die Ostsee, hinten die Friedrichstraße;*
mit schöner Aussicht, ländlich-mondän,
*vom Badezimmer ist die Zugspitze** zu sehn –*
aber abends zum Kino hast du's nicht weit.
Das Ganze schlicht, voller Bescheidenheit:
Neun Zimmer – nein doch lieber zehn!
Ein Dachgarten, wo die Eichen drauf stehn,
…

* Straße im Zentrum Berlins
** Höchster Berg Deutschlands

LEKTION 6

AUSSPRACHE: Die Konsonantenverbindungen *pf – f – ph – ps* und *ng – nk*

1 Wortpaare *pf – f*

34 CD|AB

Hören Sie und sprechen Sie nach.

1 Äpfel – effektiv
2 Kopf – Koffer
3 Flug – Pflug
4 Frost – Pfosten
5 Pferde – Fährte
6 Pflanzen – Flammen
7 prüfen – Pfütze
8 hüpfen – hoffen

2 Zungenbrecher

35 CD|AB

Hören Sie den Zungenbrecher erst langsam, dann immer schneller. Sprechen Sie dann nach.

Pferde mampfen dampfende Äpfel.
Dampfende Pferdeäpfel mampft niemand.

3 Nah beieinander und doch verschieden: *ps – ph – pf*

36 CD|AB

a **Welches Wort hören Sie? Markieren Sie.**

1 ☐ Physiotherapie ☐ Psychotherapie
2 ☐ philosophisch ☐ psychologisch
3 ☐ hopsen ☐ Hopfen
4 ☐ philharmonisch ☐ physikalisch

37 CD|AB

b **Hören Sie nun die Wortpaare und sprechen Sie nach.**

6

4 Was so passiert!

Diktieren Sie Ihrer Lernpartnerin / Ihrem Lernpartner Teil 1 oder Teil 2 der Übung. Wer das Diktat hört und schreibt, schließt das Buch.

1 Zwei Psychotherapeuten kämpfen um den letzten Sitzplatz im Stadtcafé. Zufällig treffen sie ihren Chef, der eine dampfende Dampfnudel mampft.

2 Die Hauptfigur des erfolgreichen fünf-teiligen Psychothrillers lässt sich in der Pferdekutsche durch die verwunschene Winterlandschaft fahren.

5 *ng* oder *nk*?

38 CD|AB

a **Welches Wort hören Sie? Markieren Sie.**

1 ☐ fangen ☐ Franken
2 ☐ zanken ☐ Zangen
3 ☐ sinken ☐ singen
4 ☐ Enkel ☐ Engel
5 ☐ Schlange ☐ schlanke
6 ☐ lenken ☐ Längen

39 CD|AB

b **Hören Sie nun die Wortpaare und sprechen Sie nach.**

6 Durch die Nase!

40 CD|AB

Hören Sie und sprechen Sie nach.

1 die Veranstaltung, 2 die Versorgung, 3 die Bedingung, 4 die Einstellung, 5 der Anfang, 6 die Schlange, 7 der Gesang, 8 die Menge, 9 klingen, 10 gelungen, 11 schwungvoll, 12 drängen

EINSTIEGSSEITE, S. 77

die Galerie, -n

kulinarisch

SEHEN UND HÖREN 1, S. 78–79

die App, -s
der Betrieb, -e
in Betrieb sein
die Funktionsweise, -n

herausfiltern
sich verfahren, verfuhr sich, hat sich verfahren

vornehm

LESEN 1, S. 80–81

der Auslauf (Sg.)
die Kuppel, -n
das Label, -s
das Meisterwerk, -e
die Prominenz, -en
der Schwerpunkt, -e
das Spektakel, -
das Uhrwerk, -e

sich blicken lassen, ließ, hat gelassen
flanieren
vereinen

begeistert sein von
bekannt sein für
beliebt sein bei
berühmt sein für
stolz sein auf (+ Akk.)
überrascht sein über (+ Akk.)
zufrieden sein mit

charakteristisch
einstig
legendär
lohnenswert
mittelalterlich
urban

SCHREIBEN, S. 82–83

die Infrastruktur, -en
die Spalte, -n

landeskundlich

LESEN 2, S. 84–85

der Ausflügler, -
die Fassade, -n
die Hauptverkehrsader, -n
der Stadtrand, ¨-er
die Tagesstätte, -n
das Umweltministerium, -ien

auffrischen
(sich) austauschen
sanieren
tauschen
sich wandeln
wimmeln von

eindrucksvoll
einspurig
einzigartig
gebürtig
gutbürgerlich
heruntergekommen
mehrspurig

WORTSCHATZ, S. 86–87

die Einkaufspassage, -n
der Imbissstand, ¨-e
das Nahverkehrssystem, -e
das Stadttor, -e
die Versorgung (Sg.)
das Verwaltungsgebiet,-e
die Wasserleitung, -en

erschließen, erschloss, hat erschlossen
versorgen
voraussagen

bedeckt sein (mit)

detailliert
entsprechend
schadhaft

SPRECHEN, S. 88

die Bedenken (Pl.)
die Einigung (Sg.)

sich einigen
entkräften

SEHEN UND HÖREN 2, S. 89

die Einstellung, -en
die Leidenschaft, -en
die Welle, -n

LEKTIONSTEST 6

1 Wortschatz

Welche Definition passt? Ordnen Sie zu.

☐ vornehm	☐ lohnenswert	☐ einspurig	☐ gebürtig
☐ heruntergekommen	☐ einzigartig	☐ mittelalterlich	☐ detailliert

1 es ist der Mühe wert
2 in Einzelheiten
3 schick, edel
4 vor der Neuzeit, d. h. vor dem Jahr 1500
5 nur eine Fahrbahn in eine Richtung
6 dort geboren
7 in einem schlechten Zustand
8 ganz besonders

Je 1 Punkt **Ich habe ____ von 8 möglichen Punkten erreicht.**

2 Grammatik

a ***Was wäre gewesen, wenn …?* Schreiben Sie irreale Bedingungssätze in der Vergangenheit auf ein separates Blatt.**

1 Viele wohlhabende Menschen sind in unser Stadtviertel gezogen. Es hat sich sehr gewandelt.
2 Die Mieten sind stark gestiegen. Nicht jeder kann sich hier eine Wohnung leisten.
3 Man hat einige Straßen zu Fußgängerzonen gemacht. Im Zentrum ist es ruhiger geworden.

Je 2 Punkte **Ich habe ____ von 6 möglichen Punkten erreicht.**

b **Formulieren Sie irreale Wünsche – mit oder ohne *wenn* – mithilfe der Informationen in Klammern.**

1 (Das Hotel war nicht saniert.) ____________________!
2 (Sie haben sich mit dem Auto verfahren.) ____________________!
3 (Sie konnten die Kuppel der mittelalterlichen Kirche nicht besteigen.)
____________________!

Je 2 Punkte **Ich habe ____ von 6 möglichen Punkten erreicht.**

c **Ergänzen Sie *begeistert, bekannt, beliebt, interessiert, stolz* und die richtige Präposition.**

1 Bürgermeister Meier ist ____________ ________ das neue Kulturzentrum seiner Stadt.
2 Er ist ____________ ________ seine innovativen Ideen, wie z. B. das „Partymuseum".
3 Besonders Leute ab 30 sind ________ diesen Tanzveranstaltungen ____________.
4 Meier zeigt sich außerdem sehr ____________ ________ den Problemen der Bürger.
5 Insgesamt ist er ________ der Bevölkerung auf jeden Fall sehr ____________.

Je 0,5 Punkte **Ich habe ____ von 5 möglichen Punkten erreicht.**

3 Kommunikation

Ergänzen Sie die passenden Redemittel.

☐ dort immer beliebter	☐ jeder dran teilnehmen
☐ noch nicht so überzeugt	☐ auch für unsere Stadt ideal
☐ dass sich unsere Stadt auch dafür eignet	

▪ Hast du schon einmal von der „Rollnacht" in Trittstadt gehört? Einmal pro Woche haben Radfahrer, Rollschuhfahrer und Skater einige Straßen für sich. Die Veranstaltung wird (1).
• Das klingt ja interessant. Kann denn da (2)?
▪ Klar! Man braucht nur ein „Fahrgerät" und Lust auf Bewegung. So etwas wäre (3).
• Von der Idee bin ich (4). Im kleinen Trittstadt lässt sich so etwas leichter durchführen als bei uns.
▪ Also ich bin sicher, (5). Die Stadt hat ja auch schon andere Großveranstaltungen organisiert.

Je 1 Punkt **Ich habe ____ von 5 möglichen Punkten erreicht.**

Auswertung: Vergleichen Sie Ihre Lösungen mit S. AB 114. Ihre Erfolgspunkte tragen Sie unter jeder Aufgabe ein.

Ich habe ____ von 30 möglichen Punkten erreicht.

😊	😐	☹
30–26	25–15	14–0

WIEDERHOLUNG WORTSCHATZ

1 Familiäre Beziehungen

Ergänzen Sie im Kreuzworträtsel. Die markierten Buchstaben ergeben das Lösungswort.

1 Wie heißt das Kindersprichwort? Verliebt, ..., verheiratet.
2 Meine Nichten sind immer höflich und benehmen sich sehr gut. Das liegt an ihrer guten ...
3 Hildegard und Erich sind seit 20 Jahren ein glückliches ...
4 Viele Kinder wachsen heute als Einzelkind ohne ... auf.
5 Claudia bekommt im September ein Baby. Sie ist jetzt im fünften Monat ...
6 Tim und Edith haben sich getrennt. Aber ihre ... ist immer noch sehr eng.
7 Wenn eine Ehe nicht mehr funktioniert, trennen sich manche Ehepaare und lassen sich ...
8 Mathilde und Franz feiern heute Goldene ... Sie sind schon seit 50 Jahren verheiratet.
9 In den westlichen Ländern gibt es immer weniger ..., dafür immer mehr ältere Menschen.

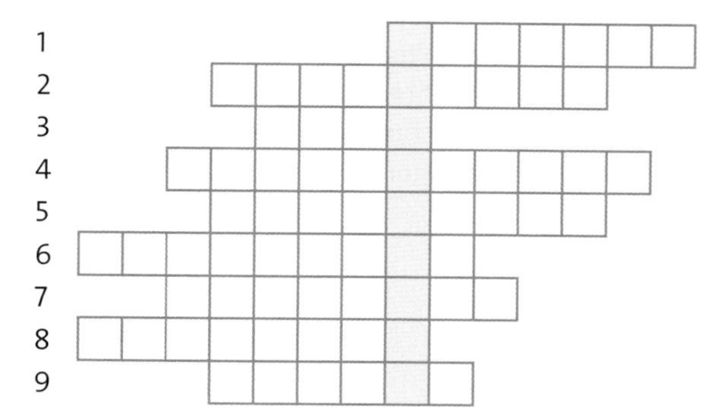

Wie heißt das Lösungswort? ____________

zur Einstiegsseite, S. 91, Ü2

2 Familienrätsel ÜBUNG 1, 2, 3

HÖREN

a **Ergänzen Sie Carls Bericht über seine Familie.**

Stieftochter • leiblichen • früheren Beziehungen • im Haushalt • Ex-Frau • verheiratet • Ehe • Ehefrau • Trennung • ~~ungewöhnlich~~ • gehört • gemeinsame

„Mein Name ist Carl und ich lebe mit meiner Familie in München. Wir leben in einer Familien-Konstellation, die heutzutage nicht ungewöhnlich (1) ist. Mithilfe des Fotos kann ich das erklären. Vor mir steht meine neue Partnerin und jetzige ____________ (2) Petra. Petra und ich haben zwei ____________ (3) Töchter: Malina, auf dem Arm ihrer Mutter, und Johanna, vorne im Bild. Sie sind auf dem Foto ein und fünf Jahre alt. Zu meiner Familie ____________ (4) aber auch mein Sohn Aaron, den man hinten in der Mitte auf dem Foto sieht. Aaron lebt aber ____________ (5) seiner Mutter, Miriam, ganz rechts im Bild. Vor meiner zweiten Ehe war ich mit Miriam ____________ (6). Außerdem gehört zu meiner Familie Camilla, die Petra mit in unsere ____________ (7) gebracht hat. Camilla ist 12 Jahre alt und links im Bild zu sehen. Sie ist meine ____________ (8) und lebt bei uns. Das heißt, in unserem Haushalt leben auch Kinder aus ____________ (9). Andererseits leben nicht alle ____________ (10) Kinder mit uns zusammen, wie man an meinem Sohn Aaron sieht. Miriam hat nach unserer ____________ (11) auch einen neuen Partner, Danilo, gefunden. Er hat seine Tochter Leonie mitgebracht. Sie steht auf dem Foto vor meiner ____________ (12).“

b **Hören Sie und vergleichen Sie.**

zu *Wussten Sie schon?*, S. 92

3 Stiefmütter im Märchen ÜBUNG 4

LANDESKUNDE / LESEN

Was ist richtig? Markieren Sie.

Ehe*scheidungen/trennungen* (1) sind seit zwei *Generationen/Partnerschaften* (2) verbreitet. In einer *Kernfamilie/Patchwork-Familie* (3) bemühen sich die Erwachsenen, zu ihren „Stiefkindern" besonders fair zu sein. Sie möchten den Kindern eine *„heile"/gesunde* (4) Welt ermöglichen. Das Wort „Stiefmutter" weckt aber *Assoziationen/Erwartungen* (5) an Märchen wie „Aschenputtel" und „Schneewittchen". Als diese Märchen von den Gebrüdern Grimm aufgeschrieben wurden, gab es viele Kinder, deren *alleinerziehende/alleinlebende* (6) Väter eine neue Ehefrau suchten, weil ihre erste Frau *verstorben/verlassen* (7) war. Die *Nachfolgerin/Nachkommen* (8) der geliebten Mutter wurde zur ungeliebten Stiefmutter für die Kinder des Ehemanns. Die Stiefmütter wollten oft nicht *akzeptieren/ablehnen* (9), dass die *Stieftöchter/Schwiegertöchter* (10) zu jungen, hübschen Frauen wurden, während sie immer älter wurden. Viele Spielfilme beschäftigen sich mit dieser Eifersucht. Bei „Schneewittchen" haben viele *unwillkürlich/unwahrscheinlich* (11) den Disney-Klassiker vor Augen.

zu Hören 1, S. 93, Ü4

4 Zwischenmenschliches ÜBUNG 5

WORTSCHATZ

Was passt? Ordnen Sie zu.

Wenn man ...

1 eine Beziehung zu jemandem hat,
2 Vertrauen zu jemandem hat,
3 Verständnis für jemanden hat,
4 eine Wut auf jemanden hat,
5 Respekt vor jemandem hat,
6 Protest gegen etwas erhebt,
7 ein gutes Verhältnis zu jemandem hat,
8 eine Vorstellung von etwas hat,

A dann kann man die Person verstehen.
B dann ist man sehr ärgerlich auf diese Person.
C dann zeigt man, dass man nicht einverstanden ist.
D dann achtet und erkennt man diese Person an.
E dann erzählt man ihm Dinge, die man sonst niemandem erzählt.
F dann hat man eine positive Beziehung zu dieser Person.
G dann hat man eine (oft gefühlsmäßige) Verbindung zu der Person.
H dann macht man sich in Gedanken ein Bild von einer Sache.

WIEDERHOLUNG GRAMMATIK

zu Hören 1, S. 93, Ü4

5 Das Leben einer Patchwork-Familie

erzählen • ~~verabreden~~ • sich trennen • sich freuen • bitten • sich unterhalten • sich interessieren

Ergänzen Sie die Verben in der richtigen Form und unterstreichen Sie die dazugehörenden Präpositionen.

Für unser Interview haben wir uns mit Anita Langer (35) in einem kleinen Café verabredet (1). Wir wollen ________ mit ihr über ihre Familie ________ (2). Sie lebt mit ihrem Lebensgefährten, Jochen Fischer (41), ihrem gemeinsamen Sohn Leon (5) und Jochens Eltern in einem kleinen Dorf in Sachsen. Schon freitags ________ (3) alle auf das Wochenende, denn da reisen Vera (13) und Markus (12) sowie Niko (13) an, die Kinder aus Anitas und Jochens erster Ehe. Die neue Familie hat vor acht Jahren zusammengefunden, nachdem ________ Anita und Jochen von ihren vorherigen Partnern ________ (4) hatten. Wir ________ (5) Anita darum, uns von ihrer Patchwork-Familie zu ________ (6). Wir ________ (7) besonders dafür, welches Verhältnis die Kinder zu ihren neuen „Müttern" oder „Vätern" haben.

zu Hören 1, S. 93, Ü4

6 Nomen mit Präposition

GRAMMATIK ENTDECKEN

a **Lesen Sie den Text aus 5 noch einmal und ergänzen Sie die zum Nomen gehörenden Präpositionen mit Kasus.**

die Verabredung	mit + Dativ	die Bitte	______
die Unterhaltung	______	die Erzählung	______
die Freude	______	das Interesse	______
die Trennung	______	das Verhältnis	______

b **Was ist richtig? Markieren Sie.**

1 Der Wunsch ☒ nach ☐ von ☐ an einem eigenen Zimmer ist bei Kindern groß.
2 Manchmal empfinden die Kinder Wut ☐ auf ☐ nach ☐ mit den neuen Partner.
3 Das Verhältnis ☐ mit ☐ von ☐ zu den neuen „Eltern" ist nicht immer leicht.
4 Es gibt ganz unterschiedliche Vorstellungen ☐ von ☐ zu ☐ mit dem Zusammenleben in einer Familie.
5 Am Anfang fehlt den Kindern oft das Vertrauen ☐ zu ☐ bei ☐ mit dem neuen Partner.
6 Die neuen Partner sollten Verständnis ☐ auf ☐ über ☐ für die Probleme der Kinder haben.
7 Die Beziehung ☐ an ☐ zu ☐ von den Kindern des anderen Partners ist nicht immer einfach.
8 Entscheidend ist der Respekt ☐ über ☐ auf ☐ vor den Gefühlen der Kinder.

c **Ergänzen Sie.**

Oft – nicht immer – sind die ______________ bei Nomen und Verb gleich.
→ *sich streiten* ***mit*** *– der Streit* ***mit****; sich freuen* ***auf/über*** *– die Freude* ***auf/über***
aber: *vertrauen* ***auf*** *– das Vertrauen* ***zu***

zu Hören 1, S. 93, Ü4

7 Interview mit der Mutter einer Patchwork-Familie

ÜBUNG 6, 7 GRAMMATIK

Ergänzen Sie die Präpositionen.

Interviewer: Frau Langer, wie würden Sie Ihre Beziehung zu (1) Niko, dem Sohn Ihres Partners aus erster Ehe, beschreiben?

Anita Langer: Niko hatte in der ersten Zeit eine große Wut ______ (2) mich, weil er dachte, ich will ihm seinen Vater wegnehmen. Wir haben sehr darauf geachtet, dass die neue Situation unsere Kinder nicht überfordert und die Gewöhnung ______ (3) den neuen Partner und dessen Kinder langsam passiert. Inzwischen haben die Kinder Vertrauen ______ (4) uns und zueinander.

Interviewer: Wie haben die Kinder gelernt, die neue Familie zu akzeptieren?

Anita Langer: Ich glaube, das Schlüsselerlebnis war ein Campingurlaub. Die „großen" Kinder haben zusammen in einem Zelt geschlafen. Diese Erfahrung hat bei ihnen den Wunsch ______ (5) Unabhängigkeit von den Erwachsenen ausgelöst. Sie konnten zusammen Blödsinn machen, das hat auch mal zum gemeinsamen Protest ______ (6) uns „Große" geführt. Darüber haben sie ein „Wir-Gefühl" entwickelt. Natürlich gibt es ab und zu Streit ______ (7) den Geschwistern.

Interviewer: Wie sieht die Nachbarschaft Ihre Patchwork-Familie?

Anita Langer: Die Antwort ______ (8) diese Frage ist nicht ganz einfach. Die meisten finden uns sympathisch und nehmen Anteil an unserem Alltag. Aber es gibt auch einige, die unsere Familienform seltsam finden.

Interviewer: Herzlichen Dank ______ (9) dieses interessante Gespräch, Frau Langer.

zu Wortschatz, S. 94, Ü2

8 Statistik „Haushalte & Familien in Deutschland" ÜBUNG 8, 9 WORTSCHATZ

a **Wie kann man die Veränderungen noch ausdrücken? Ergänzen Sie.**

~~steigen~~ • sinken • abnehmen • sich verringern • stagnieren • zunehmen

1 Die Zahl der Haushalte hat sich 2012 auf über 40 Millionen erhöht.
Die Zahl der Haushalte ist 2012 auf über 40 Millionen gestiegen.

2 Die durchschnittliche Haushaltsgröße hat sich dagegen verringert: 1991 lebten durchschnittlich 2,27 Personen in einem Haushalt, 2012 nur noch 2,02 Personen.
Die durchschnittliche Haushaltsgröße hat

3 Es gibt immer weniger Haushalte, in denen drei und mehr Generationen zusammenleben.
Die Zahl der Haushalte mit drei und mehr Generationen ist

4 29 % der Haushalte waren Zweigenerationenhaushalte. Doch auch deren Anteil an den Haushalten nimmt insgesamt ab.
Der Anteil der Haushalte mit zwei Generationen hat

5 In 30 % der Haushalte war 1991 mindestens eine Person im Seniorenalter. Dieser Anteil ist 2012 um 4 Prozentpunkte gestiegen.
Die Zahl der Haushalte mit Senioren hat seit 1991

6 Die Zahl der Geburten ist in den letzten zwei Jahrzehnten gleich geblieben.
Die Zahl der Geburten hat

b **Ergänzen Sie die Sätze durch die Redemittel aus dem Kursbuch, S. 95.**

1 Die Statistik gibt ______ Haushalte & Familien in Deutschland.
2 Auf der Homepage des Statistischen Bundesamts wird darüber ______, wie sich die Gesellschaft verändert hat.
3 Die Statistik ______ dar, wie viele Familien es 2012 in Deutschland gab.
4 Er erläutert, dass es 2012 wesentlich ______ traditionelle Familien gab als früher.
5 Dagegen haben andere Formen des Zusammenlebens deutlich ______.
6 Außerdem ist die Zahl der Senioren in den Familien ______.

zu Lesen 1, S. 96, Ü2

9 Interpretation: *Blütenstaubzimmer* ÜBUNG 10 SCHREIBEN

a **Was passt? Ordnen Sie zu.**

1 Lucy • 2 Vito • 3 Jo

- [1] Mutter von Jo, Mitte 40
- [ ] liest gern
- [ ] ist auf der Suche nach einem Partner
- [ ] Freund / möglicher neuer Partner von Lucy
- [ ] nimmt wenig Rücksicht auf ihre Tochter
- [ ] beobachtet genau
- [ ] legt Wert auf ihr Aussehen
- [ ] weiß nicht, dass Lucy eine Tochter hat

b **Wählen Sie aus und schreiben Sie über Lucy.**

Variante 1
Beschreiben Sie Lucy.
Schreiben Sie etwas über ...
- ihre körperliche Erscheinung.
- ihre familiäre Situation.
- ihren Charakter, ihr Verhalten.

Variante 2
Wie hat Lucy den Tag erlebt?
Schreiben Sie aus ihrer Sicht ...
- über ihre Aktivitäten während des Tages.
- über ihre Pläne für den Abend.
- über das Verhalten ihrer Tochter Jo.

zu Lesen 1, S. 96, Ü2

10 Adjektive

WORTSCHATZ

Ergänzen Sie in der richtigen Form.

beiläufig • intensiv • radikal • traditionell • ~~schwungvoll~~ • unbekümmert • vollständig

1 Eva bewegt sich trotz der hohen Schuhe ganz schwungvoll.
2 Eben fehlte noch jemand, jetzt ist die Gruppe ______.
3 Wir feiern unsere Hochzeit ganz ______ mit weißem Kleid.
4 Wenn man etwas erwähnt, ohne es zu betonen, sagt man es ______.
5 Die Eltern sorgen dafür, dass die Kinder ein ______ Leben haben können.
6 Durch die Scheidung hat sich das Leben meines Freundes ______ geändert.
7 Jetzt erlebt er seine Beziehung zu einer neuen Partnerin sehr ______.

zu Lesen 1, S. 96, Ü2

11 Gastfamilie

SCHREIBEN

Korrigieren Sie die E-Mail. Markieren Sie den Fehler und schreiben Sie die richtige Form an den Rand (Beispiel 01). Wenn ein Wort falsch platziert ist, schreiben Sie es zusammen mit seinem Begleiter an den Rand (Beispiel 02).

	Freund Paul,	1 Lieber (01)
	wollte ich Dir schon gestern schreiben, aber es war leider so viel	2 ich wollte (02)
	los hier. Wie weißt Du, wohne ich seit drei Monaten bei einer Gast-	3 ______
	familie. Eigentlich bin ich rundum zufrieden. Gestern Abend hat	
5	meine Gastmutter ihre erwachsene Söhne zum Abendessen eingeladen.	4 ______
	Ich werde auch dazu eingeladen! Das war sehr schön!	5 ______
	Frau Müller ist eine moderne Frau und wirklich sehr nett an mir.	6 ______
	Aber ich finde Ihre Familienverhältnisse ein wenig seltsam.	7 ______
	Meine Gastmutter lebt allein, sondern häufig kommt ein Mann zu	8 ______
10	Besuch. Er ist etwas jünger als sie. Ich weiß nicht, wenn das ihr	9 ______
	Ex-Mann ist oder ein Freund. Er bringt oft noch einen anderen	
	Mann mit. Sie spielen dann stundenlang Karten. Das ist so laut,	
	damit ich nicht schlafen kann. Ich kann den Lärm kaum überhören.	10 ______
	Ich möchte sie gern fragen, wer das ist, aber ich muss meine	
15	Neugier wohl ein bisschen unterdrücken. Langsam ich bekomme auch	11 ______
	ein wenig Heimweh.	
	Das Verhältnis, mal wieder in meinem eigenen Bett zu schlafen,	12 ______
	etwas richtig Leckeres zu essen und meine Freunde zu Hause wieder-	
	zusehen, ist sehr groß.	
20	Deine Mathilda	

zu Lesen 1, S. 97, Ü3

12 Indirekte Rede – Gegenwart

GRAMMATIK ENTDECKEN

a **Lesen Sie den Artikel und unterstreichen Sie das, was indirekt gesagt wird.**

Fußballer-Ehe gescheitert

Wie die *Sportwoche* gestern erfahren hat, ist die Ehe des Profi-Fußballers Danny Becker gescheitert. Becker bestätigte, dass seine Ehe am Ende sei. Er sagte, seine Frau Sylvie und er würden nach zehn Jahren Ehe keine gemeinsame Zukunft mehr sehen. Becker meinte, er sei darüber unendlich traurig. Er erklärte jedoch, sie seien sich einig, dass sie Freunde bleiben wollten, Sylvie und er hätten keinen Streit. Er habe keine Ahnung, wie es weitergehe. Auf die Frage, wann er ausziehe oder ob er in der gemeinsamen Wohnung bleiben würde, antwortete Becker, er wisse es noch nicht.

b **Lesen Sie den Text in a noch einmal und ergänzen Sie den Konjunktiv I von *sein* und *haben*. Markieren Sie die Konjunktiv-I-Endungen bei *haben*.**

Konjunktiv I			
sein		***haben***	
ich sei	wir seien	ich habe	wir haben
du seist	ihr seiet	du habest	ihr habet
er/sie/es ______	sie/Sie ______	er/sie/es ______	sie/Sie haben

c **Warum steht in folgenden Sätzen der Konjunktiv II? Markieren Sie.**

*... dass sie Freunde bleiben **wollten**, Sylvie und er **hätten** keinen Streit. ...*

- ☐ Weil der Konjunktiv II eleganter ist als der Konjunktiv I.
- ☐ Weil der Konjunktiv I identisch ist mit dem Indikativ.
- ☐ Weil man den Konjunktiv I von *wollen* und *haben* nicht benutzt.

d **Lesen Sie den Text in a noch einmal und notieren Sie die Sätze, die die indirekte Rede einleiten.**

Danny Becker bestätigte, dass ... / ______

e **Das Interview mit Danny Becker. Was ändert sich in der direkten Rede? Ergänzen Sie mithilfe von a.**

Sportwoche: *Herr Becker, wir haben gestern erfahren, dass Ihre Ehe gescheitert ist. Ist es richtig, dass Sie sich von Ihrer Frau scheiden lassen?*

Becker: *Ja,* meine *Ehe ist am Ende.* (1) ______ *Frau Sylvie und* ______ ______ *nach zehn Jahren Ehe keine gemeinsame Zukunft mehr.* (2) ______ ______ *darüber unendlich traurig.* (3) *Aber* ______ ______ ______ *einig, dass* ______ *Freunde bleiben* ______. (4) *Sylvie und* ______ ______ *keinen Streit.* (5) ______ ______ *keine Ahnung, wie es* ______. (6)

Sportwoche: *Wann* ______ ______ ______? (7) *Oder* ______ ______ *in der gemeinsamen Wohnung?* (8)

Becker: ______ ______ *es noch nicht.* (9)

zu Lesen 1, S. 97, Ü3

13 Ehe-Aus ÜBUNG 11

GRAMMATIK

Schreiben Sie den Rest des Interviews in der indirekten Rede. Verwenden Sie eindeutige Formen.

Sportwoche: *Wie konnte es so weit kommen, Herr Becker?*
Becker: *Meine Frau und ich sind zu unterschiedlich, wir haben ganz andere Vorstellungen vom Leben und haben keine gemeinsame Perspektive mehr.*
Sportwoche: *Wechseln Sie nach der Trennung auch den Verein?*
Becker: *Diese Frage verstehe ich nicht. Was hat das mit der Trennung zu tun?*
Sportwoche: *Herr Becker, besuchen Sie und Ihre Frau noch einmal zusammen den Sportler-Ball?*
Becker: *Ich bitte um Verständnis, aber darauf kann ich nicht antworten.*
Sportwoche: *Herr Becker, wir danken für das Gespräch.*

Becker sagte, seine Frau und er seien zu unterschiedlich, ________ ________ ganz unterschiedliche Vorstellungen vom Leben und ________ keine gemeinsame Perspektive mehr. (1) Auf die Frage, ob ________ nach der Trennung auch den Verein ________, antwortete Becker, dass ________ diese Frage nicht ________, und was das mit der Trennung zu tun ________. (2) Die Sportwoche wollte noch wissen, ob ________ und ________ Frau noch einmal zusammen den Sportler-Ball ________ ________. (3) Becker erklärte, er ________ um Verständnis, aber darauf ________ ________ nicht antworten. (4)

zu Lesen 1, S. 97, Ü3

14 Indirekte Rede – Vergangenheit

GRAMMATIK ENTDECKEN

a **Lesen Sie das Interview und markieren Sie die Vergangenheitsformen in der direkten und indirekten Rede.**

Direkte Rede	Indirekte Rede
Sportwoche: *„Frau Becker, die Nation fühlt mit Ihnen. Sie waren das Traumpaar der letzten Jahre. Nun Ihre Trennung. Wie konnte es so weit kommen?"* Sylvie Becker: *„Aus meiner Sicht haben wir uns auseinandergelebt. Es war ein langsamer Prozess, der schon vor einiger Zeit begonnen hat. Nachdem wir das beide bemerkt hatten, haben wir uns zur Trennung entschlossen. Nur ich und Danny haben es zu verantworten, dass unsere Ehe nicht funktioniert hat. Ich bin froh, dass Danny gestern ins Trainingslager gefahren ist. So können wir beide etwas Abstand gewinnen."*	Aus ihrer Sicht hätten sie sich auseinandergelebt, sagte Sylvie Becker. Es sei ein langsamer Prozess gewesen, der schon vor einiger Zeit begonnen habe. Nachdem sie das beide bemerkt hätten, hätten sie sich zur Trennung entschlossen. Nur sie und Danny hätten es zu verantworten, dass ihre Ehe nicht funktioniert habe. Sie sei froh, dass Danny am Tag zuvor ins Trainingslager gefahren sei. So könnten sie beide etwas Abstand gewinnen.

b **Welche Form passt in der indirekten Rede? Markieren Sie.**

direkte Rede	indirekte Rede		
1 „es war"	☒ es sei gewesen	☐ es wäre gewesen	☐ es war gewesen
2 „ich hatte gehabt"	☐ sie hätte gehabt	☐ sie habe gehabt	☐ sie hatte gehabt
3 „wir haben gesehen"	☐ sie hätten gesehen	☐ sie hatten gesehen	☐ sie haben gesehen
4 „er ist gewesen"	☐ er war gewesen	☐ er sei gewesen	☐ er wäre gewesen

c **Ergänzen Sie.**

Konjunktiv I • Vergangenheitsform • *sein* • Partizip II

In der indirekten Rede gibt es nur eine ______________________.
Man bildet sie mit dem ______________________ oder Konjunktiv II von ______________ oder *haben* und dem ______________________.

zu Lesen 1, S. 97, Ü3

15 Das Leben meines Vaters ÜBUNG 12 GRAMMATIK

a **Tom berichtet in der indirekten Rede von einem Gespräch mit seinem Vater.**

1 „Ich und mein Freund Jan haben in unserem Leben viel erlebt." Mein Vater hat erzählt, ...
2 „Wir sind beide nach Berlin und Oxford gegangen und haben dort Philosophie studiert." Mein Vater hat berichtet, ...
3 „Dort habe ich die klügsten und schönsten Frauen kennengelernt." Er ist der Meinung, ...
4 „Ich habe damals nur eine Frau wirklich geliebt." Dann hat mein Vater mir verraten, dass ...
5 „Diese Frau hat meinen besten Freund Jan geheiratet." Er hat mir auch anvertraut, ...
6 „Damals waren wir beide – Jan und ich – sehr unglücklich und hatten eine schwere Zeit." Er hat betont, ...
7 „Ich bin dann auf einem Schiff nach Südamerika gefahren." Außerdem hat er erzählt, dass ...

1 Mein Vater hat erzählt, er und sein Freund Jan hätten in ihrem Leben viel erlebt.

b **Wie könnte die Geschichte weitergehen? Schreiben Sie in der indirekten Rede.**

zu Schreiben, S. 98, Ü2

16 Diskutieren Sie mit! KOMMUNIKATION

a **Lesen Sie und markieren Sie, welcher Ausdruck passt.**

1 In dem Zeitungsartikel wird über den Vorschlag einer Politikerin ...
- a erklärt.
- b berichtet.
- c erwähnt.

2 Frau Scarpa möchte dazu ...
- a Besitz nehmen.
- b Stellung nehmen.
- c Rechtfertigung nehmen.

3 Sie ... hält nicht viel von einer „Ehe auf Zeit".
- a persönlich
- b allein
- c direkt

4 Sie sagt: „... sollte man die Paare ermutigen, auch schwierige Phasen gemeinsam durchzustehen."
- a Ich bin der Meinung
- b Meiner Meinung nach
- c Meine Meinung ist

5 Die Bedeutung der Ehe für die Gesellschaft wird ...
- a geäußert.
- b unterschätzt.
- c unterdrückt.

6 Ein kostenloser Eheberater wäre da doch ...
- a eine gute Absicht.
- b ein guter Eindruck.
- c eine gute Lösung.

CD|AB

b **Hören Sie nun die Stellungnahme in einem Radiomagazin und kontrollieren Sie.**

WIEDERHOLUNG GRAMMATIK

zu Schreiben, S. 98, Ü3

17 Ehe auf Zeit oder für immer?

Lesen Sie den Eintrag einer Bloggerin und ergänzen Sie die Relativpronomen.

Die „Ehe auf Zeit" ist eine Idee, die ja gerade viel diskutiert wird. Ich vermute allerdings, dass hauptsächlich die Leute darüber diskutieren, deren (1) Ehen gescheitert sind. Sie wollen der Realität, in ________ (2) ja viele Ehen geschieden werden, etwas Neues entgegensetzen. Ein guter Freund, ________ (3) Sohn heiraten wollte, hat seinem Sohn von der Ehe abgeraten. Er hat argumentiert, es gebe zu viele Leute, bei ________ (4) die „Ehe auf Dauer" nicht funktioniert. Aber wo bleibt denn da die Romantik! Es ist doch schön, dass zwei Menschen, ________ (5) sich lieben, fest daran glauben, den Rest ihres Lebens miteinander zu verbringen! Es ist eine bewusste Entscheidung, ________ (6) sie treffen und hinter ________ (7) sie von ganzem Herzen stehen. Die Liebe, ________ (8) mit allen Regeln der Vernunft bricht, siegt in dem Moment über das Wissen, dass die Ehe scheitern könnte. Man heiratet, weil man an die Liebe glaubt.

zu Schreiben, S. 98, Ü3

18 Generalisierende Relativsätze

GRAMMATIK ENTDECKEN

Vergleichen Sie die Sätze und unterstreichen Sie die Unterschiede.

1 Alle, die in ihrer Beziehung glücklich sind, (die) müssen meiner Meinung nach nicht heiraten. Die Liebe wird durch die Ehe nicht größer.

2 Alle, die man beim Speed-Dating trifft, haben Probleme, einen Partner zu finden.

3 Menschen, die sich lieben und heiraten möchten, denen wünsche ich viel Glück!

4 Menschen, denen man nicht vertraut, die kann man auch nicht lieben.

1 Wer in seiner Beziehung glücklich ist, (der) muss meiner Meinung nach nicht heiraten. Die Liebe wird durch die Ehe nicht größer.

2 Wen man beim Speed-Dating trifft, der hat Probleme, einen Partner zu finden.

3 Wer sich liebt und heiraten möchte, dem wünsche ich viel Glück.

4 Wem man nicht vertraut, den kann man auch nicht lieben.

zu Schreiben, S. 98, Ü3

19 Liebe = Ehe? ÜBUNG 13, 14

GRAMMATIK

Formen Sie die Sätze um. Achten Sie beim Verb auf Singular und Plural.

1 Menschen, die sich lieben, brauchen keinen Trauschein, um glücklich zu sein.
2 Leute, die schon einmal verheiratet waren, werden sich eine neue Heirat besonders gut überlegen.
3 Jemand, der heiratet, dem ist Sicherheit besonders wichtig.
4 Die Person, der man sein Vertrauen schenkt, sollte man gut auswählen.
5 Menschen, die man liebt, sollte man beschützen.

1 Wer sich liebt, braucht keinen Trauschein, um glücklich zu sein.

zu Hören 2, S. 99, Ü2

20 Streitanlässe für Paare ÜBUNG 15 — SCHREIBEN

a **Welche Textüberschrift passt? Lesen Sie und ordnen Sie je eine zu.**

- ☐ Tattoo aus Liebe – muss das sein?
- ☐ Soll er nicht mehr überholen?
- ☐ Warum will sie noch mehr Katzen?
- ☐ Muss er ihr Körperschmuck kaufen?
- ☐ Liebt sie ihre Katzen mehr als mich?
- ☐ Soll sie nicht mehr einsteigen?

A

Clara geht mit ihren beiden Katern um, als seien sie Menschen. Das bringt ihren Freund Lars auf die Palme. Neulich hat er eines der Tiere weggeschubst, als es ihn gekratzt hat. Da hat Clara den Kater getröstet, während ihr Lars egal war.

B

Fritz verändert seine Persönlichkeit, sobald er in seinem Sportwagen sitzt. Er rast und überholt gefährlich. Damit macht er seiner Freundin Rita Angst. Er selber findet, dass er ein guter Fahrer ist.

C

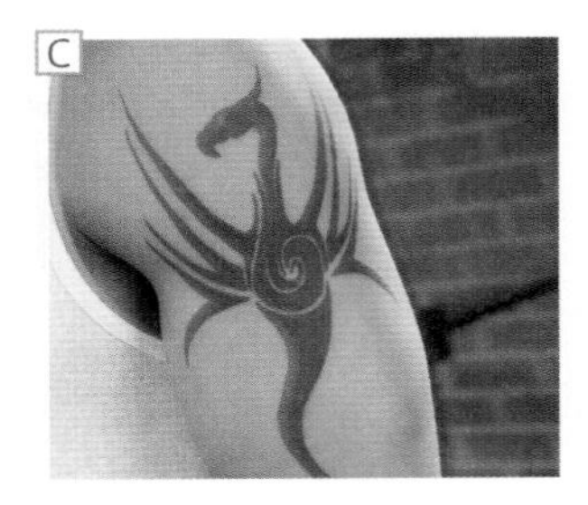

Silke schenkt ihrem Freund Thomas einen Gutschein für ein Tattoo: ein Drachenmotiv mit ihrem Namen. Thomas lehnt das Geschenk ab, weil er noch nicht weiß, ob er ewig mit Silke zusammen sein wird. Daraufhin ist Silke beleidigt.

b **Lars, Rita und Thomas sind verzweifelt und suchen Hilfe.
Wählen Sie einen Fall aus und geben Sie Ratschläge.**

Lieber Lars,
hier ist mein Rat für Sie: Sie sollten Ihre Eifersucht auf Claras Katzen aufgeben. Sehen Sie ein, dass ...
Versuchen Sie auch, Claras Sicht ... Wenn Sie sich in den anderen / in Ihre Freundin hineinversetzen ...
In einem ruhigen Gespräch können Sie Ihrer Freundin vielleicht auch Ihren Standpunkt ...

zu Lesen 2, S. 100, Ü1

21 Wörter mit *Fern-*, *Nah-*, *weit-* ÜBUNG 16 — WORTSCHATZ

a **Bilden Sie Nomen mit *Fern-* oder *Nah-* und ordnen Sie die Erklärungen zu.**

Fern- +

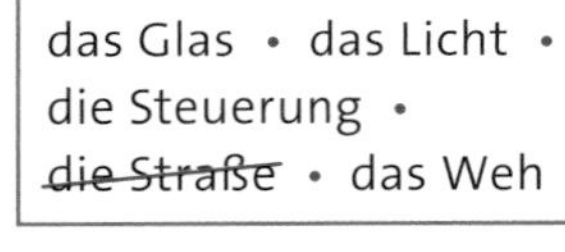

das Glas • das Licht • die Steuerung • ~~die Straße~~ • das Weh

Nah- + das Erholungsgebiet • die Aufnahme • der Verkehr • der Bereich

1 breit und gut ausgebaut, verbindet entferntere Orte, ungeeignet für Fußgänger
2 Beleuchtung am Auto
3 optische Linsen, mit denen man weit entfernte Dinge sehen kann
4 setzt Spielzeugautos und -flugzeuge in Bewegung
5 wenn man Lust hat, auf Reisen zu gehen

6 zum Entspannen für die Bevölkerung in der Nähe einer Großstadt
7 Bus, Straßenbahn, U-/S-Bahn
8 ein in unmittelbarer Reichweite liegendes Gebiet
9 Format beim Foto und Film

1 die Fernstraße, 2 ...

b **Bilden Sie Wörter mit der Vorsilbe *weit-* in der richtigen Form und ergänzen Sie.**

gehend • gereist • ~~räumig~~ • reichend • sichtig • verzweigt

1 Wenn ein Unfall passiert ist, wird eine Straße oft weiträumig abgesperrt.
2 Wer __________ ist, hat viele Länder gesehen.
3 Wenn eine Entscheidung größere Änderungen bringt, spricht man von einer __________ Entscheidung.
4 Wer __________ ist, braucht eine Brille, um gut lesen zu können.
5 Größere Flüsse haben meistens ein __________ Netz von Nebenflüssen.
6 ● Wie weit bist du mit deiner Arbeit? ■ __________ fertig.

c **Schreiben Sie die Geschichte weiter. Verwenden Sie mindestens sechs Wörter aus a und b.**

Skiurlaub
Mia aus Frankfurt wollte nicht mit dem Auto in den Skiurlaub fahren. Im Verkehrsbericht hatte sie gehört, ...

zu Lesen 2, S. 101, Ü3

22 Vergleichssätze

GRAMMATIK ENTDECKEN

a **Gute Tipps für Fernbeziehungen. Verbinden Sie die Satzteile.**

1 Je seltener Sie sich sehen,
2 Je mehr Unklarheiten Sie besprechen,
3 Je weniger Kontakt Sie haben,
4 Je kreativer und aktiver Sie auch in der Zeit ohne Ihre Partnerin / Ihren Partner sind,
5 Je romantischer ein Partner ist,

A umso wichtiger sind kleine Aufmerksamkeiten wie Blumen.
B umso schneller vergeht die Zeit ohne sie/ihn.
C desto mehr entfremden Sie sich voneinander.
D umso häufiger sollten Sie telefonieren.
E desto weniger Missverständnisse gibt es.

b **Ergänzen Sie die Sätze aus a in der Tabelle.**

Nebensatz			Hauptsatz	
je + Komparativ		Verb	*desto/umso* + Komparativ	Verb
1 Je seltener 2 ...	Sie sich	sehen,	umso häufiger	sollten Sie telefonieren.

zu Lesen 2, S. 101, Ü3

23 Meine Fernbeziehung ist klasse!

GRAMMATIK

Ergänzen Sie *je ..., desto/umso ...* sowie die Adjektivpaare in der richtigen Form.

Jeder hat seinen Freiraum und je seltener wir uns sehen, desto größer (1) ist die Sehnsucht. ______ ______ der Alltag in eine Beziehung einkehrt, ______ ______ (2) ist es, die Liebe zu erhalten. ______ ______ man sich über herumliegende Socken aufregt, ______ ______ (3) ist das für die Harmonie in der Partnerschaft. ☺ Und: Man darf nicht eifersüchtig sein! ______ ______ man dem anderen vertraut, ______ ______ (4) kann man die Beziehung führen. Bei uns ist es so: ______ ______ wir uns kennen, ______ ______ (5) sind wir. Und manchmal überlegen wir auch schon, ob wir zusammenziehen.

~~selten/groß~~
schnell/schwer
wenig/gut
viel/unbekümmert
lang/glücklich

zu Lesen 2, S. 101, Ü3

24 Fakten und Tipps ÜBUNG 17, 18, 19

GRAMMATIK

Bilden Sie Sätze mit *je ..., desto/umso* ...

1 Viele Ehen werden geschieden. Es gibt viele Patchwork-Familien.
2 Man muss flexibel auf dem Arbeitsmarkt sein. Es wird viele Fernbeziehungen geben.
3 Man wohnt weit auseinander. Die Kosten für Zug- oder Flugtickets sind hoch.
4 Man ist selbstständig. Man kann dem anderen gut seine Freiheit lassen.
5 Man bleibt bei einem Streit sachlich. Es lässt sich leicht eine Lösung für das Problem finden.

1 Je mehr Ehen geschieden werden, desto mehr Patchwork-Familien gibt es.

zu Sprechen, S. 102, Ü2

25 Fotoauswahl „Freundschaft im Alter" ÜBUNG 20

KOMMUNIKATION

Ergänzen Sie den Text. Verwenden Sie die Redemittel aus dem Kursbuch, S. 102.

A

B

C

„Ich schlage (1) vor, wir nehmen das Motiv links als Titelblatt. Auf dem Foto sind Paare ________ (2), die miteinander tanzen. Das ________ (3) daran ist, dass die Leute nicht mehr ganz jung sind. Mir ________ (4) an diesem Bild, dass die Personen glücklich aussehen. Ein wichtiger Aspekt des Älterwerdens ist doch, dass man den Spaß am Leben behält. Deshalb ________ (5) mir dieses Bild passend."

„Also, da bin ich nicht ganz ________ (6) Meinung. Ich finde, das Foto ist nicht so ________ (7). Für viele Menschen ist das Thema ‚Liebe im Alter' doch eher peinlich. Ich hätte daher einen anderen ________ (8) und zwar das Foto in der Mitte. Die Männer, die Karten spielen. Das Ganze ________ (9) fröhlich auf mich. Hier steht die Lebensfreude im ________ (10), die Männer sind aktiv und glücklich."

„Lass uns doch einmal ________ (11), was unser Titelblatt aussagen soll. In dieser Ausgabe der Zeitschrift geht es schwerpunktmäßig um das Thema ‚Freundschaft'. Deshalb ________ (12) mir das rechte Motiv am besten geeignet. Könnten wir uns darauf ________ (13)?"

zu *Wussten Sie schon?*, S. 103

26 Poetry Slam

LANDESKUNDE / LESEN

a **Überfliegen Sie den Text rechts und ergänzen Sie eine Überschrift.**

- Sieger im Slam-Wettbewerb
- Der Dichter und der Applaus
- Freud und Leid eines Poetry Slammers

b **Lesen Sie nun den Text und ordnen Sie den Absätzen die Zwischenüberschriften zu.**

1 2 3 Wie der Alltag eines Slammers aussieht.
1 2 3 Wie ihm sein Leben als Slammer bisher gefallen hat.
1 2 3 Wie Jarawan zum Slammer wurde.

Pierre Jarawan ist Deutscher Poetry-Slam-Meister. Wie es sich mit diesem Titel lebt und was es bedeutet, vom Slammen zu leben, hat er für uns aufgeschrieben.

[1] Als ich 13 war, fragte mich mein Vater, was ich einmal werden wolle. Ich antwortete, ich wolle Geschichtenerzähler werden, so wie er. Mein Vater war in Wahrheit Sozialarbeiter, aber mir erzählte er ständig Geschichten, die er sich selbst ausdachte. „Ich will vom Schreiben leben", behauptete ich dann mit 16, ohne richtig zu wissen, was das eigentlich bedeutet. Mit 20 betrat ich zum ersten Mal eine Bühne. Heute lebe ich vom Schreiben. Es ist weniger romantisch, als ich es mir mit 16 erträumt habe, aber traumhaft ist es trotzdem.

[2] Ich trete also regelmäßig auf einer Bühne auf und trage meine selbst geschriebenen Texte vor. Manchmal als Ein-Mann-Show, manchmal mit anderen zusammen, manchmal hat das Ganze die Form eines Wettbewerbs, bei dem die Zuhörer einen Sieger des Abends wählen. Wenn man sich dafür entscheidet, vom Slammen zu leben, dann bedeutet das, fast alle Auftritte anzunehmen, die man kriegen kann, und viel unterwegs zu sein. Das habe ich drei Jahre lang so gemacht und es war wundervoll.

[3] Doch irgendwann war ich irgendwo zwischen Kiel und Wien, zwischen Kirchheim und Wuppertal müde geworden. Das Reisen strengt an, wenn man an sechs Abenden in sechs verschiedenen Städten auftritt. Aber auf der Bühne zu stehen, das werde ich wohl niemals leid! In Kontakt mit dem Publikum zu sein, zu spüren, dass die eigenen Worte in einem fremden Menschen etwas auslösen können, das hat einen Zauber, dem man sich nur schwer entziehen kann.

c **Schreiben Sie drei Fragen zum Text. Ihre Lernpartnerin / Ihr Lernpartner beantwortet sie.**

27 Meine Familie

MEIN DOSSIER

a **Ergänzen Sie den Stammbaum mit den Namen Ihrer Familie.**

b **Schreiben Sie über sich und Ihre Familie.**

- Ihr Familienstand ...
- Mit Ihnen in einem Haushalt leben ...
- Wie viele Generationen sind das?
- Mit wem möchten Sie in zehn Jahren zusammenleben?

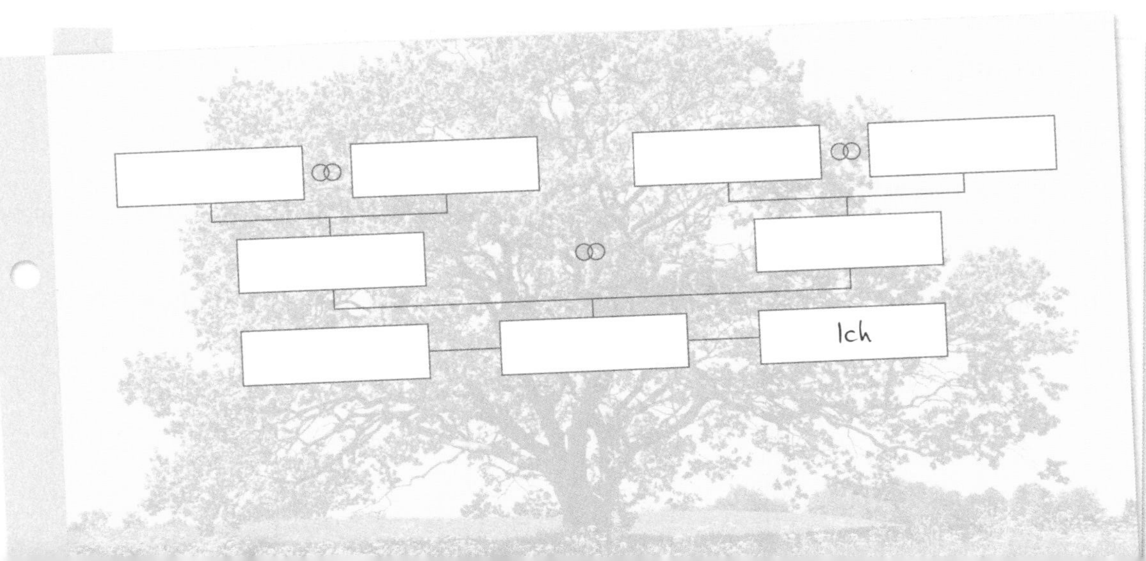

AUSSPRACHE: Prosodie

1 Poetry Slam

a Lesen Sie das Gedicht von Hellmuth Opitz. Warum gefällt es Ihnen (nicht)?
Diskutieren Sie im Kurs.

Mein Toaster

Mein Toaster hält sich für was Besseres.
Wie er da steht und vornehm tut,
als sei er Unterhaltungselektronik
5 und nicht nur Toaster – aus Erfahrung gut.*

Ich weiß nicht, ob er sich für einen iPod hält,
so weiß gelackt mit einem Hauch von Edelstahl.
Wie jemand aus dem Music Business, so gibt er sich.
So lässig, cool – ja, fast halb illegal.

10 Wer kennt den Grund für seinen Größenwahn?
Er kann nicht tanzen, kann nicht singen.
Er ist kein DJ. Doch halt. Ab und zu, da lässt er schon
zwei schwarz gebrannte Scheiben springen.

Der Frühstückstisch bebt vor Erwartung.
15 Die Marmelade ist gut drauf.
Gleich hallt es wieder durch die Küche:
Jetzt legt MC Toaster auf!

* Aus Erfahrung gut: Werbespruch für Elektrogeräte der Firma AEG

43 CD1AB b Hören Sie eine Lesung des Gedichts. Wie ist die Emotion des Sprechers? Markieren Sie.

☐ belustigt ☐ ironisch ☐ froh ☐ verärgert ☐ nervös ☐ entspannt

c Sehen Sie die Zeilenenden an. Welche Wörter reimen sich? Unterstreichen Sie.

43 CD1AB d Hören Sie nun den Text noch einmal und markieren Sie, welche Wörter betont werden.

2 Ein Gedicht vortragen

a Arbeiten Sie in kleinen Gruppen. Üben Sie eine Strophe mit einer bestimmten Emotion.
Achten Sie dabei auch auf Betonung und Pausen. Denken Sie außerdem darüber nach, an welcher Stelle Sie noch Gesten und Körpersprache einsetzen wollen.

b Jede Gruppe trägt ihre Strophe vor und die anderen müssen raten, um welche Emotion es sich handelt.

EINSTIEGSSEITE, S. 91

die/der Ex
die Exfrau / der -mann
der Gatte, -n
die Konstellation, -en
die Stieftochter / der -sohn

leiblich

HÖREN 1, S. 92–93

die Assoziation, -en
das Bedürfnis, -se
die Generation, -en
die Patchwork-Familie, -n
der Protest, -e
der Respekt (Sg.)
das Verhältnis, -se
die Wut (Sg.)

akzeptieren

multikulturell

WORTSCHATZ, S. 94–95

die/der Alleinerziehende
die/der Alleinstehende
das Drittel, -
die Grafik, -en
die Hälfte, -n
die Lebensform, -en
das Schaubild, -er
der Single, -s
die Statistik, -en
das Viertel, -

abnehmen, nahm ab,
hat abgenommen
sich erhöhen
sinken, sank, ist gesunken
stagnieren
steigen, stieg, ist gestiegen
sich verringern
zunehmen, nahm zu,
hat zugenommen

LESEN 1, S. 96–97

die 68er
die Ahnung, -en
die Einfachheit (Sg.)
der Einfachheit halber
die Härte, -en
die Neugier (Sg.)
die Reaktion, -en
die Rechtfertigung, -en
die Sicht (Sg.)
aus meiner/Ihrer Sicht
der Stapel, -

etwas äußern
eilen
fixieren
überhören

beiläufig
fulminant
radikal
schwungvoll
unbekümmert
vollständig

SCHREIBEN, S. 98

der Befürworter, -
der Bezug
Bezug nehmen auf (+ Akk.)
das Fazit (meist Sg.)
der Kreis, -e
in vielen Kreisen
die Scheidungsrate, -n
die Stellungnahme, -n
die Verknüpfung, -en

befristen
scheitern

HÖREN 2, S. 99

das Klischee, -s

LESEN 2, S. 100–101

die Devise, -n
die Distanz, -en
die Fernbeziehung, -en
die Flexibilität (Sg.)
die Geste, -n
die Harmonie, -n
die Perspektive, -n
die Sehnsucht, ¨-e
der Zauber, -

sich austauschen
sich entfremden
etwas erfordern
umgehen mit, ging um,
ist umgegangen

auf etwas aus sein
ausgeglichen sein
etwas auf sich zukommen lassen,
ließ, hat gelassen

bedauernswert

SPRECHEN, S. 102

die Exotik, -
die Geborgenheit, -en
die Hinsicht, -en
in Hinsicht auf (+ Akk.)
das Vertrauen (Sg.)
der Vordergrund, ¨-e

etwas aussagen
sich einigen auf (+ Akk.)

bikulturell

SEHEN UND HÖREN, S. 103

der Applaus (Sg.)
das Detail, -s
der Dichter, -

etwas vortragen, trug vor,
hat vorgetragen

LEKTIONSTEST 7

1 Wortschatz

Was ist richtig? Markieren Sie.

1 Lea lebt in Berlin, ihr Freund in Ulm. Ihre *Fernbeziehung / Ehe / Wohngemeinschaft* läuft gut.
2 Kurt liebt seine Unabhängigkeit. Er ist überzeugter *Gatte / Single / Ehemann.*
3 Olivia hat zwei Töchter aus erster Ehe, Johannes einen Sohn aus einer früheren Beziehung. Die 5-köpfige *Lebensform / Patchwork-Familie / Generation* wohnt in einem Haus auf dem Land.
4 Kleine Kinder untersuchen ihre Welt voller *Neugier / Sehnsucht / Wut.*
5 Vera lebt nur mit ihrem Sohn Jonas als *Alleinerziehende / Gleichgesinnte / Stiefmutter* in Nürnberg.

Je 1 Punkt **Ich habe ______ von 5 möglichen Punkten erreicht.**

2 Grammatik

a **Ergänzen Sie die Verben in der indirekten Rede und markieren Sie die richtige Präposition.**

Rita sagt, die aus den Medien bekannten Patchwork-Familien ______________ (haben) (1) alle Verständnis *für/von/zu* (2) einander. Es wird behauptet, sie ______________ (sein) (3) alle glücklich. Das ______________ (sein) (4) aber keine realistische Vorstellung *von/nach/zu* (5) einem solchen Zusammenleben. Sie erzählt, dass die Beziehung *vor/in/zu* (6) den Kindern ihres Freundes am Anfang nicht einfach ______________ (sein) (7). Die Kinder ______________ eifersüchtig auf Rita ______________ (reagieren) (8). Inzwischen ______________ (haben) (9) sie aber mehr Vertrauen *vor/zu/von* (10) ihr.

Je 1 Punkt **Ich habe ______ von 10 möglichen Punkten erreicht.**

b **Bilden Sie Relativsätze mit *wer, wen, wem* und schreiben Sie sie auf ein separates Blatt.**

1 Jemand, der keine Ratschläge annehmen will, dem ist nicht zu helfen.
2 Jemandem, dem man die Hand gibt, sollte man in die Augen sehen.
3 Jemanden, den ich nicht mag, den lade ich auch nicht zu meinem Geburtstag ein.

Je 1 Punkt **Ich habe ______ von 3 möglichen Punkten erreicht.**

c **Bilden Sie Sätze mit *je ... desto/umso* und schreiben Sie sie auf ein separates Blatt.**

1 Man ist jung. Man verliebt sich oft.
2 Man versteht sich gut. Die Beziehung ist stabil.
3 Man wird alt. Man hat viel Erfahrung.

Je 2 Punkte **Ich habe ______ von 6 möglichen Punkten erreicht.**

3 Kommunikation

Ergänzen Sie.

aussagen soll • gibt Auskunft über • im Vordergrund • hat ... zugenommen • einen anderen Vorschlag • doppelt so viele

1 Eine Statistik ______________ Zahlen und Entwicklungen zu einem bestimmten Thema.
2 Die Zahl der Zwei-Personen-Haushalte ______ in den letzten 100 Jahren ______________.
3 Es gibt heute mehr als ______________ Zwei-Personen-Haushalte als vor 100 Jahren.
4 Das Foto gefällt mir nicht gut und ich weiß auch nicht genau, was es ______________.
5 Bei diesem Bild steht die harmonische Beziehung zwischen den Partnern ______________.
6 Ich hätte ______________: Lasst uns doch das Foto nehmen, auf dem auch Kinder zu sehen sind.

Je 1 Punkt **Ich habe ______ von 6 möglichen Punkten erreicht.**

Auswertung: Vergleichen Sie Ihre Lösungen mit S. AB 209. Ihre Erfolgspunkte tragen Sie unter jeder Aufgabe ein.

Ich habe ______ von 30 möglichen Punkten erreicht.

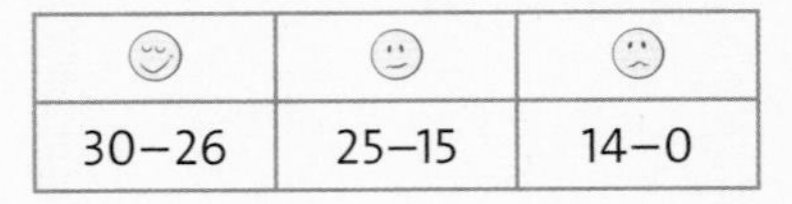

30–26	25–15	14–0

WIEDERHOLUNG WORTSCHATZ

1 TOP 10! Was ich gerne mag

Ergänzen Sie die Verben in der richtigen Form und bringen Sie die Sätze für sich in eine Reihenfolge von 1 „sehr gern“ bis 10 „nicht so gern“.

~~beißen~~ • entspannen • genießen • halten • grillen • löschen • kaufen • quatschen • verbringen • bestellen

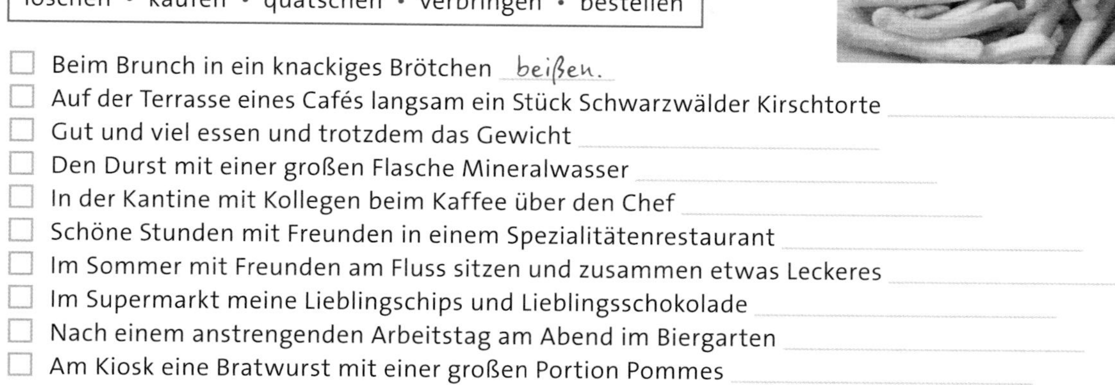

- ☐ Beim Brunch in ein knackiges Brötchen *beißen.*
- ☐ Auf der Terrasse eines Cafés langsam ein Stück Schwarzwälder Kirschtorte ______
- ☐ Gut und viel essen und trotzdem das Gewicht ______
- ☐ Den Durst mit einer großen Flasche Mineralwasser ______
- ☐ In der Kantine mit Kollegen beim Kaffee über den Chef ______
- ☐ Schöne Stunden mit Freunden in einem Spezialitätenrestaurant ______
- ☐ Im Sommer mit Freunden am Fluss sitzen und zusammen etwas Leckeres ______
- ☐ Im Supermarkt meine Lieblingschips und Lieblingsschokolade ______
- ☐ Nach einem anstrengenden Arbeitstag am Abend im Biergarten ______
- ☐ Am Kiosk eine Bratwurst mit einer großen Portion Pommes ______

zu Lesen 1, S. 106, Ü1

2 Fleischloses liegt im Trend ÜBUNG 1

HÖREN

a **Wer ist für (pro), wer gegen (kontra) Vegetarismus? Hören Sie und markieren Sie.**

	Pro	Kontra	Argumente
1 Frau Bader	☒	☐	*Ethische Beweggründe: Man darf Tiere nicht töten.*
2 Herr Mörs	☐	☐	
3 Herr Bunz	☐	☐	
4 Frau Böhm	☐	☐	
5 Frau Lauber	☐	☐	
	☐	☐	...

b **Hören Sie noch einmal und notieren Sie in der Tabelle in a Stichpunkte zu den Argumenten.**

c **Finden Sie weitere Argumente für oder gegen Vegetarismus und ergänzen Sie sie in der Tabelle.**

zu Lesen 1, S. 106, Ü1

3 Was passt zusammen? ÜBUNG 2, 3

WORTSCHATZ

a **Bilden Sie zusammengesetzte Nomen mit Artikel.**

1 Mangel	A der Stoff	1 *die Mangelerscheinung*
2 Entwicklungs	B der Mangel	2 ______
3 Massen	C die Erscheinung	3 ______
4 Mineral	D das Land	4 ______
5 Nährstoff	E das Wunder	5 ______
6 Wirtschafts	F die Tierhaltung	6 ______

b **Erläutern Sie drei der Begriffe.**

Wenn ein Mädchen sehr blass im Gesicht ist, kommt das vielleicht von einem Mangel an Eisen. Die blasse Haut ist eine Mangelerscheinung.

WIEDERHOLUNG GRAMMATIK

zu Lesen 1, S. 107, Ü2

4 Gesunde Ernährung

a **Ergänzen Sie *müssen* und *sollen* in der richtigen Form.**

1 Markus hatte keine Wahl, er _musste_ abnehmen, denn er wog zu viel.
2 Markus ______ weniger Fleisch essen und weniger Cola trinken. Das war der Rat seines Arztes.
3 Seine Fitness-Trainerin meint, dass er sich mit einer Ernährungsgruppe treffen ______.
4 Wenn Markus eine gute Figur bekommen will, ______ er auch Sport treiben. Dazu gibt es keine Alternative.
5 Die Frau von Markus sagt: „Markus, der Arzt hat angerufen. Du ______ am Montag zu ihm in die Sprechstunde kommen."

b **Ergänzen Sie *Rat / Empfehlung, Notwendigkeit* oder *Aufforderung* mit dem unbestimmten Artikel in der richtigen Form.**

Müssen benutzt man, wenn man ______ ausdrücken will, bei der man keine Wahl hat. *Sollen* benutzt man bei ______ oder ______. Bei der Bedeutung ______ steht *sollen* oft im Konjunktiv II.

8

zu Lesen 1, S. 107, Ü2

5 Subjektive Bedeutung des Modalverbs *sollen*

GRAMMATIK ENTDECKEN

a **Unterstreichen Sie *sollen* und das dazugehörige Verb.**

1 Die Sängerin Ariane soll sich vegan ernähren. G
Den Tieren zuliebe soll sie schon seit einem halben Jahr auf Fleisch verzichten. ☐
2 Die Laune von Justus Marder soll extrem schlecht sein ☐, seit er sich vegetarisch ernährt.
3 Carmen Daize soll in ihrem aktuellen Film besser geschminkt werden. ☐ Die Presse hatte bei der letzten Oscar-Prämierung heftig ihr unnatürliches Make-up kritisiert.
4 In einem Film spielt Leon DeCapo einen dicken Gangsterboss. Er soll für diese Rolle zehn Kilo zugenommen haben. ☐
5 Kati soll mit dem Mann ihrer besten Freundin beim Essen gesehen worden sein. ☐ Ist ihre Ehe in der ersten Krise?

b **Ergänzen Sie in a, ob die Verbformen in der Gegenwart (G) oder in der Vergangenheit (V) stehen.**

c **Schreiben Sie die Sätze aus a ohne *sollen*.**

1 Ich habe gelesen, dass sich die Sängerin Ariane in Zukunft vegan ernährt und dass sie den Tieren zuliebe schon seit einem halben Jahr auf Fleisch verzichtet.
2 Angeblich ______
3 Man sagt, dass ______
4 Es wird behauptet, dass ______
5 Laut einer Meldung der BUNT-Zeitung ______

zu Lesen 1, S. 107, Ü2

6 Haben Sie das schon gehört? Ob das wohl stimmt? ÜBUNG 4, 5 GRAMMATIK

Bilden Sie Sätze mit *sollen*.

1 Laut einer Studie interessieren sich 1,5 Millionen Deutsche für exotische Gerichte.
2 In Rom gibt es eine Eisdiele, in der ungewöhnliche Eissorten verkauft werden. Es wird behauptet, dass sogar schon Sorten mit Schimmelkäse-Geschmack angeboten worden sind.
3 In Schottland geht man gerne eigene Wege. Es heißt, dass ein frittierter Mars-Riegel der Lieblingsnachtisch vieler Schotten ist.
4 Wissenschaftler behaupten, dass Insekten einen hohen Eiweißgehalt haben und ihr Verzehr gesundheitsfördernd ist. In Asien hat man das schon längst erkannt.
5 Seegurken sind kein Gemüse! Es sind Meeresbewohner mit stacheliger Haut. Man sagt, dass sie in Spanien als Spezialität gelten und mit Nudeln serviert werden.
6 Pink-Diät: Einige Prominente ernähren sich angeblich dreimal pro Woche ausschließlich von rosafarbener Nahrung wie Himbeeren, Lachs oder Grapefruit. Diese Lebensmittel sind zwar gesund, aber für eine ausgewogene Ernährung fehlen die Ballaststoffe.

1 1,5 Millionen Deutsche sollen sich für exotische Gerichte interessieren.

zu Hören, S. 108, Ü2

7 Sushi in Suhl FILMTIPP / LESEN

Lesen Sie die Informationen zu dem Film.
Ordnen Sie die Zwischenüberschriften den Abschnitten zu.

1 Auszeichnungen • **2** Entstehung • **3** Handlung • **4** Historischer Hintergrund • **5** Regisseur und Hauptdarsteller

[3] „Sushi in Suhl" erzählt die wahre Geschichte von Rolf Anschütz, der in den 70er-Jahren in einer kleinen Stadt in der DDR ein japanisches Restaurant aufmacht und so ein wenig Exotik in das Leben seiner von weiten Teilen der Welt abgeschnittenen Mitbürger bringt.

[ ] Als Rolf Anschütz sein ungewöhnliches Restaurant eröffnete, hatte die thüringische Stadt Suhl etwa 40 000 Einwohner. Japan war damals für die Bürger der DDR unerreichbar. Deshalb zimmerte sich Anschütz im Thüringer Wald sein eigenes kleines Japan zusammen. Was nicht ganz einfach war, denn es gab in seiner Heimatstadt fast nichts zu kaufen. Deshalb ließ er Küchenschürzen zu Kimonos umnähen und servierte japanischen Schnaps aus Eierbechern.

[ ] Der Filmproduzent Carl Schmitt führte ausführliche Interviews mit Anschütz, um alles realitätsnah einzufangen. Statt eines Dokumentarfilms entschied sich Schmitt für einen Spielfilm „frei nach einer wahren Geschichte". Viele Handlungsdetails sind frei erfunden, andere, wie zum Beispiel der Besuch eines echten Japaners, haben tatsächlich stattgefunden.

[ ] Carsten Fiebeler, der Regie führte, ist 1965 selber in der DDR geboren. Auch Uwe Steimle, der den Restaurantbesitzer hervorragend spielt, ist im Osten Deutschlands aufgewachsen. Er stellt Anschütz als schüchternen, sensiblen und zugleich euphorisierten Menschen dar.

[ ] Das Drehbuch wurde mit dem Hessischen Filmpreis ausgezeichnet. Der Film erhielt außerdem von der Deutschen Film- und Medienbewertung das Prädikat „besonders wertvoll".

zu Hören, S. 108, Ü2

8 Hilfe – ich kann nicht kochen! ÜBUNG 6

LESEN

a **Lesen Sie die Werbung im Internet. Was ist richtig? Markieren Sie.**

1 Wo findet der Kochkurs statt?
- ☐ beim Kunden zu Hause
- ☐ bei einem Profikoch im Studio

2 Woraus besteht das Menü?
- ☐ aus Vor-, Haupt- und Nachspeise
- ☐ aus nicht alltäglichen Zutaten

3 Wer kocht das Menü?
- ☐ Man lässt sich von einem Profikoch zeigen, wie es geht und kocht es mit ihm zusammen.
- ☐ Man bekommt es vom Profikoch gekocht.

Exklusiver Kochkurs bei Ihnen zu Hause

Machen Sie Ihre Küche zur Haute Cuisine!

In diesem exklusiven drei- bis fünfstündigen Kochkurs für den Anfänger bis zum ambitionierten Halbprofi holen Sie sich den Chefkoch in die eigene Küche. So ist eine intensive Betreuung möglich und die Inhalte des Kochkurses können auf Ihre Bedürfnisse zugeschnitten werden. Ob exotische Vorspeisen, aromatische Hauptgerichte aus heimischen Zutaten oder Schlemmer-Nachtische. Nach dem Kurs beherrschen Sie Genussvolles für jede Gelegenheit. Da Sie alles mit den eigenen Geräten zubereiten, können Sie die Gerichte später ganz leicht nachkochen. Und weil nach der Arbeit bekanntlich das Vergnügen kommt, genießen Sie selbstverständlich auch das selbst zubereitete 3-Gänge-Menü mit dem passenden Getränk. Lernen Sie von einem Profi-Koch die richtigen Handgriffe und erfahren Sie die geheimen Tipps der gehobenen Kochkunst.

b **Lesen Sie einen Erfahrungsbericht im Gästebuch des Chefkochs. Was passt nicht? Streichen Sie durch.**

Nette Kollegen meiner Frau haben uns ein tolles ~~*exotisches*~~/*kulinarisches* (1) Erlebnis spendiert. Unser charmanter Chefkoch, Thierry Roussey, erschien am verabredeten Tag um 18:30 Uhr. Ein Genuss fürs Auge waren schon die mitgebrachten Produkte (ein frischer Thunfisch, Entenbrust, Himbeeren). Die *Zubereitung/Übersicht* (2) der Speisen nahm drei Stunden in Anspruch. Besonders gefielen uns seine Tipps zum *Würzen/Wärmen* (3) und Aromatisieren der Hauptgänge. Nach jedem Gang wurde das frisch Gekochte gegessen. Ich kann gar nicht sagen, was mir mehr gefallen hat, die Arbeit oder der *Verzehr/Verzicht* (4) des Essens. Es war ein wunderbarer, unvergesslicher Abend. Wir können Thierry Roussey guten *Gewissens/Herzens* (5) weiterempfehlen.

zu Sprechen 1, S. 109, Ü2

9 Seemannskost – Zutaten und Zubereitung ÜBUNG 7

KOMMUNIKATION

a **Ordnen Sie die Maßeinheiten zu. Manche passen mehrfach.**

Gramm (g) • Liter (l) • Milliliter (ml) • Prise • Stück • ~~Teelöffel (TL)~~

Kartoffeln	500
Milch, Brühe	je 125 oder ⅛
Zwiebeln	1
Corned Beef (Rindfleisch)	340

Rote Beete	50
Butter/Margarine	10
Pfeffer	1
Meersalz	¼ Teelöffel (TL)

b Ergänzen Sie die Redemittel aus dem Kursbuch, S. 109.

Labskaus ist ein typisches Gericht (1) aus Hamburg. ______ (2) ungewöhnlichen Namen vermutlich von Seeleuten aus Norwegen. Die Zubereitung dauert insgesamt etwa 45 Minuten. Man ______ (3) zuerst die Kartoffeln, ______ (4) sie für circa 20 Minuten und gießt sie ab. Man macht Milch und Fleischbrühe heiß, gibt die Flüssigkeit zu den Kartoffeln und zerdrückt sie zu einem lockeren Kartoffelbrei. Die geschälte Zwiebel ______ (5) man zuerst in kleine Würfel. Dann ______ (6) man die Zwiebeln in Butter oder Margarine, bis sie glasig sind. Anschließend ______ (7) man die Zwiebeln mit dem Kartoffelbrei. Schließlich ______ (8) man das Corned Beef in kleine Würfel und gibt sie zur Mischung hinzu. Die fein gehackte Rote Beete hebt man unter. Zum Schluss würzt man alles mit Pfeffer und Meersalz. Meist werden Gewürzgurken, Spiegeleier oder Rollmöpse dazu serviert. Das Gericht ______ ______ (9) gut gewürztem Kartoffelbrei mit Fleisch – einfach köstlich! Dazu ______ ______ (10) ein kühles Bier oder Wasser.

zu Sprechen 1, S. 109, Ü2

10 Ein Gericht, das mich an zu Hause erinnert

SCHREIBEN

a Lesen Sie den Blogbeitrag und unterstreichen Sie die Satzanfänge. Warum ist der Text gut aufgebaut? Markieren Sie.

Weil die Sätze ...

- ☐ nie mit einem Nebensatz anfangen.
- ☐ mit dem Subjekt anfangen.
- ☐ kurz sind.
- ☐ variieren und meist an den vorigen Satz anknüpfen.

Ich reise gerne und ziemlich viel in der Welt herum. Dann fehlt mir das gemeinsame Essen mit meiner Familie. Immer, wenn ich Reibekuchen esse, gibt mir das ein Gefühl von Heimat. Oft, wenn die ganze Familie zusammen ist, sagt einer: „Reibekuchen haben wir schon so lange nicht mehr gegessen!" Meine Oma nimmt dann alle Pfannen aus dem Schrank. Während alle durcheinander reden, schält Oma jede Menge Kartoffeln und verarbeitet diese mit wenigen Zutaten zu einem Teig. Die Reibekuchen werden in heißem Öl auf beiden Seiten goldbraun gebraten. Dazu passt am besten Apfelmus. Wunderbar! Nach spätestens fünf Minuten ist die jeweils neue Ladung komplett aufgegessen. Wenn ich mal wieder an einem Flughafen sitze und etwas Hunger aufkommt, denke ich, wie schön jetzt so ein Reibekuchen wäre.

b Schreiben Sie nun selber einen Blogbeitrag über ein Gericht. Beantworten Sie dabei die folgenden Fragen:

- Welches Gericht hat für Sie eine besondere Bedeutung?
- Welche Emotionen verbinden Sie mit dem Gericht?
- Wie bereitet man dieses Gericht zu?
- Zu welchem Anlass wird das Gericht gegessen?

WIEDERHOLUNG GRAMMATIK

zu Wortschatz, S. 110, Ü2

11 Wie schmeckt Bio?

Unterstreichen Sie die Endungen der kursiv gedruckten Nomen und ordnen Sie die Nomen dann in die Tabelle ein.

Kann man Bio-Qualität schmecken?

Eine Familie, die sehr auf ihre *Gesundheit* achtet, hat für uns einen Geschmackstest gemacht: Vater (*Wissenschaftler*), Mutter (Dozentin für *Pädagogik*), Sohn (*Student* und *Praktikant*) und eine Austauschstudentin aus Japan (studiert *Musik* und *Philosophie*). Sie haben verschiedene Produkte aus einem landwirtschaftlichen Betrieb (Fleisch, Obst und Gemüse), aus einer *Bäckerei* (Brot und *Brötchen*) und aus einer *Brauerei* (Bier) für uns verglichen. Dabei wussten sie nicht, was biologisch hergestellt ist und was nicht. Das *Ergebnis* ist nicht wirklich eine Neuigkeit: Bio kann man schmecken.

der	die	das
Wissenschaftler	Gesundheit	

8

zu Wortschatz, S. 110, Ü2

12 Nominalisierung von Verben

GRAMMATIK ENTDECKEN

a **Wie heißen die Verben zu den unterstrichenen Nomen? Schreiben Sie.**

Eindeutig waren die Resultate bei Apfel, Karotte und Käse zwischen biologischer und nicht-biologischer Erzeugung. Bei diesen Produkten fanden alle vier Tester das Bio-Produkt besser. Bei Brot und Gebäck war der Unterschied im Geschmack geringer. Beim Apfelsaft haben drei von vier Testern den Bio-Apfelsaft am Geschmack, Geruch und Aussehen erkannt. Man kann also – zu unserer großen Freude – im Vergleich das „Bio" auch im Bio-Apfelsaft herausschmecken. Das wird unserer Meinung nach alle Verbraucher freuen, die bei biologischen Nahrungsmitteln nicht auf Genuss verzichten wollen. Wenn Sie weitere Fragen haben, schauen Sie auf unsere Homepage.

Erzeugung – erzeugen,

b **Ergänzen Sie die Nomen aus a mit Artikel in der Tabelle.**

Ge-	vom Verbstamm	vom Infinitiv	-er	-e	-ung
					die Erzeugung

zu Wortschatz, S. 110, Ü2

13 Welches Getränk schmeckt am besten? ÜBUNG 8, 9, 10

GRAMMATIK

Bilden Sie Nomen und ergänzen Sie die Sätze.

grillen • riechen • erfrischen • bewerten • ~~trinken~~ • suchen • mischen • testen • schmecken • auswerten

Bio-Mix-*Getränke* (1) im Getränke-__________ (2)

Ein kühles Getränk gehört im Sommer zum __________ (3) einfach dazu, genau wie eine gute Bratwurst. Die Auswahl an alkoholfreien Getränken ist nicht immer so groß. Daher haben wir neue Bio-Säfte und Bio-Mixgetränke getestet.

Normaler Apfelsaft ist Ihnen zu säuerlich? Viele Mix-Getränke sind Ihnen zu süß? Wir haben uns auf die __________ (4) nach dem besten und leckersten Bio-Mix-Getränk gemacht. Die __________ (5) finden Sie hier:

Der Sieger ist die Bio-Limonade „Lemon pur" aus Flensburg. Bereits beim Öffnen des Getränks steigt einem ein aromatischer __________ (6) in die Nase. Aber auch auf der Zunge entfaltet die Limonade einen köstlichen __________ (7): „Schmeckt frisch und einfach gut", so das Urteil eines unserer Tester.

Der oberschwäbische „Bioland Mix" schnitt bei der __________ (8) des Geschmacks nicht ganz so gut ab wie die Nummer 1. Trotzdem empfehlenswert.

Das Mix-Getränk „VitaLemon" schmeckte sehr belebend und natürlich. „Eine prima __________ (9), wenn es heiß ist: genau das, was man von einem Bio-Mix-getränk erwartet."

„BioStar" ist eine echte Energie-Ladung, hier wurden herbe und süße Aromen im richtigen Verhältnis zusammengeführt. Diese __________ (10) kam bei unseren Testern sehr gut an: „Das ist lecker, genau richtig für den Sommer!"

zu Wortschatz, S. 111, Ü3

14 Unsere Ernährung ÜBUNG 11, 12

WORTSCHATZ

Was passt nicht? Streichen Sie durch.

1 Zu den Pflanzen gehören:
der Baum – der Busch – der Strauch – ~~die Zutat~~

2 Zum Kochen verwendet man:
die Kammer – die Pfanne – den Topf – die Reibe

3 Zu Getreide gehören:
das Brot – der Weizen – der Mais – der Reis

4 Bestandteile der Nahrung sind:
das Eiweiß – das Fett – die Kohlenhydrate – die Milch

5 Obst kann man
anbauen. – ernten. – verweigern. – verzehren.

6 Gemüse isst man
roh. – gebraten. – versalzen. – gekocht.

zu Schreiben, S. 112, Ü2

15 Konditionale Zusammenhänge

GRAMMATIK ENTDECKEN

a **Markieren Sie die konditionalen Satzverbindungen und ergänzen Sie *v* (verbal: Nebensatz mit Konnektor) oder *n* (nominal: Hauptsatz mit Präposition).**

Sehr geehrte Frau Abel,

vielen Dank für Ihre E-Mail. Ihr ehrliches Feedback ist uns wichtig. Wir können unser Leistungsangebot
[v] nur dann verbessern, (wenn) Sie uns offen kritisieren.
Leider wurden in der Produktion die Etiketten „Frühstücksdrink Kirsche / Rote Traube" und „Frühstücks-
drink Früchtemix" verwechselt. 5
[ ] Wir schicken Ihnen eine kleine Entschädigung in Form von zehn Flaschen unseres Frühstücksdrinks.
Sofern Sie stattdessen lieber einen Gutschein im Wert von 15 Euro hätten, sagen Sie uns bitte Bescheid.
[ ] Wir hoffen sehr, dass Ihnen unsere Produkte weiterhin schmecken, und bitten um Nachricht, wenn Sie
noch mehr Informationen zu unseren Produkten wünschen.
[ ] Bei weiteren Fragen stehe ich Ihnen gern zur Verfügung. 10

Mit freundlichen Grüßen

Mia Lauber
Zettel GmbH

8

b **In welchem Satz kann man *wenn* durch *falls/sofern* ersetzen?**

- [ ] Wir können unser Leistungsangebot nur dann verbessern, wenn Sie uns offen kritisieren.
- [ ] Wir bitten um Nachricht, wenn Sie noch mehr Informationen zu unseren Produkten wünschen.

c **Was ist richtig? Markieren Sie.**

- [ ] Sätze mit *falls/sofern* drücken eine größere Unsicherheit, Ungewissheit aus als Sätze mit *wenn*.
- [ ] Sätze mit *falls/sofern* drücken eine größere Sicherheit, Gewissheit aus als Sätze mit *wenn*.

zu Schreiben, S. 112, Ü2

16 Ein Telefongespräch

GRAMMATIK

a **Rosa Abel telefoniert mit ihrer Freundin Angela. Ergänzen Sie *wenn, falls/sofern* oder *bei*.**

Rosa: Hallo Angela, ich hab' dir doch von dem Frühstücksdrink mit der Birne erzählt, weißt du noch?
Angela: Wenn (1) du mir noch mal sagst, worum es da ging, dann erinnere ich mich bestimmt.
Rosa: Da ging es um das falsche Etikett. Kirschen waren drauf, aber Birne war drin! Ich habe doch gesagt, ________ (2) die Firma mir keine Entschädigung gibt, dann werde ich mich bei der Verbraucherzentrale nach meinen Rechten erkundigen und ...
Angela: Und hast du dann wirklich dort angerufen?
Rosa: Ja klar. Und die haben mir gesagt, ________ (3) ich schon eine Entschädigung akzeptiert haben sollte, dann habe ich keine weiteren Ansprüche. Das ist blöd, denn die Firma hat mir ja schon was geschickt. Aber ich finde es trotzdem unmöglich, dass die Firmen mit dem Spruch werben „________ (4) Nicht-Gefallen Geld zurück"!
Angela: Was hast du eigentlich von der Firma bekommen?
Rosa: Ich habe ein Paket mit zehn Frühstücksdrinks bekommen, aber ________ (5) den hohen Preisen für diese Säfte ist das ja wohl das Mindeste!

Angela: Na ja, schlecht ist das aber auch nicht. Also ______________ (6) ich diese Drinks zufälligerweise mal kaufen sollte, reklamiere ich sie auch. Das lohnt sich ja schon fast.
Rosa: Wenn du Lust auf Frühstücksdrinks hast, dann komm vorbei! Du weißt ja, ich habe ein ganzes Paket davon. Und ______________ (7) du Marion treffen solltest, bring sie einfach mit!

45 CD1AB b **Hören Sie und vergleichen Sie.**

zu Schreiben, S. 112, Ü2

17 Verbraucherrechte ÜBUNG 13, 14 GRAMMATIK

Schreiben Sie Sätze mit den Wörtern in Klammern.

1 Wenn sich die Bahn um mehr als eine Stunde verspätet, bekommt man einen Teil des Fahrpreises erstattet. *(bei)*
2 Bei Flugausfällen hat man Anspruch auf Erstattung des Ticketpreises. *(wenn)*
3 Wenn Sie Probleme mit dem Produkt haben, fragen Sie beim Verkäufer nach. *(bei)*
4 Sofern Sie sich beschweren wollen, wenden Sie sich an den Kundenservice. *(bei)*
5 Bei Ärger über falsche Werbung für ein Produkt können Sie das melden. *(sofern)*
6 Bei Überschreitung des Mindesthaltbarkeitsdatums können Sie das Produkt zurückgeben. *(falls)*
7 Wenn man im Internet bestellt, hat man ein Rückgaberecht. *(bei)*

1 Bei Verspätung der Bahn um mehr als eine Stunde bekommt man einen Teil des Fahrpreises erstattet.

zu Schreiben, S 113, Ü3

18 Gerade gekauft – schon kaputt ÜBUNG 15 KOMMUNIKATION

Schreiben Sie eine E-Mail an den Hersteller einer Firma, die Schnellkochtöpfe herstellt. Verwenden Sie dazu die Redemittel aus dem Kursbuch, S. 113.

Sehr geehrte Damen und Herren,

leider habe ich vergeblich versucht, Sie telefonisch zu erreichen. Offenbar ist Ihre Hotline im Moment überlastet, deshalb kontaktiere ich Sie nun schriftlich.
Vor zehn Tagen kaufte ich (1) im Internet den Schnellkochtopf Typ „Blitz T7“.
5 Zunächst war ich damit sehr zufrieden. Aber bereits nach kurzer Zeit ______________ (2), dass das Gerät unerwartet lange braucht, bis das Essen fertig gekocht ist. Wenn ich seitdem darin etwas koche, dauert das doppelt so lange, wie in der Gebrauchsanleitung angegeben.
______________ (3), dass
10 es sowohl Reis als auch Gemüse schnell gart. Das ist nun nicht mehr ______________ (4). ______________ (5), dass Sie das Gerät umtauschen. Bitte lassen Sie mich wissen, wie und an wen ich es zurückschicken kann.
______________ (6) Ihre Firma im Internet schlecht bewerten.

Mit freundlichen Grüßen
15 Beate Zimmer

zu *Wussten Sie schon?*, S. 113

19 Informationen auf Lebensmittelpackungen

LANDESKUNDE

Ordnen Sie den Angaben auf der Packung die Rubriken zu. Manche Rubriken finden sich nicht auf der Packung. Schreiben Sie dafür ein x.

Rubriken
- ☐ Nährwert
- ☐ Hinweis auf Zutaten, die eventuell allergische Reaktionen hervorrufen können
- ☐ Ernteland der Zutaten
- 1 Zutaten
- ☐ Name und Anschrift des Herstellers
- ☐ Lagerbedingungen
- ☐ Verpackungsmaterial
- ☐ Mindesthaltbarkeitsdatum

8

zu Lesen 2, S. 114, Ü2

20 Wie lange halten sich Eier?

WORTSCHATZ

Welches Wort passt? Unterstreichen Sie.

007 Georg

Wie lange kann man eigentlich Eier essen? Sind sie nach dem *Ablauf / Anlass* (1) des Mindesthaltbarkeitsdatums auf der Packung noch *verderblich / genießbar* (2)? Oder muss man sie *versorgen / vernichten* (3), wenn es *überschritten / verschwendet* (4) ist? Die *Verunsicherung / Täuschung* (5) ist deshalb entstanden, weil ich kürzlich gelesen habe, dass man viele Lebensmittel auch nach Ablauf des Mindesthaltbarkeitsdatums noch essen kann. Ich kaufe auf dem Markt immer Eier auf *Vorrat / Verzicht* (6), und wenn dann in der WG nur wenige gegessen werden, dann haben wir Eier im *Konzentrat / Überfluss* (7). Weiß jemand von Euch, wie ich feststellen kann, ob wir die Eier noch verzehren können?

Juli-Herz

Gerade bei Eiern spielt die richtige Aufbewahrung eine große Rolle. Wichtig ist, die Mindesthaltbarkeit zu beachten (meist ca. 4 Wochen nach Legedatum, das steht auf der *Verpackung / Übersicht* (8)). Ist man sich nicht mehr sicher, wann die Eier gekauft wurden, sollte man sie aber auf jeden Fall gut kochen und nicht mehr *roh / vegetarisch* (9) verwenden. Ein Ei, das nicht mehr gut ist, kann großen *Widerspruch / Schaden* (10) verursachen. *Laut / Zufolge* (11) des Kochmagazins „Fünf Sterne" gibt es aber einen kleinen Trick, mit dem man erkennen kann, ob ein Ei noch frisch ist oder nicht: Leg das Ei in ein Glas mit Wasser. Bleibt das Ei am Boden liegen, ist es frisch – schwimmt es an der Oberfläche, ist es nicht mehr zu genießen.

WIEDERHOLUNG GRAMMATIK

zu Lesen 2, S. 115, Ü3

21 Widersprüche

Schreiben Sie Sätze mit *obwohl* und *trotzdem*.

1 Trotz genauer Planung ihrer Einkäufe hat Tina zu viele Lebensmittel im Kühlschrank.
Obwohl Tina ihre Einkäufe genau plant, hat sie zu viele Lebensmittel im Kühlschrank.
Tina plant ihre Einkäufe genau, trotzdem hat sie zu viele Lebensmittel im Kühlschrank.

2 Trotz richtiger Lagerung sind die Erdbeeren nicht mehr genießbar.

3 Trotz kleiner, brauner Stellen isst Hermann die Banane noch.

4 Trotz der Verliebtheit des Kochs ist das Essen nicht versalzen.

8

zu Lesen 2, S. 115, Ü3

22 Konzessive Zusammenhänge

GRAMMATIK ENTDECKEN

a **Lesen Sie den Textauszug aus dem Ratgeber „Zu gut für die Tonne" und unterstreichen Sie die konzessiven Satzverbindungen.**

Bereits beim Einkauf entscheiden wir über Lebensmittelabfälle. Wir brauchen die Äpfel gar nicht, dennoch kaufen wir sie ein, weil sie so lecker aussehen. Wir kaufen nach der Arbeit schnell im Supermarkt ein, selbst wenn wir gar nicht wissen, was wir wirklich brauchen. Jeder sinnvolle Einkauf beginnt deshalb schon zu Hause mit einer guten Planung. Trotz
5 guter Planung wird in der Küche aber oft etwas weggeworfen. Oft genug, weil wir nicht wissen, wo und wie man Lebensmittel richtig lagert. Aber selbst bei richtiger Lagerung verderben Lebensmittel, weil wir sie vergessen.
Das Gemüse ist angeschnitten? Die Spaghetti sind übrig geblieben? Manchmal bleibt auch etwas übrig, obwohl man die richtigen Mengen beim Kochen verwendet hat. Das alles
10 ist trotzdem zu schade zum Wegwerfen. Wenn man zu viel gekocht hat, kann man die Reste aufbewahren und kreativ weiterverwenden.

b **Wie sind die Satzverbindungen gebildet? Ergänzen Sie in der Tabelle.**

Konnektor	Präposition
dennoch	

zu Lesen 2, S. 115, Ü3

23 Gegensätze ÜBUNG 16, 17, 18 GRAMMATIK

a **Verbinden Sie.**

1 Erika kauft oft ungeplant ein. — B
2 Anita hat eine große Vorliebe für Schokolade.
3 Ben hat viele gute Rezepte.
4 Andreas ist Manager und verdient gut.
5 Tanja hat am nächsten Wochenende Geburtstag.

A Er kommt mit seinem Geld nicht aus.
B Sie wirft wenig weg.
C Sie hat eine gute Figur.
D Sie lädt keine Freunde ein.
E Er probiert sie nie aus.

b **Schreiben Sie die Sätze aus a abwechselnd mit *auch wenn/obgleich, dennoch* und *trotz*.**

1 Auch wenn/obgleich Erika oft ungeplant einkauft, wirft sie wenig weg.

zu Sprechen 2, S. 116, Ü2

24 Aktionstag für die „Tafel" ÜBUNG 19 KOMMUNIKATION

Ergänzen Sie den Text zur Präsentation mit den Redemitteln aus dem Kursbuch, S. 116.

PROJEKT: „DIE TAFEL"

- seit den 90er-Jahren
- in vielen Städten
- Lebensmittel für Menschen in Not

Bei unserem Projekt geht es um die sogenannte „Tafel". Seit den 90er-Jahren gibt es die „Tafel" in vielen deutschen Städten. Die Helfer sammeln und verteilen Lebensmittel für Menschen in Not. Die Idee, Menschen, die sich nicht selber versorgen können, etwas zu essen zu geben, hat uns sehr angesprochen. (1) ______________ (2) gibt es viel zu wenig Bewusstsein für Menschen, die nicht genug zum Leben haben.

AKTIONSTAG: DER ABLAUF

- in Wiesbaden am 20. September
- vor vier Lebensmittelmärkten
- Bürger kaufen und spenden

Man kann Lebensmittelspenden folgendermaßen ______________ (3). Anhand eines Beispiels ______________ (4) einmal, wie es ablaufen könnte. Das Foto zeigt eine Aktion in Wiesbaden. Vor vier Lebensmittelmärkten stellten sich am 20. September Freiwillige auf und baten die Bürger, ein Lebensmittel mehr zu erwerben und für die „Tafel" zu spenden. Es ist eine wertvolle Erfahrung, wenn ______________ (5) bei so einem Aktionstag mitmacht.

ERFOLG DES AKTIONSTAGS

- 36 Kartons mit Lebensmittelspenden
- 3 Großspenden von Supermärkten
- für Kinder und Jugendliche in sozialen Brennpunkten und an Mutter-Kind-Wohnheime

Der Aktionstag war ein großer Erfolg. Es kamen insgesamt 36 Kartons mit Lebensmitteln und 3 Großspenden von Supermärkten zusammen. Die Spenden gingen an Kinder und Jugendliche in sozialen Brennpunkten und an Mutter-Kind-Wohnheime.
Uns würde nun interessieren, ______________ (6). Denkt ihr, dass so eine Aktion bei euch auch ______________ (7)?

zu Sehen und Hören, S. 117, Ü3

25 Tipps zur Müllvermeidung ÜBUNG 20

LESEN

Ordnen Sie den Personen und ihren Problemen einen Tipp zur Abfallvermeidung zu.

1 ☐ In Christines Kühlschrank stehen oft Joghurtbecher länger als gedacht. Sie ist sich unsicher, ob der Joghurt noch essbar ist.

2 ☐ David hat kein gutes Gefühl dafür, wie viel er für ein Essen einkaufen muss. Oft bleibt etwas übrig. Dann weiß er nicht, was er damit anfangen soll.

3 ☐ Ellen ist oft ratlos, was sie für ihre Familie kochen soll. Sie kauft dann zu viel ein.

4 ☐ Ingrid geht abends auf dem Heimweg von der Arbeit oft hungrig am Supermarkt vorbei, um sich etwas fürs Abendessen zu besorgen. Dabei kauft sie planlos und so viel ein, dass sie es gar nicht aufbrauchen kann.

Tipps zur Müllvermeidung

A Seien Sie kreativ mit Essensresten. Restekochbücher und spezielle Internetseiten helfen weiter.
B Gehen Sie nicht mit leerem Magen einkaufen. Ein besserer Kompass ist ein Einkaufszettel, auf dem Sie alles notieren, was Sie brauchen.
C Schauen Sie das Lebensmittel genau an, riechen Sie daran und probieren Sie es. Das Mindesthaltbarkeitsdatum ist nur eine Herstellergarantie.
D Machen Sie sich einen Kochplan für die nächsten Tage und kalkulieren Sie dabei die Lebensmittel, die noch im Kühlschrank sind, mit ein.

26 Mein Lieblingsgericht

MEIN DOSSIER

Welches Gericht mögen Sie persönlich gern? Können Sie dieses auch selber zubereiten? Kleben Sie ein Foto davon ein und beschreiben Sie, wie Sie es zubereiten.

AUSSPRACHE: Der Konsonant *h*

1 Der Hauchlaut *h*

46 CD1AB

a Welches Wort hören Sie? Markieren Sie.

1	☐ in	☐ hin
2	☐ Hort	☐ Ort
3	☐ herbe	☐ Erbe
4	☐ Hund	☐ und
5	☐ Halle	☐ alle
6	☐ offen	☐ hoffen

47 CD1AB

b Hören Sie die Sätze und sprechen Sie nach.

1 Halbstarke haben immer Hunger.
2 Herr oder Hund?
3 Wer holt heute die Kinder vom Hort ab?

48 CD1AB

c Hören Sie den Zungenbrecher erst langsam dann immer schneller. Sprechen Sie dann nach.

Hinter Hermann Hannes Haus
hängen hundert Hemden raus.
Hundert Hemden hängen raus
hinter Hermann Hannes Haus.

2 Das Dehnungs-*h*

49 CD1AB

a Am Ende einer Silbe macht ein *h* einen Vokal lang. Hören Sie und sprechen Sie nach.

1 führen 2 aufziehen 3 Bahn 4 fehlen 5 rühren 6 zählen

50 CD1AB

b In welchen Wörtern hören Sie das *h*? Markieren Sie.

1 ☐ Tierhaltung
2 ☐ Haltbarkeit
3 ☐ hinweisen
4 ☐ Nährstoff
5 ☐ Kohlensäure
6 ☐ roh
7 ☐ Herkunft
8 ☐ verzehren

51 CD1AB

c Hören Sie die Sätze und sprechen Sie nach.

1 Passen grüne Bohnen zum Huhn?
2 Was nehmen Sie mit, wenn Sie wandern gehen?
3 Wir sollten mehr Rohkost essen.

3 Partnerdiktat

Diktieren Sie Ihrer Lernpartnerin / Ihrem Lernpartner Teil 1 oder Teil 2 der Übung. Wer das Diktat schreibt, schließt das Buch.

1

Kartoffeln waren in der Generation meiner Eltern ein wichtiges Grundnahrungsmittel. Jeder aß fast täglich welche. Mehrere tausend Kilo im Jahr wurden verzehrt. Fast alle traditionellen Gerichte hatten sie als Beilage. Heute konsumieren wir mehr Nudeln und Reis als Kartoffeln.

2

Der Konsum von Bier ist in Deutschland wirklich sehr hoch. In meiner Familie kommt da aber nicht so viel zusammen. Wir trinken höchstens bei einem Fest mal ein Glas Bier. Dafür gibt es bei uns ab und zu mal ein Glas „Heurigen", so heißt bei uns in Wien der Wein aus dem aktuellen Jahr.

EINSTIEGSSEITE, S. 105

der Durchschnitt

konsumieren

LESEN 1, S. 106–107

der Beweggrund, ¨-e
die Debatte, -n
das Entwicklungsland, ¨-er
das Gewissen (Sg.)
die Mangelerscheinung, -en
die Massentierhaltung, -en
der Mineralstoff, -e
der Nährstoffmangel, ¨-
der Organismus, die Organismen
die Pfanne, -n
die Tendenz, -en
die Übersicht, -en
der Veganer, -
der Vegetarier, -
der Verzicht (Sg.)
das Vitamin, -e
das Wirtschaftswunder, -

hinweisen auf (+ Akk.), wies hin, hat hingewiesen
verzehren
verzichten auf (+ Akk.)
jemandem etwas zufügen

in vollem Gange sein
tabu sein

ethisch
genussorientiert
vegetarisch

laut (+ Dat.)
zufolge (+ Dat., nachgestellt)

HÖREN, S. 108

schlemmen
würzen
zubereiten

aromatisch
exotisch
genussvoll
lecker
molekular
relativ

SPRECHEN 1, S. 109

der Anlass, ¨-e
der Puderzucker (Sg.)
die Zutat, -en

schälen

reihum

WORTSCHATZ, S. 110–111

der Bestandteil, -e
der Busch, ¨-e
das Gemüse (Sg.)
die Gemüsesorte, -n
die Kammer, -n
das Kohlenhydrat, -e
die Kohlensäure (Sg.)
die Konsistenz, -en
die Mikrowelle, -n
der Strauch, ¨-er
die Vielfalt (Sg.)

anbauen
erzeugen
verschwenden

ertragreich
prickelnd
roh

SCHREIBEN, S. 112–113

die Abbildung, -en
das Aroma, die Aromen
die Entschädigung, -en
das Konzentrat, -e
die Mindesthaltbarkeit (Sg.)
die Täuschung, -en
die Verpackung, -en
der Widerspruch, ¨-e

auflisten

in die Irre führen
einer Bitte nachkommen, kam nach, ist nachgekommen

allergisch
schlüssig

meines Erachtens

LESEN 2, S. 114–115

die Abfalltonne, -n
der Ablauf, ¨-e
die Studie, -n
die Tonne, -n (Maßeinheit)
der Überfluss (Sg.)
der Umgang (Sg.)
das Verfallsdatum, -daten
die Verunsicherung, -en
die Verschwendung (Sg.)
der Vorrat, ¨-e

sich etwas leisten
überschreiten, überschritt, hat überschritten
vernichten
verwirren

genießbar
verderblich
vermeidbar

SPRECHEN 2, S. 116

das Nutztier, -e

aufmerksam machen auf (+ Akk.)
etwas spricht einen an, sprach an, hat angesprochen

maßvoll

SEHEN UND HÖREN, S. 117

jemandem etwas überlassen, überließ, hat überlassen

bedürftig

LEKTIONSTEST 8

1 Wortschatz

Ergänzen Sie.

☐ Mindesthaltbarkeitsdatum • ☐ verzehren • ☐ überschritten • ☐ verzichten • ☐ Verpackung • ☐ vernichten

Man kann Lebensmittel, bei denen das (1) abgelaufen ist, häufig noch verwenden. Allerdings sollte man sich davon überzeugen, dass sie noch genießbar sind. Bei untypischem Aussehen, Geruch oder Geschmack sollte man darauf (2), sie zu konsumieren. Wenn das Verfallsdatum (3) ist, dürfen bestimmte Lebensmittel nicht mehr verkauft werden und man sollte sie nicht mehr (4). Wenn die Angaben auf der (5) immer beachtet werden würden, würde man nicht so viele Lebensmittel (6).

Je 1 Punkt **Ich habe ______ von 6 möglichen Punkten erreicht.**

2 Grammatik

a **Schreiben Sie Sätze mit *sollen* in der Gegenwart und Vergangenheit auf ein separates Blatt.**

1 Angeblich gibt es inzwischen auch vegetarische Hamburger.
2 Es heißt, dass diese Hamburger wirklich gut schmecken.
3 Der Boxer McTybone hat seinen Salat früher selbst angebaut, das schreibt eine Zeitung.
4 Ich habe gelesen, dass Leonardo da Vinci, Franz Kafka und Albert Einstein Vegetarier waren.

Je 2 Punkte **Ich habe ______ von 8 möglichen Punkten erreicht.**

b **Bilden Sie aus den Verben in Klammern die entsprechenden Nomen mit Artikel, wo nötig, und markieren Sie, was passt.**

1 Paprika ist nicht nur ein Gemüse, sondern auch ______ tolles ______ (würzen). *Auch wenn / Wenn / Sofern* es sehr scharf sein kann, verwende ich es zum ______ (kochen).
2 *Trotz / Selbst / Obgleich* bei nur kleinen Makeln werden viel zu viele Lebensmittel weggeworfen, das ist ______ große ______ (verschwenden).
3 *Obwohl / Wenn / Falls* die Espresso-Kapseln nicht ganz umweltschonend sind, finde ich diese Espressomaschine super. ______ ______ (herstellen) gibt sogar 5 Jahre Garantie darauf. Nach ______ ______ (ablaufen) der Frist hat man aber keinen Anspruch auf Ersatz.
4 *Wegen / Bei / Trotz* des guten Wetters hatten wir keine gute Apfel______ (ernten).

Je 1 Punkt **Ich habe ______ von 10 möglichen Punkten erreicht.**

3 Kommunikation

Ordnen Sie zu.

A Die Idee eines Projekts darlegen
B Den Ablauf des Projekts schildern
C Die Zuhörer um ein Feedback zu dem Projekt bitten

☐ *Hier sehen Sie ein Beispiel, wie man Gemüse im eigenen Garten oder auf dem Balkon selbst anpflanzen kann.* • ☐ *Unserer Meinung nach gibt es zu wenig Bewusstsein für die Produktion gesunder Lebensmittel.* • ☐ *Wir möchten Ihnen jetzt zeigen, wie das Projekt funktionieren könnte.* • ☐ *Ihre Meinung zu diesem Projekt würde uns sehr interessieren.* • ☐ *Denken Sie, dass diese Aktion Erfolg hätte?* • ☐ *Die Idee, gesundes Gemüse selbst zu produzieren, hat uns sehr angesprochen.*

Je 1 Punkt **Ich habe ______ von 6 möglichen Punkten erreicht.**

Auswertung: Vergleichen Sie Ihre Lösungen mit S. AB 209.
Ihre Erfolgspunkte tragen Sie unter jeder Aufgabe ein.

Ich habe ______ von 30 möglichen Punkten erreicht.

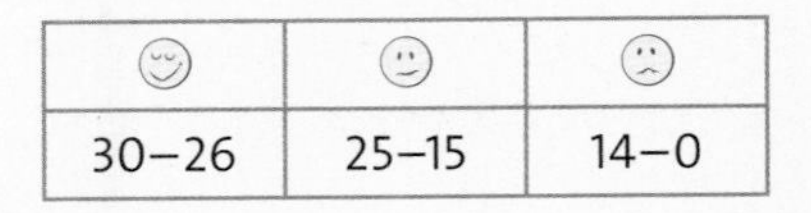

☺	☺	☹
30–26	25–15	14–0

WIEDERHOLUNG WORTSCHATZ

1 Rund ums Studium

Welches Verb passt nicht? Streichen Sie durch.

1 Termine — *beachten – ~~behandeln~~ – bekannt geben – bestätigen*
2 Studienwunsch — *realisieren – sich erfüllen – vorhaben – formulieren*
3 Studienfach — *wählen – verwechseln – wechseln – sich verschlechtern in*
4 Studierende — *beraten – kündigen – unterstützen – begrüßen*
5 ein Stipendium — *beantragen – erhalten – sich bewerben um – schaffen*
6 Studieninhalte — *sich konzentrieren auf – beweisen – sich beschäftigen mit – zusammenfassen*

zu Wortschatz, S. 120, Ü2

2 Manche tun's ein Leben lang ... ÜBUNG 1, 2

WORTSCHATZ

Ergänzen Sie *lernen, lehren, studieren* oder *unterrichten* in der richtigen Form.

1 „Man lernt nicht für die Schule, sondern fürs Leben", sagt ein bekanntes Sprichwort.
2 Wer später Lehrer werden möchte, muss in Deutschland ein Lehramtsstudium absolvieren. Man ______ meist zwei Fächer, die an Schulen ______ werden.
3 An einer Universität gibt es zwei Tätigkeitsbereiche – einerseits wird nach neuen Erkenntnissen geforscht, andererseits wird Wissen vermittelt, es wird also ______.
4 Wer in einem nicht-deutschsprachigen Land aufgewachsen ist, muss natürlich vor einem Studium auf Deutsch erst einmal die Sprache sehr gut ______.
5 Als Studienanfänger muss man zuerst das Vorlesungsverzeichnis ______, also genau ansehen, und seine Veranstaltungen heraussuchen.
6 Gute Professoren gestalten ihre ______veranstaltungen anregend, sodass die Studierenden interessiert und aufmerksam zuhören und eventuell auch mitdiskutieren.

zu Wortschatz, S. 120, Ü2

3 Was macht man alles im Studium?

HÖREN

CD1 AB 52

Hören Sie ein Interview und lesen Sie die Aussagen. Was ist richtig? Markieren Sie.

1 Lea möchte mit einem Studenten über ihr Studium sprechen. ☐
2 Sie befragt einen Studenten der Kommunikationswissenschaft. ☐
3 Er studiert das Fach aus Interesse an den Inhalten. ☐
4 Die Studierenden können sich die Lehrveranstaltungen generell nicht selbst aussuchen. ☐
5 Die Uni-Woche des Studenten ist sehr voll. ☐
6 Er hat keine Zeit, sich neben dem Studium noch etwas Geld zu verdienen. ☐
7 Er findet es gut, dass das Wissen immer wieder in Klausuren abgeprüft wird. ☐
8 Er hat in den Semesterferien einmal ein interessantes Praktikum gemacht. ☐
9 Momentan sucht er Fachliteratur für seine Abschlussprüfungen. ☐
10 Er kommt sowohl mit seinen Kommilitonen als auch mit den Dozenten gut aus. ☐

zu Wortschatz, S. 120, Ü2

4 Interview mit einem Studenten ÜBUNG 3, 4, 5

WORTSCHATZ

a **Lesen Sie einige Aussagen des Studenten aus dem Interview in Übung 3. Ergänzen Sie die passenden Wörter aus der rechten Spalte.**

Ich wusste schon gleich nach dem Abitur, dass es bei mir auf Kommunikationswissenschaft (1) hinausläuft, weil mich Politik und Medien beziehungsweise ______ (2) schon immer sehr interessiert haben. Und dann habe ich mich an der Uni Bremen um einen ______ (3) beworben und habe auch gleich einen bekommen.

In jedem Semester gibt es einige ______ (4), die man verpflichtend besuchen muss, manche kann man aber auch noch selbst auswählen. Ich habe mich für verschiedene ______ (5), Seminare und Übungen entschieden, die mich interessiert haben. Dann habe ich mir einen ______ (6) zusammengestellt. Der ist ganz schön voll geworden.

Vorlesungen
Studienplatz
Stundenplan
~~Kommunikationswissenschaft~~
Lehrveranstaltungen
Journalismus

Ja, wenn man sein Studium ernst nimmt, ist es schon viel Arbeit, aber es macht auch Spaß. Wenn wir nur nicht dauernd so umfangreiche Klausuren ______ (7) müssten! Und in den Semesterferien, also in der ______ (8) Zeit, hat man natürlich auch nicht wirklich frei. Da muss man dann Seminararbeiten ______ (9) und auch mal ein längeres Praktikum ______ (10). Ich war letzten Sommer zwei Monate in der Redaktion einer Online-Zeitschrift. Das war total ______ (11)!

verfassen
spannend
absolvieren
schreiben
vorlesungsfreien

Ich gehe jetzt gleich in die Unibibliothek und suche ______ (12) für ein ______ (13). In den Fachbüchern und in seriösen Quellen im Internet suche ich Artikel zu meinem ______ (14) „Wohin steuert die Generation web 2.0?" Besonders interessante und relevante ______ (15) schreibe ich dann heraus und zitiere sie. Zusätzlich zu dem Referat in zwei Wochen schreibe ich in den Semesterferien darüber dann noch eine ______ (16).

Referat
Seminararbeit
Fachliteratur
Thema
Informationen

52 CD AB b **Hören Sie das Interview noch einmal und vergleichen Sie.**

zu Wortschatz, S. 120, Ü2

5 Univeranstaltungen

LESEN

a **Ergänzen Sie die Begriffe.** Das Seminar • Die Vorlesung • Die Übung

1 ______ steht für eine Lehrveranstaltung, die (meist) in einem größeren Hörsaal stattfindet. Eine Dozentin oder ein Dozent trägt ein Thema aus einem Fachgebiet vor. Die Hörerinnen und Hörer schreiben das Wichtigste in Stichworten mit. Diese Lehrveranstaltungen sind nützlich, wenn es darum geht, Orientierung und Überblick in einem Fachgebiet zu gewinnen. Im Anschluss an die Veranstaltung sollte das Gehörte und Mitgeschriebene vertieft werden, z. B. durch weitere Lektüre der angegebenen Literatur usw. 5

[2] ______________ ist eine Lehrveranstaltung, bei der die Eigenaktivität der Studierenden gefragt ist. Angeleitet von Dozierenden sollen die Studierenden ihre Kenntnisse, Fertigkeiten und Fähigkeiten in einem Fachgebiet erweitern und vertiefen und dabei Methoden wissenschaftlichen Arbeitens anwenden. Im Gegensatz zur Vorlesung stehen hier nicht der Vortrag eines Dozierenden im Mittelpunkt, sondern verschiedene Arbeitsformen wie Referate, Diskussionen, Gruppenarbeiten usw. In dieser Lehrveranstaltung hält man ein Referat und verfasst eine schriftliche Hausarbeit. 10

[3] ______________ wird von einem wissenschaftlichen Mitarbeiter (meist Doktoranden) des Lehrstuhls gehalten. Der Stoff der Vorlesungen wird hier anhand von Aufgaben vertieft und in die Praxis umgesetzt. 15

b **In welcher Veranstaltung macht man was? Manchmal passen mehrere Antworten. Ergänzen Sie.**

1 Die Studierenden beteiligen sich aktiv: ______________
2 Man hört einem Vortragenden zu: ______________
3 Man wendet den gehörten Stoff praktisch an: ______________
4 Man vertieft Fachwissen und schreibt eine wissenschaftliche Arbeit: ______________

zu *Wussten Sie schon?*, S. 121

6 Informationen zu den ECTS-Punkten

LANDESKUNDE / LESEN

Lesen Sie Sebastians E-Mail und bringen Sie die Sätze in die richtige Reihenfolge.

Hallo Tim,

schön, wieder mal von Dir zu hören bzw. zu lesen!

☐ Wenn man ein Auslandssemester einlegt, kann man sich natürlich die dort erhaltenen Punkte auch anrechnen lassen, eventuell sogar den Sprachkurs, den man dafür absolviert.

☐ Nun willst Du wissen, wie das mit dem Sammeln der ECTS-Punkte funktioniert? Dann versuche ich mal, das einigermaßen verständlich zu erklären, denn für mich war das am Anfang meines Studiums auch ein großes Rätsel.

[1] Es freut mich auch, dass Du Dein Abitur so gut bestanden hast und jetzt Architektur studieren willst.

☐ Also, das Wichtigste ist, dass Du pro Semester 30 Punkte zusammenbekommst, damit Du nach 3 Jahren Bachelor-Studium auf 180 Punkte kommst.

☐ Grundlage für die Berechnung dieser Punkte ist die Zeit, die man im Durchschnitt investiert, sprich – der Arbeitsaufwand, den man hat. Natürlich muss man die in der Zeit vorgesehenen Prüfungen bestehen.

☐ Wenn Du noch mehr wissen möchtest oder ich Dir irgendwie helfen kann, dann ruf an! Mach's gut und grüß mir Onkel Fred und Tante Sandra!

☐ Für bestandene Prüfungen bekommst Du beispielsweise eine bestimmte Punktzahl, genauso wie für Seminararbeiten, die ja meist sehr arbeitsintensiv sind. Wie viele Punkte man wofür erhält, ist natürlich genau festgelegt, da musst Du Dich im Einzelnen für Deinen Fachbereich erkundigen.

Liebe Grüße
Sebastian

zu Lesen, S. 123, Ü3

7 Deutsches Wort oder Internationalismus? ÜBUNG 6 WORTSCHATZ

Ergänzen Sie in der richtigen Form.

1 Eine Universität nennt man auch eine Hochschule.
2 Jüngere Unis befinden sich meist auf einem Campus, das heißt, es gibt ein großes ________ mit Universitätsgebäuden.
3 Größere Universitäten haben mehrere Fachbereiche wie Medizin, Jura, Naturwissenschaften, Sprach- und Literaturwissenschaften etc. Man nennt sie auch ________.
4 Bachelor und Master sind die beiden ________, die man an einer Hochschule erhalten kann.
5 Wer einen Doktortitel erwerben will, muss eine ________ schreiben.
6 In einem Research Department wird ________ betrieben.
7 Das Büro für ________ aus anderen Ländern heißt International Office.

zu Lesen, S. 124, Ü4

8 Konsekutive Zusammenhänge GRAMMATIK ENTDECKEN

a **Ergänzen Sie.**

sodass • infolge • ~~so ... dass~~ • folglich/infolgedessen

1 Das neue Universitätsgelände ist so groß, dass sich einige Studierende am Anfang verlaufen.	Nebensatzkonnektor (zweiteilig)
2 Das neue Universitätsgelände ist sehr groß, ________ sich einige Studierende am Anfang verlaufen.	Nebensatzkonnektor (einteilig)
3 Das neue Universitätsgelände ist sehr groß. ________ verlaufen sich einige Studierende am Anfang.	Hauptsatzkonnektor
4 ________ der Größe des neuen Universitätsgeländes verlaufen sich einige Studierende am Anfang.	Präposition + Genitiv

b **Verbinden Sie die beiden Sätze mit den Konnektoren und der Präposition aus a.**

Einige große Hochschulen bieten viele verschiedene Studiengänge an.
Den Studienanfängern fällt die Auswahl oft schwer.

1 Einige große Hochschulen bieten so viele ________

2 ________

3 ________

4 ________ des großen Angebots an verschiedenen Studiengängen ________

zu Lesen, S. 124, Ü4

9 Möglichkeiten im Studium

GRAMMATIK

Ergänzen Sie *folglich/infolgedessen, infolge, so ..., dass* oder *sodass*.

Infolge (1) der Einführung der Bachelor- und Masterstudiengänge in den europäischen Ländern hat sich im Studienablauf einiges verändert. Die Magister- oder Diplomstudiengänge wurden Anfang der 2000er-Jahre nach und nach an allen deutschsprachigen Hochschulen abgeschafft, ______ (2) jetzt fast alle Studierenden europaweit nach dem gleichen System studieren. Bei ausreichenden Sprachkenntnissen können Studierende während des Studiums an eine Universität in einem anderen Land wechseln. ______ (3) ist die Zahl der ausländischen Studierenden in vielen Ländern gestiegen.

Auf der anderen Seite gibt es sogar innerhalb Deutschlands in den verschiedenen Bundesländern oft große Unterschiede im Aufbau einzelner Studiengänge. ______ (4) ist es immer noch kompliziert, die gleiche wissenschaftliche Disziplin in einem anderen Bundesland oder im Ausland zu studieren. Begrüßenswert wäre, wenn ______ (5) einer universitätsübergreifenden Zusammenarbeit einzelner Fakultäten die Studierenden problemlos ein Semester in einem anderen Bundesland oder im Ausland verbringen könnten. Die Erfahrungen, die junge Menschen auf diese Weise sammeln können, sind ______ (6) kostbar, ______ (6) möglichst viele Studierende sie machen sollten.

zu Lesen, S. 124, Ü4

10 Das folgt daraus ÜBUNG 7, 8, 9

GRAMMATIK

Schreiben Sie die Sätze neu mit den Wörtern in Klammern.

1 Infolge hoher Studentenzahlen an manchen Universitäten können sich die Lehrenden nicht ausreichend um die Studierenden kümmern. *(Folglich)*
2 Einige junge Menschen sind vielseitig begabt. Infolgedessen finden sie es schwierig, sich nur auf eine Sache festzulegen. *(so ..., dass ...)*
3 Die Zuwanderung von Akademikern in die deutschsprachigen Länder ist gering, sodass zusätzlich Spitzenforscher aus Nicht-EU-Ländern angeworben werden. *(Infolge)*
4 In manchen Fachbereichen promovieren Doktoranden so lange, dass sie erst mit Ende zwanzig ihren Doktortitel erhalten. *(Infolgedessen)*
5 Europa ist auf dem Weg zu einem einheitlichen Ausbildungssystem. Folglich wird für viele Menschen die Anerkennung der Studienleistungen und der Abschlüsse leichter. *(sodass)*

1 Die Studentenzahlen an manchen Universitäten sind hoch. Folglich ...

zu Sprechen 1, S. 125, Ü1

11 Auf dem Campus wohnen oder nicht? ÜBUNG 10

KOMMUNIKATION

a **Sammeln Sie jeweils vier Argumente, die für (pro) oder gegen (kontra) das Wohnen auf dem Campus der Universität sprechen.**

Pro-Argumente	Kontra-Argumente
– man ist ganz in der Nähe der Uni-Gebäude – ...	– man ist nur unter Studierenden – ...

b **Schreiben Sie ein Gespräch zwischen den Studierenden Lara und Martin. Verwenden Sie die Redemittel im Kursbuch, S. 125. Martin plädiert für das Wohnen auf dem Unicampus, Lara ist dagegen.**

zu *Wussten Sie schon?*, S. 125

12 Man spricht Deutsch

LANDESKUNDE / LESEN

Lesen Sie den Artikel. Welche Aussagen sind richtig? Markieren Sie.

1 Man kann an über 700 Universitäten in nicht-deutschsprachigen Ländern auf Deutsch studieren. ☐
2 Deutsche Studierende interessieren sich sehr für exotische Studienorte. ☐
3 Nach Österreich oder in die Schweiz gehen sie häufig deshalb, weil es leichter ist, dort einen Studienplatz zu bekommen. ☐
4 In der Schweiz findet man sehr gute Studienbedingungen vor. ☐
5 Die österreichischen Universitäten sehen den Andrang deutscher Studenten meist positiv. ☐
6 Ausländer müssen in den Eignungstests, wie zum Beispiel fürs Medizinstudium, besser sein als Einheimische. ☐
7 Wer in Österreich nicht angenommen wird, dem bieten sich noch viele andere Möglichkeiten. ☐

Sprachhürde Ade!

Studieren in China? In Russland? In Finnland? Viele deutsche Studierende haben die Vorstellung, dass ihre Sprachkenntnisse nicht ausreichen, und scheuen deshalb solche exotischen Studienorte. Dabei gibt es rund um den Globus über 700 Studiengänge in deutscher Sprache.

Österreich und die Schweiz gehören längst zu den Lieblingszielen deutscher Hochschul-Immigranten. Angelockt werden deutsche Studierende von den häufig sehr guten Studienbedingungen und den weniger strikten Zulassungsregelungen. So findet, wer sich erst einmal an das Schwyzerdütsch gewöhnt hat, in der Schweiz ein wahres Studienparadies: Die Alpenrepublik lockt deutsche Studierende mit moderaten Studiengebühren, großem Seminarangebot sowie guter Betreuung und erstklassiger technischer Ausstattung. Auch Österreich ist für Deutsche attraktiv – ganz besonders im Bereich Medizin: In Deutschland gibt es nämlich, gerade in den begehrteren Studienfächern, die sogenannte Numerus-Clausus-Regelung (= NC), die nur Abiturienten mit einem bestimmten Notendurchschnitt zum Studium zulässt. Diese unliebsame Regelung gibt es in Österreich nicht, dafür einen Eignungstest.

Kampf der „Piefke-Schwemme"

Der Ansturm deutscher NC-Flüchtlinge auf österreichische Universitäten ist daher groß. Mit Quoten-Regelungen versucht Österreich, seine Unis vor der „Piefke-Schwemme" – Piefkes werden die Deutschen in Österreich nicht immer ganz schmeichelhaft genannt – zu schützen. Sogar bei den Eignungstests für das Medizinstudium in Österreich wird mit zweierlei Maß gemessen: Ausländische Studierende benötigen mehr Punkte als Österreicher. Statt NC hält das Studium beim österreichischen Nachbarn also eine andere Hürde bereit – den „Numerus austriacus", wie es boshaft in den Medien heißt.

Von Absatzwirtschaft bis Zahnmedizin: im Ausland und auf Deutsch

Was viele allerdings in Bezug auf die Unterrichtssprache nicht wissen: Auch in zahlreichen Ländern, in denen normalerweise kein Deutsch gesprochen wird, gibt es Studiengänge in deutscher Sprache: Medizin in Ungarn, Kunst in China und Mathe in Manchester – kein Problem. Allein das Fach Betriebswirtschaft kann an über 40 verschiedenen renommierten Hochschulen in deutscher Sprache studiert werden. Ansonsten reicht das Angebot von Absatzwirtschaft über Journalistik und Maschinenbau bis zu Zahnmedizin – lauter Möglichkeiten, wichtige Auslandserfahrung zu sammeln und trotzdem Vorlesungen und Prüfungen in der Muttersprache zu absolvieren.

zu Schreiben, S. 126, Ü2

13 Das formuliert man anders

SCHREIBEN

a Lesen Sie den Brief. Wer schreibt an wen? Warum?

b Markieren Sie in dem Brief unpassende bzw. umgangssprachliche Formulierungen und ersetzen Sie sie durch die Textteile unten.

Derzeit befinde ich mich im dritten Semester im Fach Betriebswirtschaft • konnte ich bereits einen ersten Eindruck über das Studium in Graz erhalten. • waren vor allem von den Studienbedingungen an Ihrer Universität beeindruckt. • den Veranstaltungen an Ihrer Fakultät gut folgen kann. • Über eine Zusage für das Stipendium würde ich mich sehr freuen. • ~~möchte ich mich um ein Erasmusstipendium an Ihrer Universität bewerben.~~ • zusätzlich meine Deutschkenntnisse vertiefe,

Enrico Sanchez, Calle Ramón de Perellos 25, 90786 Valencia, Spanien
E-Mail: Enricsan@googlemail.es

Motivationsschreiben für ein Erasmusstipendium an der Universität Graz

Sehr geehrte Damen und Herren,

als Student der Universität Valencia (Spanien) ~~wäre es ganz nett, von Ihnen ein Stipendium für ein Semester an Ihrer Uni zu bekommen.~~ möchte ich mich um ein Erasmusstipendium an Ihrer Universität bewerben.

Ich bin sogar schon im dritten Semester BWL und möchte vor meinem Bachelor-Abschluss gern ein Semester an einer deutschsprachigen Universität studieren.

Einige meiner Kommilitonen verbrachten bereits ein Erasmussemester in Graz und fanden es ziemlich cool und chillig. Durch ihre Berichte und den Internetauftritt der Universität weiß ich schon ein bisschen, was an der Uni so abläuft.

Da ich seit einigen Jahren immer mal wieder etwas Deutsch lerne, verfüge ich inzwischen über das Sprachniveau B2. In einem speziellen Kurs mache ich mich gerade mit den wichtigsten fachsprachlichen Grundlagen für mein Studium vertraut, damit ich dann auch alles einigermaßen verstehe.

Es wäre super, wenn ich das Stipendium kriegen würde!

Mit freundlichen Grüßen

Enrico Sanchez

Anlagen: Zeugniskopien, Lebenslauf, Studienbescheinigungen

zu Schreiben, S. 127, Ü3

14 Was die Universität Fribourg/Freiburg bietet ÜBUNG 11 LESEN

Lesen Sie den Ankündigungstext über das Angebot einer Schweizer Universität und beantworten Sie die folgenden Fragen.

1 Für wen sind die sogenannten „Starting Days" gedacht? ______

2 Welche Ziele werden genannt? ______

3 Was ist das Besondere an dieser Veranstaltung? ______

STARTING DAYS

UNIVERSITÉ DE FRIBOURG / UNIVERSITÄT FREIBURG

Was bieten diese Tage?

Vor Beginn des Studiums über die Studienwahl nachdenken, einen ersten Eindruck gewinnen, ent-
5 decken, was sich alles mit dem Studium verbindet ... So werden Sie nicht vom Studienalltag, der auf Sie zukommt, überrollt, sondern können sich mit dem Studentenleben schon etwas vertraut machen, frei und souverän mit den gebotenen Möglichkeiten umgehen – zu Ihrem persönlichen Gewinn und beruflichen Nutzen.
Eine Entdeckungsreise, die Sie einen grossen* Schritt weiterbringen wird – in Bezug auf die eigene
10 Studienwahl und die Institution Universität, die die kommenden Jahre wesentlich mitbestimmen wird. In entspannter Atmosphäre Kontakte zu anderen StudienanfängerInnen knüpfen, mit ProfessorInnen verschiedener Fakultäten und weiteren Universitätsangehörigen ins Gespräch kommen.

Wer organisiert die „Starting days"?

Die „Starting days" sind ein gesamtuniversitäres Projekt und
15 werden von verschiedenen universitären Einrichtungen getragen.

Wo finden sie statt?

Ausserhalb der Universität in La Part-Dieu, idyllisch gelegen in der Nähe von Bulle. Die aussergewöhnliche Umgebung schafft eine lockere Atmosphäre, in der man leicht neue Freundschaften
20 schliessen kann.

zu Schreiben, S. 127, Ü3

15 Feste Verbindungen von Nomen mit Verben GRAMMATIK ENTDECKEN

Unterstreichen Sie alle Verbindungen von Nomen mit Verben in Übung 14 und ergänzen Sie.

1 einen ersten Eindruck gewinnen,

2 ______ Schritt ______

3 Kontakte ______

4 ______ Gespräch ______

5 Freundschaften ______

* Hier wurde die schweizerdeutsche Orthografie beibehalten.

zu Schreiben, S. 127, Ü3

16 Was bringt ein Praktikum?

GRAMMATIK

Welches Verb passt in den festen Verbindungen von Nomen mit Verben? Markieren Sie.

1 In vielen Studiengängen muss man heutzutage auch ein 3–6-monatiges Praktikum
☐ *abgeben.* ☐ *haben.* ☐ *absolvieren.*

2 Um im Praktikum sinnvoll eingesetzt zu werden, muss man über gewisse Fachkenntnisse
☐ *verfügen.* ☐ *verstehen.* ☐ *haben.*

3 Dann kann man sich in einer Firma nämlich praktische Grundlagen
☐ *vertiefen.* ☐ *aneignen.* ☐ *verbessern.*

4 Das kann die Chancen bei der Arbeitsplatzsuche durchaus
☐ *verbessern.* ☐ *bessern.* ☐ *bringen.*

zu Schreiben, S. 127, Ü3

17 Mehrere Möglichkeiten ÜBUNG 12, 13, 14

GRAMMATIK

a **Welches Verb passt nicht? Streichen Sie durch.**

1 (einen) Eindruck	*machen (auf) – zeigen (von) – gewinnen (von) – hinterlassen (bei)*
2 jemanden zur Verantwortung	*ziehen – stellen*
3 eine Entscheidung	*machen – treffen – fällen*
4 eine Meinung	*vertreten – sein – haben – äußern*
5 einer Meinung	*sein – haben*
6 einen Vortrag/eine Rede	*ausarbeiten – halten – geben*
7 eine Frage	*stellen – fragen – haben*
8 Kenntnisse	*sich aneignen – wissen – vertiefen – vermitteln*
9 die Verantwortung	*tragen (für) – übernehmen (für) – übertragen (auf jdn.) – bringen (zu)*

b **Zu welchen festen Verbindungen von Nomen mit Verben gibt es einfache Verben? Notieren Sie und formulieren Sie dazu jeweils einen Satz.**

1 Eindruck machen auf jemanden = jemanden beeindrucken
Der neue Professor hat in seiner Vorlesung Eindruck auf die Studierenden gemacht.
Der neue Professor hat die Studierenden in seiner Vorlesung beeindruckt.

zu Hören, S. 128, Ü1

18 Den Lebensunterhalt finanzieren ÜBUNG 15, 16

WORTSCHATZ

Was kann man noch sagen? Ordnen Sie zu.

1 die Lebenshaltungskosten umfassen — F
2 man verfügt über Nebeneinkünfte
3 man kann mit Geld umgehen
4 man kommt über die Runden
5 man verschafft sich einen Überblick
6 man wendet sich an einen Stipendiengeber
7 man hat andere Einnahmequellen
8 man rechnet mit Unterstützung

A man verdient sich etwas Geld dazu
B man versucht, von einer öffentlichen Stelle (finanzielle) Unterstützung zu bekommen
C man denkt, dass einem jemand hilft
D man findet heraus, wie alles abläuft
E man gibt sein Geld sinnvoll aus
F die monatlichen Ausgaben sind
G man hat gerade so viel Geld, dass es reicht
H man bekommt von verschiedenen Seiten Geld

zu *Wussten Sie schon?*, S. 128

19 Was das Studentenleben kostet

LESEN

Lesen Sie den Infotext. Welche Aussagen sind richtig? Markieren Sie.

1 Als Student hat man ☐ *großen* ☐ *nicht so viel* ☐ *überhaupt keinen* Einfluss auf die Höhe der Lebenshaltungskosten.
2 Die Mietkosten sind in großen Städten höher. Dafür hat man in einer kleineren Stadt ☐ *bessere* ☐ *genauso gute* ☐ *nicht so viele* Möglichkeiten, nebenbei Geld zu verdienen.
3 Laut Statistik geben deutsche Studierende im Durchschnitt ☐ *knapp die Hälfte* ☐ *gut die Hälfte* ☐ *circa ein Drittel* für Wohnen und Essen aus.

Die Lebenshaltungskosten während des Studiums hängen natürlich unter anderem vom Lebensstil ab. Doch Faktoren wie Mietpreise, Kosten für Ernährung und Krankenversicherung kann man persönlich nicht beeinflussen. Sparsam mit dem umzugehen, was man zur Verfügung hat, genügt also nicht allein, um einigermaßen über die Runden zu kommen!
5 Auf der Ausgabenseite fällt für Studierende vor allem die Miete ins Gewicht. Allerdings gibt es innerhalb Deutschlands zum Teil große Unterschiede: In den großen Städten München, Hamburg oder Köln sind die Mietpreise am höchsten. Dort zahlen Studierende durchschnittlich 342 Euro Miete pro Monat. In Chemnitz, Dresden und Jena ist dagegen die Miete mit durchschnittlich 222 Euro im Monat am preiswertesten. Dafür findet man in großen
10 Städten meist leichter einen Nebenjob.

Wofür geben deutsche Studierende ihr Geld aus?
Deutsche Studierende verfügen im Durchschnitt monatlich über etwa 812 Euro und geben so viel aus für:

Miete (inkl. Nebenkosten)	298,– Euro
Ernährung	165,– Euro
Kleidung	52,– Euro
Fahrtkosten	82,– Euro

Krankenversicherung	66,– Euro
Telefon/Internet/TV-Gebühren	33,– Euro
Lernmittel (Bücher etc.)	30,– Euro
Freizeit, Kultur und Sport	68,– Euro
Summe	794,– Euro

Nicht eingerechnet sind hier die Semestergebühren. Internationale Studierende haben im
20 Schnitt deutlich weniger Geld zur Verfügung als ihre deutschen Kommilitonen.

zu Sprechen 2, S. 130, Ü2

20 Erfahrungen einer Erntehelferin

HÖREN

CD1AB 53

Hören Sie, was Miriam über ihren letzten Ferienjob erzählt. Lesen Sie die Fragen und antworten Sie in Stichworten.

1 Als was arbeitete Miriam in Südfrankreich? *als Erntehelferin bei* ____________
2 Was besichtigte sie am ersten Tag? ____________
3 Wie lange musste sie täglich arbeiten? ____________
4 Wie wurden die Trauben transportiert? *In großen* ____________
5 Wie viele Kilo Trauben erntete man pro Tag? ____________
6 Wer arbeitete außer den Studierenden noch als Erntehelfer? ____________
7 Welche Motivation hatte einer der Erntehelfer? ____________
8 Was bekam man außer Lohn noch für den Job? ____________

zu Sprechen 2, S. 130, Ü2

21 Weinlese in Carcassonne

KOMMUNIKATION

Lesen Sie nun, was Miriam über ihren Ferienjob erzählt und ergänzen Sie die Redemittel.

☐ Diese Arbeit war körperlich sehr anstrengend • ☐ Untergebracht waren wir • ☐ freie Kost und Logis • ☐ hat man sich gewöhnt • ☐ den man auf dem Rücken trug • ☐ die totale Entspannung vom stressigen Bürojob • ☒ als Erntehelferin bei der Weinlese gearbeitet • ☐ von morgens um acht bis abends um sechs • ☐ gar nicht so schlecht bezahlt

In den letzten Semesterferien habe ich in Südfrankreich (1). Zusammen mit drei Kommilitoninnen und Kommilitonen sind wir Mitte September dorthin gefahren. (2) in einem Weingut in der Nähe von Carcassonne. Nach einem Kennenlerntag mit Besichtigung der berühmten alten Festung ging es am zweiten Tag gleich mit dem vollen Arbeitspensum los: Wir ernteten (3) mit einer Stunde Mittagspause auf dem Weinberg Trauben, das heißt, wir mussten sie mit einem speziellen Rebmesser vom Weinstock abschneiden und in einen Eimer werfen, (4). Immer, wenn der Eimer voll war, leerte man die Trauben in einen riesigen Behälter. Man musste eigentlich 800 bis 1000 Kilo Trauben pro Tag schaffen, das war am Anfang fast nicht möglich. Aber nach ein paar Tagen kam ich täglich schon auf 850 Kilo. (5) und am Abend tat mir anfangs alles weh – der Rücken, die Beine, die Hände vom Schneiden mit der Schere. Aber auch daran (6). Weil man den ganzen Tag etwas zu tun hatte, sich aber auch mit den anderen Erntehelfern, die aus verschiedenen Ländern kamen, unterhalten konnte, verging die Zeit doch ziemlich schnell. Stell dir vor, außer Studenten aus ganz Europa gab es sogar Leute, die so einen Job als Alternativ-Urlaub machten. Sich körperlich anzustrengen und den Geist zur Ruhe kommen zu lassen, sagte einer der Erntehelfer – das sei für ihn (7). Unglaublich, aber das kann auch eine Motivation für so eine Arbeit sein. Ich wollte natürlich vor allem etwas Geld verdienen und mein Französisch wieder mal auffrischen und – es hat tatsächlich was, den ganzen Tag draußen und körperlich aktiv zu sein. Als Erntehelfer wurde man übrigens (8), und bekam außerdem (9).

zu Sprechen 2, S. 130, Ü2

22 Sich Geld im Studium verdienen ÜBUNG 17, 18

SCHREIBEN

a **Welche der beliebtesten Studentenjobs passen zu welchem Bereich? Manche Tätigkeiten passen mehrfach.**

Computer	
Gastronomie	
Lehre und Forschung	
Finanzen	6 Kassierer(in) im Einzelhandel
Pädagogik	
Umgang mit Waren	

Die beliebtesten Studentenjobs

1. Allgemeine Bürotätigkeiten
2. Kellner(in), Barkeeper(in)
3. Aushilfe in Produktion/Lager
4. Nachhilfelehrer(in)
5. Wissenschaftliche Hilfskraft (HiWi)
6. Kassierer(in) im Einzelhandel
7. Verkäufer(in) im Einzelhandel
8. Programmierer(in)
9. Buchhaltung

Quelle: univativ GmbH & Co. KG

b **Schreiben Sie mithilfe der Redemittel aus dem Kursbuch, S. 130, über eine Aushilfstätigkeit, einen Studenten- oder Ferienjob, den Sie einmal gemacht haben.**

Berichten Sie, ...
- welche Tätigkeiten Sie ausgeführt haben.
- wie lange Sie diese Arbeit gemacht haben.
- wie viel Sie dabei verdient haben.
- wie Sie den Job gefunden haben.
- ob Sie den Job weiterempfehlen würden.

zu Sehen und Hören, S. 131, Ü5

23 Unser erster Eindruck

LESEN

Lesen Sie die Kommentare einiger Studierender zum Universitätsbetrieb. Sind die Kommentare eher positiv (p) oder skeptisch/negativ (n)? Ergänzen Sie.

[p] 
Anja: Die Vorlesungen bei Professor Rieder sind für mich einfach unübertroffen! Niemand schafft es sonst, so mühelos komplexe Zusammenhänge darzustellen und dabei nicht im Geringsten zu langweilen. Auch die non-verbale Kommunikation zwischen ihm und den Studenten ist unglaublich!

[ ] **Viktor:** Ich fand die Einführungsveranstaltung im Fach Volkswirtschaft eher missglückt. Die Infos zu den einzelnen Vorlesungen und Seminaren waren zu detailliert und für Studienanfänger missverständlich. Vieles war meiner Meinung nach irrelevant.

[ ] **Marta:** Dass ich tatsächlich einen Studienplatz in Psychologie und noch dazu in Hamburg bekommen habe, scheint mir immer noch irgendwie irreal. Ich weiß, dass Studienplätze in diesem Fach besonders beliebt und schwer zu bekommen sind, und nach drei Absagen war ich schon fast desillusioniert, aber jetzt habe ich eine Glückssträhne.

[ ] 
Frank: Meine erste Arbeitsgruppe im Fach Philosophie war wohl ein bisschen atypisch, aber auf keinen Fall uninteressant: Der Tutor war ein absolut unkonventioneller Typ, der uns dauernd über sein Einsiedlerleben in den kanadischen Wäldern erzählte und uns ermuntern wollte, selbst einmal eine Zeit lang ein nonkonformistisches Leben auszuprobieren.

[ ] 
Emily: Heutzutage besteht das Studieren doch fast nur noch aus Prüfungsvorbereitung! Meiner Meinung nach führt das zu eher unkritischen und oft auch desinteressierten Studenten. Natürlich sollte ein Universitätsstudium nicht anspruchslos sein, aber zu viel Stress und Druck ist auf keinen Fall von Vorteil.

zu Sehen und Hören, S. 131, Ü5

24 Negation durch Vor- und Nachsilben bei Adjektiven

ÜBUNG 19, 20 GRAMMATIK

a **Markieren Sie die Adjektive mit Vor- oder Nachsilben in den Aussagen in Übung 23. Ergänzen Sie sie in der Tabelle unten.**

un-	unübertroffen	*a-*	
miss-		*des-*	
ir-		*non-*	
		-los	

b **Ordnen Sie die Adjektive aus a den passenden Synonymen zu.**

Adjektive auf *un-, miss-, ir-*		Adjektive auf *a-, des-, non-, -los*	
unübertroffen	am besten		ohne Interesse
	langweilig		unüblich
	unwirklich		ohne Anforderungen
	nicht gelungen		enttäuscht
	nicht gewöhnlich		ohne Anstrengung
	nicht zu glauben		unangepasst
	nicht wichtig		ohne Worte
	unklar		
	kritiklos		

c **Finden Sie weitere Adjektive mit den Vor- bzw. Nachsilben und ergänzen Sie sie in der Tabelle in a.**

25 Ein Vorbild

MEIN DOSSIER

Verfassen Sie einen kurzen Text über eine Person, deren Ausbildungsweg Sie besonders interessant finden und die für Sie in dieser Hinsicht ein Vorbild ist. Kleben Sie eventuell auch ein Foto ein. Schreiben Sie zum Beispiel:

- welche Berufsausbildung bzw. welches Studium diese Person absolvierte.
- wie sie/er zu ihrem jetzigen Beruf fand.
- warum sie/er erfolgreich wurde.
- was Sie an diesem Menschen am meisten beeindruckt/fasziniert.
- weshalb diese Person für Sie ein Vorbild ist.

... hat einen interessanten Werdegang.
Schon früh ... sie/er gern ...
Zunächst studierte sie/er ... / machte sie/er eine Ausbildung als ...
Danach ... sie/er erst einmal ...
Im Alter von ... probierte sie/er dann ...
Inzwischen ... sie/er ...
Faszinierend/beeindruckend finde ich vor allem, dass sie/er ...
... für mich ein Vorbild, weil ...

LEKTION 9

— AUSSPRACHE: Vokalneueinsatz

1 Vokalneueinsatz

54 CD|AB

a Wo hören Sie eine kurze Pause zwischen den beiden Wörtern (P)? Wo werden die Wörter verbunden (V). Ergänzen Sie.

1	[V] viel Leere	[P] viel Ehre	5	☐ am Ast	☐ am Mast
2	☐ elf Fahrten	☐ elf Arten	6	☐ mit Ina	☐ mit Tina
3	☐ mit dir	☐ mit ihr	7	☐ viel lieber	☐ viel über
4	☐ willig	☐ will ich	8	☐ ab Bamberg	☐ ab Amberg

b Hören Sie dann noch einmal und sprechen Sie nach.

c Was fällt Ihnen auf? Wann gibt es bei den Wörtern in a eine Pause? Markieren Sie.

☐ vor Vokalen am Wortanfang
☐ vor Konsonanten am Wortanfang

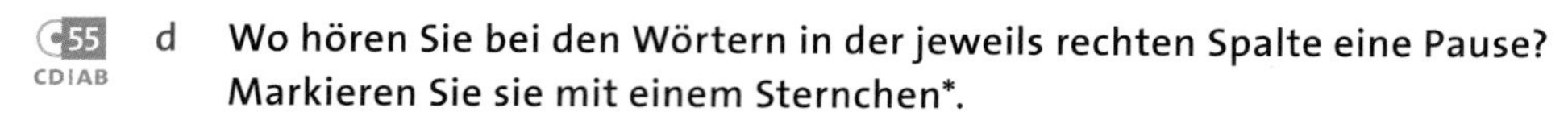

d Wo hören Sie bei den Wörtern in der jeweils rechten Spalte eine Pause? Markieren Sie sie mit einem Sternchen*.

1 einen	ver*einen	5 Arbeit	Seminararbeit
2 ändern	geändert	6 Aufsatz	Fachaufsatz
3 Eindruck	beeindruckt	7 Abschluss	Studienabschluss
4 Illusion	desillusioniert	8 Aufenthalt	Auslandsaufenthalt

e Hören Sie dann noch einmal und sprechen Sie nach.

f Was fällt Ihnen auf? Wann gibt es bei den Wörtern in d eine Pause? Markieren Sie.

☐ vor Vokalen am Silbenanfang
☐ vor Konsonanten am Silbenanfang

g Lesen Sie den Text und markieren Sie den Vokalneueinsatz mit einem Apostroph '. Hören Sie dann zur Kontrolle.

Ich habe 'ein 'Auslandssemester an der Universität Newcastle in Australien verbracht. Nach einigen organisatorischen Schwierigkeiten – man muss vorab viele Dinge beachten und vor allem die Papiere rechtzeitig beantragen – war es insgesamt eine spannende und beeindruckende Erfahrung, die ich allen empfehlen kann. Newcastle ist für einen Auslandsaufenthalt auf jeden Fall geeignet.

2 Stille Post

Arbeiten Sie in Gruppen. Jeder schreibt nun einen Satz mit möglichst vielen Wörtern und Silben, die mit einem Vokal beginnen. Zeigen Sie ihn niemandem. Einer beginnt nun, seinen Satz der Nachbarin / dem Nachbarn ins Ohr zu flüstern. Diese/r flüstert der/dem Nächsten ins Ohr, was sie/er verstanden hat, usw. Die/Der Letzte in der Reihe sagt laut, was bei ihr/ihm „angekommen" ist.

Ich habe Beate vor acht Tagen einen alten Fotoapparat ausgeliehen, und sie hat ihn einfach im Internet auf eBay angeboten. Unerhört!

EINSTIEGSSEITE, S. 119

wissenschaftlich

WORTSCHATZ, S. 120–121

der Arbeitsaufwand (Sg.)
der Aufsatz, ¨-e
der Dozent, -en
die Facharbeit, -en
die Fachliteratur (Sg.)
die Gliederung, -en
die Hausarbeit, -en
der Hörsaal, Hörsäle
die Klausur, -en
der Kommilitone, -n
die Kommilitonin, -nen
die Lehrveranstaltung, -en
die Mensa, die Mensen
das Studienfach, ¨-er
der Studiengang, ¨-e
das Seminar, -e
die Seminararbeit, -en
der Verlauf, ¨-e
die Vorlesung, -en
das Vorlesungsverzeichnis, -se
das Wortfeld, -er

absolvieren
eine Prüfung ablegen
anrechnen
sich einschreiben, schrieb sich ein, hat sich eingeschrieben
sich etwas erarbeiten
festlegen
verfassen

relevant

LESEN, S. 122–124

der Anziehungspunkt, -e
die/der Beschäftigte, -n
die Betreuung (Sg.)
der Campus (Sg.)
die Disziplin, -en
der Fachbereich, -e
die Fakultät, -en
die Förderung, -en
das Gelände, -
die Metropolregion, -en
der Nachwuchs (Sg.)
der (Spitzen)Forscher, -
der Studienabschluss, ¨-e
die Zuständigkeit, -en
die Zuwanderung, -en

abrunden
abschaffen
sich ausleben
gehören zu
promovieren
verweilen

Lust wecken auf (+ Akk.)
eine Karriere einschlagen, schlug ein, hat eingeschlagen

auf dem Weg sein

dicht
hervorragend
übergreifend
vereint

ansonsten
untereinander

SPRECHEN 1, S. 125

die Umgebung, -en
die Vorstellung, -en

zustimmen

renommiert

dafür

SCHREIBEN, S. 126–127

die Aufgeschlossenheit (Sg.)
die Grundlage, -n
die Mappe, -n

sich etwas aneignen
verfügen über (+ Akk.)
sich vertraut machen mit
weiterbringen, brachte weiter, hat weitergebracht

einen Eindruck gewinnen von, gewann, hat gewonnen
einen Eindruck bekommen von, bekam, hat bekommen
einen Eindruck haben von, hatte, hat gehabt
einen Eindruck hinterlassen bei, hinterließ, hat hinterlassen
Kenntnisse vertiefen
Kontakte knüpfen
eine Meinung vertreten, vertrat, hat vertreten
Verantwortung übernehmen, übernahm, hat übernommen

beeindruckt sein von

HÖREN, S. 128–129

die Ausgabe, -n
die Einnahmequelle, -n
die Lebenshaltungskosten
der Stipendiengeber, -
das Studentenwerk, -e
der Verdienst, -e
der Zinssatz, ¨-e

rund

SEHEN UND HÖREN, S. 131

das Geräusch, -e

schieflaufen, lief schief, ist schiefgelaufen
etwas wiedergeben, gab wieder, hat wiedergegeben

anspruchslos
atypisch
desillusioniert
irrelevant
missverständlich
mühelos
non-verbal
unübertroffen

LEKTIONSTEST 9

1 Wortschatz

Ergänzen Sie den passenden Begriff.

1 Jura, Medizin oder Geschichte sind S________________.
2 An der Universität lehren Professoren und D________________.
3 Bachelor und Master sind zwei unterschiedliche S________________.
4 Eine Übersicht über die Lehrveranstaltungen an einer Uni findet man im V________________.
5 Ein anderes Wort für Mitstudent ist K________________.
6 Viele Studierende essen in der M________, dort erhalten sie preiswerte Mahlzeiten und Getränke.
7 In der Unibibliothek finden Studierende die F________________, die sie für ihr Studium brauchen.

Je 1 Punkt **Ich habe ______ von 7 möglichen Punkten erreicht.**

2 Grammatik

a **Verbinden Sie die Sätze mit dem Konnektor oder der Präposition in Klammern.**

1 Paul plant, ein Auslandssemester einzulegen. Er bewirbt sich um ein Erasmusstipendium. *(folglich)*
2 Manche Städte wie Freiburg, Hamburg oder München sind beliebte Studienorte. Es ist sehr schwer, dort eine günstige Unterkunft zu finden. *(so ... dass)*
3 Der Fachbereich wird erweitert. Es können sich mehr Studierende dafür einschreiben. *(Infolgedessen)*
4 Für eine Seminararbeit sollte man zuerst eine Gliederung entwerfen. Der Aufbau der Arbeit ist dann logisch und übersichtlich. *(sodass)*
5 Der Arbeitsaufwand ist bei technischen Studiengängen sehr hoch. Einige Studierende geben das Studium nach kurzer Zeit wieder auf. *(infolge)*

Je 2 Punkte **Ich habe ______ von 10 möglichen Punkten erreicht.**

9

b **Welche zwei Verben passen? Markieren Sie.**

1 Es kann sinnvoll sein, vor dem Studium ein Praktikum zu ☐ *machen.* ☐ *haben.* ☐ *absolvieren.*
2 Auf dem Unicampus ist es nicht schwer, Kontakte ☐ *zu knüpfen.* ☐ *herzustellen.* ☐ *anzufangen.*
3 In Tutorien kann man seine Kenntnisse ☐ *erweitern.* ☐ *weiterbringen.* ☐ *vertiefen.*
4 Wer ein Tutorium leitet, muss Verantwortung ☐ *verfügen.* ☐ *tragen.* ☐ *übernehmen.*
5 In studentischen Lerngruppen kann man jederzeit Fragen ☐ *diskutieren.* ☐ *fragen.* ☐ *stellen.*
6 Die Professoren müssen manchmal eine Rede ☐ *machen.* ☐ *ausarbeiten.* ☐ *halten.*

Je 1 Punkt **Ich habe ______ von 6 möglichen Punkten erreicht.**

3 Kommunikation

Ergänzen Sie die passenden Wörter.

genau • selbstständig • ganz • kaum • anstrengend • weniger • leider

1 Was ________________ sind deine Vorstellungen in Bezug auf dieses Fach?
2 Ein großes Zimmer ist ________________ wichtig für mich. Ich nehme auch ein kleines.
3 Da hast du recht. Ich bin ________________ deiner Meinung.
4 Nur in einem Punkt kann ich dir ________________ nicht zustimmen.
5 Die Arbeit als Nachtportier war nicht schwer, da hatte ich echt ________________ etwas zu tun.
6 Allerdings kann man in dem Job nicht sehr ________________ arbeiten. Alles ist vorgegeben.
7 Als Erntehelfer war es sehr ________________. 8 Stunden Schwerstarbeit täglich.

Je 1 Punkt **Ich habe ______ von 7 möglichen Punkten erreicht.**

Auswertung: Vergleichen Sie Ihre Lösungen mit S. AB 209.
Ihre Erfolgspunkte tragen Sie unter jeder Aufgabe ein.

Ich habe ______ von 30 möglichen Punkten erreicht.

☺	☺	☹
30–26	25–15	14–0

WIEDERHOLUNG WORTSCHATZ

1 Dienstleistungen früher

Ergänzen Sie in der richtigen Form.

ändern • bringen (2 x) • bügeln • kochen • ~~liefern~~ • mähen • pflegen • putzen • reparieren • schneiden • waschen

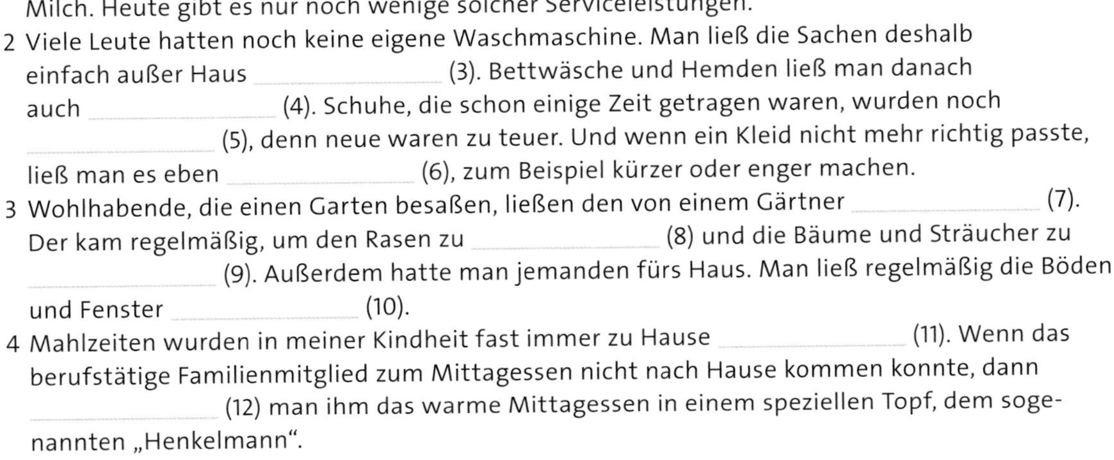

1 Früher gab es noch viel mehr Serviceleistungen! In meiner Kindheit wurde uns morgens alles Lebenswichtige „frei Haus“ geliefert (1): Zuerst ganz früh morgens die Zeitung, kurz danach die frischen Brötchen vom Bäcker, am Nachmittag __________ (2) die Milchmänner frische Milch. Heute gibt es nur noch wenige solcher Serviceleistungen.

2 Viele Leute hatten noch keine eigene Waschmaschine. Man ließ die Sachen deshalb einfach außer Haus __________ (3). Bettwäsche und Hemden ließ man danach auch __________ (4). Schuhe, die schon einige Zeit getragen waren, wurden noch __________ (5), denn neue waren zu teuer. Und wenn ein Kleid nicht mehr richtig passte, ließ man es eben __________ (6), zum Beispiel kürzer oder enger machen.

3 Wohlhabende, die einen Garten besaßen, ließen den von einem Gärtner __________ (7). Der kam regelmäßig, um den Rasen zu __________ (8) und die Bäume und Sträucher zu __________ (9). Außerdem hatte man jemanden fürs Haus. Man ließ regelmäßig die Böden und Fenster __________ (10).

4 Mahlzeiten wurden in meiner Kindheit fast immer zu Hause __________ (11). Wenn das berufstätige Familienmitglied zum Mittagessen nicht nach Hause kommen konnte, dann __________ (12) man ihm das warme Mittagessen in einem speziellen Topf, dem sogenannten „Henkelmann“.

10

zur Einstiegsseite, S. 133, Ü2

2 Lieferwagen der Zukunft ÜBUNG 1

HÖREN

57 CD AB

Hören Sie eine Radiosendung. Markieren Sie die richtige Antwort.

1 Um welche Art von Service geht es hier?
- [a] Lieferung von Waren
- [b] Reparatur von Fahrrädern
- [c] Transport von Personen

2 Welche Probleme gibt es in der Innenstadt?
- [a] Es gibt zu wenige Parkplätze.
- [b] Die Straßen sind kaputt.
- [c] Es gibt Luftverschmutzung.

3 Wie unterstützt die Stadtverwaltung das Projekt?
- [a] Sie sperrt die Innenstadt für Autos.
- [b] Sie bezahlt die modernen Fahrzeuge.
- [c] Sie erlaubt längere Lieferzeiten für die Fahrräder.

4 Welche Modelle werden starten?
- [a] Nur Modelle mit Elektromotor.
- [b] Modelle, die für die Kunden attraktiv sind.
- [c] Modelle mit und ohne Elektromotor.

5 Was ist das Besondere am Cargo Cruiser?
- [a] Er kann bis zu 300 Kilo Waren transportieren.
- [b] Er wird zurzeit in Berlin ausprobiert.
- [c] Er kann mit zwei oder drei Rädern bestellt werden.

6 Die Unternehmer der Transportbranche beurteilen die Entwicklung der neuen Fahrräder …
- [a] eher positiv.
- [b] eher negativ.
- [c] sowohl positiv als auch negativ.

zu Wortschatz, S. 134, Ü1

3 Neue Dienstleistungen ÜBUNG 2

LESEN

Ordnen Sie die passenden Dienstleistungen zu. Es gibt jeweils nur eine richtige Lösung.

1 Sabine möchte sich fit halten, um den Stress bei der Arbeit besser bewältigen zu können. Mit Fitness-Studios hat sie keine guten Erfahrungen gemacht. Sie braucht individuelle Begleitung mehrmals in der Woche.

2 Johannes soll seine Ernährung aus gesundheitlichen Gründen umstellen. Er sucht Hilfe bei jemandem, der ihm dabei Ratschläge geben kann. Gern im persönlichen Gespräch.

3 Roland steht am Ende seines Studiums sehr unter Zeitdruck. Er braucht jemanden, der ihm seine Abschlussarbeit korrigiert und formatiert.

4 Tim und Katie wollen ihre Wohnung verkaufen. Um einen besseren Preis zu erzielen, möchten sie jemanden engagieren, der die Wohnung in einen optimalen Zustand bringt.

A ☐
Kompetent in Rechtschreibung, Stil und Präsentation
Brauchst Du jemanden, der Deine wissenschaftliche Arbeit verbessert und in die richtige Form bringt? Wir helfen bei Seminar- und Doktorarbeiten.
www.wissenschaftliche_Arbeiten.de

B ☐
Online Ernährungs-Coach
Kostenlos und so effektiv: Ihr Online-Ernährungsberater führt Sie kompetent zum Wunschgewicht. Tagespläne mit leckeren Gerichten, ein Ernährungstagebuch und vieles mehr warten auf Sie!
www.onlineernaehrungscoach.de

C ☐
Persönlicher Trainer
Durch mein persönliches Training werden Sie in kurzer Zeit Muskeln aufbauen und Entspannungstechniken lernen. Fit und ausgeglichen können Sie alles schaffen!
Tel. 0163 4 53 21

D ☐
Ernährungsberater
Wir machen Tipps alltagstauglich: ob Einkaufsliste, vitaminschonende Zubereitung oder Kühlschrankmanagement. Wir begleiten Sie ganz persönlich auf dem Weg zur gesunden Ernährung.
Unsere Adresse:
Feldstraße 35, 91594 Schlankdorf
Tel. (06 49) 4 32 67

E ☐
Immo-Makeover
Profis wissen: Käufer achten nicht nur auf den Preis einer Wohnung, sondern auch auf den Charme. Wir räumen auf, putzen, reparieren, dekorieren, … alles für den „Wow"-Effekt, wenn die Interessenten kommen.
www.immo_makeover.de

F ☐
Fit und in Form für Frauen
Wir sind kein herkömmliches Fitness-Studio. Wir wollen keine Einzelkämpfer, sondern den Teamgeist durch spezielle Sportarten stärken. Bei uns wird nur in der Gruppe trainiert.
Fit und in Form für Frauen
Hauptstr. 34
91537 Regenstadt
www.fitundinformfuerfrauen.de

G ☐
Online-Fernstudium: *Kreatives oder wissenschaftliches Schreiben*
Möchten Sie Texte schreiben oder einen eigenen Roman verfassen, wissen aber nicht, wie? Dann sind Sie bei uns richtig! Wir vermitteln und verwenden in unseren Seminaren viele der klassischen Übungen und Themen des kreativen und wissenschaftlichen Schreibens.
www.fernuni_freidorf.de

H ☐
Immobilien-Verkauf optimal vorbereiten
Geben Sie sich nicht mit lästigem Papierkram ab. Nutzen Sie unser professionelles Vermittlungs-Know-how. Wir wissen, wie man den Verkauf einer Immobilie vorbereitet und sind Ihnen dabei behilflich, alle notwendigen Daten und Unterlagen zusammenzutragen.
www.immo_knowhow.de

zu Wortschatz, S. 134, Ü2

4 Kleinanzeigen

Ergänzen Sie die Texte im Passiv + *können*.

reinigen • ~~baden~~ • liefern • aufgeben • lösen • beheizen

zu Wortschatz, S. 134, Ü2

5 Alternativen zum Passiv (I)

GRAMMATIK ENTDECKEN

a **Unterstreichen Sie die Wörter, die auf *-bar* und *-lich* enden.**

1 Ihr Lieben, wir haben unbeschreibliche Lust auf Pizza, aber keine Lust auf Pizza-lieferservice. Jetzt wollen wir unsere Pizza selber backen, wissen aber nicht, ob das mit unserem uralten Backofen überhaupt machbar ist. Auf wie viel Grad ist denn so ein Ofen erhitzbar? Weiß das jemand? Danke! Nicole

2 Hallo Leute, ich möchte mich als Fahrrad-Kurier selbstständig machen. Glaubt ihr, dass das mit 25 schon realisierbar ist? Welche Schwierigkeiten sind vorhersehbar, was ist zu beachten? Danke schon mal für brauchbare und verständliche Tipps. Andi

3 Kann mir bitte jemand helfen? Meine Situation ist nämlich fast unerträglich: Ich habe einen Freund und eine Katze, die ich beide sehr liebe. Und jetzt hat mein Freund aus unerklärlichen Gründen plötzlich eine Katzenhaarallergie bekommen: Er kriegt im Gesicht sichtbare rote Flecken, wenn er zu mir in die Wohnung kommt. Gibt es dafür eine annehmbare Lösung (ohne Trennung von Freund oder Vierbeiner)? Vielen Dank! Jessica

b **Formulieren Sie die unterstrichenen Wörter um.**

1 unbeschreiblich – kann nicht beschrieben werden

10

zu Wortschatz, S. 134, Ü2

6 Service

GRAMMATIK

Welche Adjektive haben eine passive Bedeutung? Markieren Sie und formulieren Sie die Sätze mit passiver Bedeutung anders.

	passive Bedeutung	andere Formulierung
1 Die Wege des Schicksals sind Ihrer Meinung nach unbegreiflich? Ich helfe Ihnen, sie zu verstehen.	☒	... können Ihrer Meinung nach nicht begriffen werden?
2 Die Dekoration im Schaufenster ist leider nicht verkäuflich.	☐	
3 Der Fahrrad-Kurier ist pünktlich.	☐	
4 Dieses Hotel ist nur für fröhliche Vierbeiner.	☐	
5 Wir haben sehr gute und freundliche Nachhilfe-Lehrer – auch für knifflige Aufgaben.	☐	
6 Ihre Gelenke sind etwas steif und unbeweglich? Erfahrene Physiotherapeutin hilft Ihnen!	☐	

zu Wortschatz, S. 134, Ü2

7 Werbesprüche ÜBUNG 3, 4, 5

GRAMMATIK

Ergänzen Sie die Werbeslogans. Achten Sie auf die Adjektivendungen.

-lich

1 Formulieren Sie Ihre Texte so, dass sie gut verständlich sind! Wir helfen Ihnen dabei. *(können verstanden werden)*

2 In unserem Wellness-Hotel werden Sie _______ Stunden erleben. Besuchen Sie uns für ein Wochenende! *(können nicht vergessen werden)*

3 Ihr letzter Urlaub war _______ schön? Ihr nächster wird auch so sein! Besuchen Sie unsere Internetseite www.traumurlaub.de. *(konnte nicht beschrieben werden)*

4 Schlafstörungen? Nie wieder! Unsere Bio-Schlaftees sind als Helfer _______. *(können nicht ersetzt werden)*

-bar

1 Wenn Sie Ihren Urlaub bei uns buchen, werden Sie unbezahlbare Erfahrungen machen. *(können nicht bezahlt werden)*

2 Sie wollen Ihr Bad neu gestalten? Hier finden Sie _______ Ideen. *(können umgesetzt werden)*

3 Unsere Outdoor-Jacken sehen toll aus, sind strapazierfähig und sehr gut _______. *(können gewaschen werden)*

4 Ihr letztes Ferienhaus war so alt, dass es _______ war? Buchen Sie bei uns! Wir haben wunderschöne, moderne Häuser in bester Lage im Angebot. *(konnte nicht bewohnt werden)*

10

zu Sprechen, S. 135, Ü1

8 Hausmeister-Service

SCHREIBEN

Korrigieren Sie diese Anzeige. Unterstreichen Sie den Fehler und schreiben Sie die richtige Form an den Rand (Beispiel 01). Wenn ein Wort falsch platziert ist, schreiben Sie es und seinen Begleiter an den Rand (Beispiel 02).

www.ihr-Helfer-für-aller-Faelle.de

Sie brauchen eine Hand starke? Ich (28, männlich) erledige alle Hilfsarbeiten an Ihrem Haus und im Garten. Fachmännische Rasenpflege und andere Hausmeistertätigkeiten ist inbegriffen.
Gerne ich übernehme auch die Entrümpelung Ihres Kellers, das heißt, ich entsorge Ihren Sperrmüll, alte Sachen, das Sie nicht mehr brauchen. Sie ziehen aus oder am und benötigen Hilfe? Ich habe viel Erfahrung mit dem Auf- und Abbau von Möbeln, Lampen und mehr. Ich helfe Ihnen dafür, Ihre Wohnung für die Übergabe an einen Nachmieter besenrein zu säubern. Kleinere Ausbesserungsarbeiten an Wänden und Türen ich ebenfalls gerne für Sie übernehmen kann. Putzarbeiten mache ich nur in Ausnahmefällen. Drehen Sie sich dafür bitte an eine Reinigungskraft oder -firma. Ich arbeite auf Stundenbasis.
Bei Interesse kontaktieren Sie mir bitte telefonisch abends ab 19 Uhr unter 089/12 34 56 78.

1 alle (01)
2 starke Hand (02)
3 ______
4 ______
5 ______
6 ______
7 ______
8 ______
9 ______
10 ______

zu Sprechen, S. 135, Ü3

9 Eine Geschäftsidee ÜBUNG 6, 7

KOMMUNIKATION

Ergänzen Sie die Redemittel aus dem Kursbuch, S. 135.

David: Du, ich habe mir überlegt, wie wir uns etwas Geld verdienen und dabei stundenlang an der frischen Luft sein können.

Xavier: Klingt interessant. Wie soll das Ganze denn ______ (1)?

David: Gemüsegärten sind doch voll im Trend. Viele wissen nicht, wie man sie richtig anlegt. Wir könnten dem Kunden etwas ganz ______ ______ (2), nämlich alles aus einer Hand.

Xavier: Ist die Planung des Gartens dann ______ ______ (3)?

David: Ja klar, wir beide als studierte Landschaftsgärtner würden die Planung und die praktische Umsetzung ganz nach den Wünschen des Kunden gestalten. So etwas bekommt man heutzutage doch ______ ______ (4)!

Xavier: Ich kann mir das noch nicht so ______ ______ (5). Kann man denn dabei wirklich was verdienen?

David: Klar! Ich bin ziemlich sicher, das könnte eine gute Geschäftsidee werden. Das ist doch eine unglaubliche Erleichterung für den Alltag. Man muss sich nie mehr selbst um den Garten kümmern.

Xavier: Das klingt ______ ______ ______ (6), aber wird das für den Kunden nicht zu teuer?

David: Das liegt doch in unserer Hand.

Xavier: Ich bin mir ______ ______ (7), ob wir dafür genug Erfahrung haben.

David: Sei doch nicht so pessimistisch! Ich habe auch schon eine Idee für den Text auf unserem Flyer, wir brauchen dann nur noch ein Logo für unsere Firma.

zu Hören 1, S. 136, Ü2

10 Sparen & Gewinnen ÜBUNG 8

WORTSCHATZ

Ergänzen Sie in der richtigen Form.

das Schnäppchen • der Gutschein • der Rabatt • die Mogelpackung • der Beteiligte • ~~der Fachmann~~ • das Internetportal

1 Alexa hat sich in einem Elektronik-Markt von einem Fachmann (1) beraten lassen, welche Digitalkamera im Moment die beste ist. Dann hat sie sich die Kamera über ____________ (2) „shop.com" gekauft. Für diese Digitalkamera hat sie ein Drittel weniger bezahlt als im Geschäft – ________ echtes ____________ (3).

2 Erich hat bei seinem letzten Einkauf im Internet ____________ (4) über 10 Euro bekommen. Die Aktion, bei der man 10 % ____________ (5) auf alle Produkte bekommt, geht nur bis zum Monatsende.

3 Gestern hat Tina eine riesige Schachtel Schokokekse gekauft. Wie sich herausstellte, war das ________ echte ____________ (6): Die Schachtel war nur zur Hälfte gefüllt.

4 Der Gewinn in der Lotto-Wettgemeinschaft wird unter allen ____________ (7) aufgeteilt.

zu *Wussten Sie schon?*, S. 137

11 Preisvergleichsportale im Internet

LESEN

Lesen Sie den Text und markieren Sie die Lösung.

1 Man benutzt Suchmaschinen, um ...
- [a] die preiswertesten Angebote zu finden.
- [b] Preise mit verschiedenen Händlern auszuhandeln.
- [c] die Qualität von Produkten zu vergleichen.

2 Welches Ergebnis ergab der Verbrauchertest?
- [a] Die höchsten Preise bezahlt man im Einzelhandel.
- [b] Die Suchmaschinen zeigen verschieden hohe Preise an.
- [c] Wer mit Suchmaschinen sucht, kann bis zu einem Viertel des Preises einsparen.

3 Hilfreich sind Informationen darüber, ...
- [a] wie Nutzer die Produkte beurteilen.
- [b] wie die Preisentwicklung von ähnlichen Produkten im letzten Quartal oder Jahr war.
- [c] welche Erfahrungen Nutzer mit der Suchmaschine gemacht haben.

4 Was sollte man beachten, wenn man ein Suchergebnis vor sich hat?
- [a] Ist der Kaufpreis garantiert?
- [b] Ab wann ist die Ware tatsächlich lieferbar?
- [c] Habe ich ein Rückgaberecht?

5 Wie reagieren die traditionellen Einzelhändler? Einige ...
- [a] ändern ihr Verhalten gegenüber den Kunden.
- [b] geben ihr Geschäft auf.
- [c] haben Angst, Fehler zu machen.

Checker im Internet

Einkaufen in überfüllten Stadtzentren war gestern. Heute hat fast jeder schon mal etwas im Internet gekauft. Egal ob Bücher, Designerkleidung oder exotische Saucen. Wer Schnäppchen sucht und Preise vergleichen will, dem stehen diverse Suchmaschinen im Internet zur Verfügung. Doch gibt es große Unterschiede in der Benutzerfreundlichkeit dieser Internetseiten. Deshalb haben wir uns einige Preissuchmaschinen für Sie näher angesehen.

Für unseren Test haben wir einen Warenkorb mit zehn häufig gekauften Produkten aus Elektronik und Computertechnik ausgewählt. Der Gesamtpreis dafür im Einzelhandel lag nach unseren Recherchen bei 3802 Euro, in Versandhäusern musste mit 3916 Euro sogar etwas mehr bezahlt werden. Der beste Gesamtpreis in der preiswertesten Suchmaschine hingegen lag mit 2965 Euro sehr deutlich darunter. Das ist fast ein Viertel (24 %) weniger als bei den Versandhäusern!

Die meisten Preissuchmaschinen bieten aber nicht nur Preisvergleiche, sondern zusätzlichen Komfort. Hilfreich sind zum Beispiel die Bewertungen der Nutzer zu den jeweiligen Produkten oder eine Darstellung der Preisentwicklung bei einer bestimmten Ware im letzten Quartal oder Jahr.

Doch Achtung: Man muss die Ergebnisse der Suchmaschinen einer kritischen Prüfung unterziehen. Nach dem Eintippen einer Produktbezeichnung findet der Suchende nicht immer gleich den günstigsten Händler als ersten Treffer. Mancher Anbieter punktet zwar mit einem niedrigen Preis, dafür muss der Kunde aber eine lange Lieferzeit hinnehmen. Ein anderer Anbieter berechnet selbst für kleine Pakete hohe Versandkosten. Bei wieder anderen werden einzelne Artikel als „auf Lager" angezeigt, obwohl sie zu diesem Zeitpunkt nicht verfügbar sind. Um Enttäuschungen zu vermeiden, kann der Benutzer auch die Internetseite des entsprechenden Händlers kontrollieren.

Haben Onlineshops und Preissuchmaschinen das Einkaufsverhalten nachhaltig geändert? Der Direktor des Instituts für internationales Handels- und Distributionsmanagement beantwortet diese Frage mit einem eindeutigen „Ja". Die Angst vor Fehlkäufen sei durch Rücksende-Garantien minimiert worden. Das heißt, was nicht passt oder nicht gefällt, wird einfach zurückgeschickt. Vor allem Textilhändler und Baumärkte seien von diesem veränderten Kaufverhalten betroffen. Gerade kleinere Läden könnten in diesem Konkurrenzkampf kaum mehr mithalten und müssten schließen. „Während viele Einzelhändler Umsatz verloren haben, haben die Online-Anbieter weiter dynamisch zugelegt."

WIEDERHOLUNG GRAMMATIK

zu Hören 1, S. 137, Ü4

12 Einkaufen im Internet

Schreiben Sie die Sätze so, dass die handelnde Person nicht genannt wird. Wenden Sie dabei alle Passivformen an, die Sie kennen.

1 Wir können den Artikel leider nicht liefern, er ist ausverkauft.
2 Sie können den Status der Bestellung jederzeit nachvollziehen.
3 Die Qualität unserer Produkte können Sie zu Hause am besten überprüfen.
4 Diese Glasplatte können auch Ihre Kinder nicht zerbrechen.
5 Sie können die Ware innerhalb von 14 Tagen umtauschen.

1 Der Artikel kann leider nicht geliefert werden, / Der Artikel ist leider nicht lieferbar, er ist ausverkauft.

10

zu Hören 1, S. 137, Ü4

13 Alternativen zum Passiv (II)

GRAMMATIK ENTDECKEN

Welche Variante hat die gleiche Bedeutung wie die Textstelle? Markieren Sie.

```
Eigentlich sind Preisvergleichs-Portale eine gute Idee, denn hier lassen sich
die Preise im Internet miteinander vergleichen (1). Allerdings ist auf einige
Besonderheiten zu achten (2): Manche Preisvergleichsportale kosten nämlich etwas.
Und oft sind die Hinweise auf die Kosten gut versteckt und nicht leicht zu finden (3).
Also lest Euch alles genau durch, bevor Ihr einen Vertrag abschließt.
```

1 Die Preise im Internet *können/müssen* miteinander verglichen werden.
2 Allerdings *muss/kann* auf einige Besonderheiten geachtet werden.
3 Und oft *können/müssen* die Hinweise nicht leicht gefunden werden.

zu Hören 1, S. 137, Ü4

14 Schnäppchen ÜBUNG 9, 10, 11

GRAMMATIK

Bilden Sie die möglichen Alternativen zum Passiv.

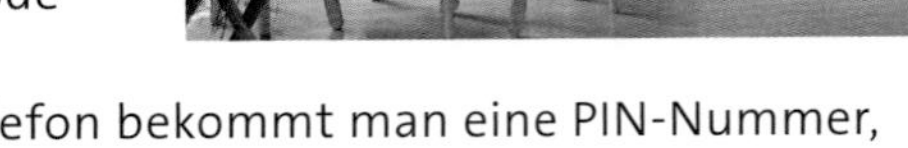

1 Limitiertes Angebot: Bei dem Action-Spiel „Darkside" kann man bis zu 60 % sparen.
2 Ein unschlagbares Angebot: gebrauchte Küche in sehr gutem Zustand für 300 Euro! Die Küche muss allerdings in Frankfurt abgeholt werden.
3 Diese Hemden sind sicher bald ausverkauft. Der Preis kann noch reduziert werden, weil er mit dem Rabatt-Code „SEI-LR2330505" kombiniert werden kann.
4 Anrufen für 50 Cent und Kinofreikarten sichern! Am Telefon bekommt man eine PIN-Nummer, mit der die Karten an der Kinokasse abgeholt werden müssen.
5 Einen Reisegutschein für 100 Euro kaufen und bis zu 50 % sparen. Mit etwas Risikofreude können hier echte Traumreisen gebucht werden.
6 Der Tagesdeal: Monitor mit 23 Zoll, an dem man sehr gut arbeiten kann.

1 Limitiertes Angebot: Bei dem Action-Spiel „Darkside" lassen sich bis zu 60 % sparen.

zu Lesen 1, S. 138, Ü2

15 Feste Verbindungen ÜBUNG 12

WORTSCHATZ

a **Was passt zusammen? Ordnen Sie zu.**

1 sich etwas zur Gewohnheit — (B)	A nehmen
2 nach dem Rechten	B machen
3 im Trend	C sehen
4 etwas in Anspruch	D lassen
5 Erfahrungen	E liegen
6 sich inspirieren	F austauschen

b **Ergänzen Sie die Sätze mithilfe der Ausdrücke aus a.**

1 Ich *habe es mir zur Gewohnheit gemacht*, vor dem Essen ein Glas Wasser zu trinken.
2 Elisabeth und Ralf sind Fitnesstrainer. Sie ________ regelmäßig ________ über neue Trends ________.

10

3 Wenn Karin ihre Kinder allein zu Hause lässt, bittet sie oft die Nachbarin, ab und zu ______.

4 Paula sucht ständig neue Geschäftsideen. Sie geht regelmäßig auf Messen, um ______.

5 Versicherte können Leistungen ______, die helfen, gesund zu bleiben.

6 Bei Gutverdienenden ______ Berater- und Trainer-Dienstleistungen ______.

zu Lesen 1, S. 139, Ü3

16 Subjektlose Passivsätze

GRAMMATIK ENTDECKEN

a **Lesen Sie die Sätze im Aktiv und im Passiv. In welchen Passivsätzen gibt es kein Subjekt? Markieren Sie.**

aktiv	passiv
1 Der Bio-Bauernhof hat mit tollen Fotos von frischem Obst und Gemüse um Kunden geworben.	☒ Mit tollen Fotos von frischem Obst und Gemüse ist um Kunden geworben worden.
2 Hier verzichtet man auf künstlichen Dünger.	☐ Hier wird auf künstlichen Dünger verzichtet.
3 Man pflückt die Erdbeeren täglich von 8 bis 18 Uhr.	☐ Die Erdbeeren werden täglich von 8 bis 18 Uhr gepflückt.
4 Auf diese Weise hilft man auch dem Klima und der Umwelt.	☐ Auf diese Weise wird auch dem Klima und der Umwelt geholfen.
5 Die Leute erzählen und lachen viel beim Pflücken.	☐ Beim Pflücken wird viel erzählt und gelacht.
6 Aus den frischen Erdbeeren kann man sehr gute Marmelade machen.	☐ Aus den frischen Erdbeeren kann sehr gute Marmelade gemacht werden.

b **Was haben die Aktivsätze, die zu den markierten Passivsätzen gehören, gemeinsam? Markieren Sie.**

- ☐ Sie stehen im Präsens.
- ☐ Sie haben keine Akkusativergänzung.
- ☐ Sie haben kein Subjekt.

c **Was steht in den markierten Passivsätzen auf Position 1? Markieren Sie.**

- ☐ die Akkusativergänzung
- ☐ das Subjekt
- ☐ ein anderer Satzteil

d **Schreiben Sie aus den markierten Sätzen in a Passivsätze mit *es*.**

1 Es ist mit tollen Fotos von frischem Obst und Gemüse um Kunden geworben worden.

e **Ergänzen Sie.**

auf Position 1 • 3. Person Singular • kein Subjekt • *es* • keine Akkusativergänzung

Wenn der Aktivsatz ______ hat, hat der Passivsatz ______. Dann steht ______ oder ein anderer Satzteil ______. Das Verb steht immer in der ______.

zu Lesen 1, S. 139, Ü3

17 Kostenlose Ernte ÜBUNG 13, 14, 15 GRAMMATIK

Schreiben Sie Passivsätze: Satz 1 bis 4 ohne Subjekt, Satz 5 bis 7 mit *es*.

1 Auf dieser Internetseite teilt man mit, wo herrenlose Obstbäume stehen.
2 Die Macher der Internetseite fordern zum Obsternten auf öffentlichen Grünflächen auf.
3 An diesen Orten kann man umsonst und ganz legal ernten.
4 Auch in manchen Stadtparks und an Landstraßen darf man kostenlos pflücken.
5 Man darf allerdings ausschließlich für den Eigenbedarf ernten.
6 Man sollte darauf achten, sorgsam mit den herrenlosen Pflanzen umzugehen.
7 Man fordert dazu auf, auch auf die dort lebenden Tiere Rücksicht zu nehmen.

1 Auf dieser Internetseite wird mitgeteilt, wo herrenlose Obstbäume stehen.
2 ______
3 ______
4 ______
5 ______
6 ______
7 ______

zu Lesen 1, S. 139, Ü3

18 Tipps aus der Gartenzeitschrift ÜBUNG 16 WORTSCHATZ

Ergänzen Sie.

befinden • bewässern • experimentieren • ~~inspirieren~~ • pflücken • variieren • wühlen

Tipps für den Garten

- Lassen Sie sich inspirieren (1) von den vielen Ideen für kleine Stadtgärten.
- Täglich ein frischer Bund Kräuter? Platzieren Sie die Kräuter in Töpfen am besten so, dass sie sich in Ihrer Nähe ______ (2).
- Pflanzen Sie Ihre Erdbeeren in einem großen, hohen Blumentopf. Dann können Sie sie bequem ______ (3) und müssen nicht mehr stundenlang im Boden ______ (4).
- Grün-in-Grün-Langeweile im Vorgarten? ______ (5) Sie doch die Farben ein wenig.
- Sie sind oft verreist und Ihr Garten droht zu vertrocknen? ______ (6) Sie Ihr Grundstück doch einfach mit einem Schlauch-System, das auch professionelle Anbauer für Plantagen verwenden.
- Sie brauchen Sichtschutz für Ihr Grundstück? ______ (7) Sie mit neuen Pflanzen, die hoch wachsen und wenig Platz brauchen.

zu Schreiben, S. 140, Ü2

19 Textzusammenfassung ÜBUNG 17, 18

SCHREIBEN

Verbessern Sie die Zusammenfassung des Textes „Über den Umgang mit Lebensmitteln" (Kursbuch Lektion 8, S. 114) mithilfe der angegebenen Wörter.

Der Text „Umgang mit Lebensmitteln" sagt: In Deutschland werden zu viele Lebensmittel weggeworfen.	geht es darum, dass
Im Durchschnitt landen pro Kopf 235 Euro pro Jahr auf dem Müll. Der Grund: Viele Menschen wollen eigentlich noch genießbare Lebensmittel nicht mehr essen.	weil
Eine Studie zur Lebensmittelvernichtung hat ergeben: Zwei Drittel der weggeworfenen Lebensmittel könnten noch verzehrt werden.	dass
Stattdessen werden sie weggeworfen. Das liegt auch an der Verunsicherung der Verbraucher durch das Mindesthaltbarkeitsdatum.	was
Dieses Datum bedeutet: Der Hersteller garantiert bis zu diesem Zeitpunkt ganz bestimmte Eigenschaften des Produkts. Aber auch danach kann man es noch essen.	dass
Davon unterscheidet sich das Verbrauchsdatum. Nach Ablauf des Verbrauchsdatums sollte das Lebensmittel nicht mehr konsumiert werden. Die Bundesverbraucherministerin will die Bevölkerung über die unnötige Lebensmittelverschwendung aufklären.	nach dessen

In dem Text „Umgang mit Lebensmitteln" geht es darum, dass …

10

zu Lesen 2, S. 141, Ü2

20 Hilfe bei technischen Problemen ÜBUNG 19

WORTSCHATZ

Ergänzen Sie in der richtigen Form.

Gerät • ~~Abo~~ • bereuen • Fachmann • über den Kopf wachsen • Kamera • vollständig • Kontakt aufnehmen

Hallo Thomas,

hast Du gewusst, dass es ein *Abo* (1) gibt, bei dem man sich bei allen technischen ________ (2), deren Anwendungen man nicht versteht, von einem ________ (3) helfen lassen kann? Der Service nennt sich „Erklärbär-Abo". Ich finde die Idee gar nicht schlecht, denn kürzlich habe ich mir eine neue ________ (4) gekauft, aber die komplizierte Technik ist mir einfach ________ (5).
Ich könnte so ein „Erklärbär-Abo" auch für mein Deutsch gebrauchen: Wenn ich eine Grammatik-Frage habe, kann ich mit einem Service ________ (6) und bekomme eine gut verständliche und ________ (7) Erklärung. Das wäre doch super! Diese Investition würde ich dann sicher nicht ________ (8).
Komisch, dass noch niemand auf diese Geschäftsidee gekommen ist. ☺
Bis Samstag!

Liebe Grüße
Elina

zu Hören 2, S. 142, Ü2

21 Axel Hacke

LESEN

**Sie erhalten einen Text. Leider ist der rechte Rand unleserlich.
Rekonstruieren Sie den Text, indem Sie jeweils das fehlende Wort an den Rand schreiben.**

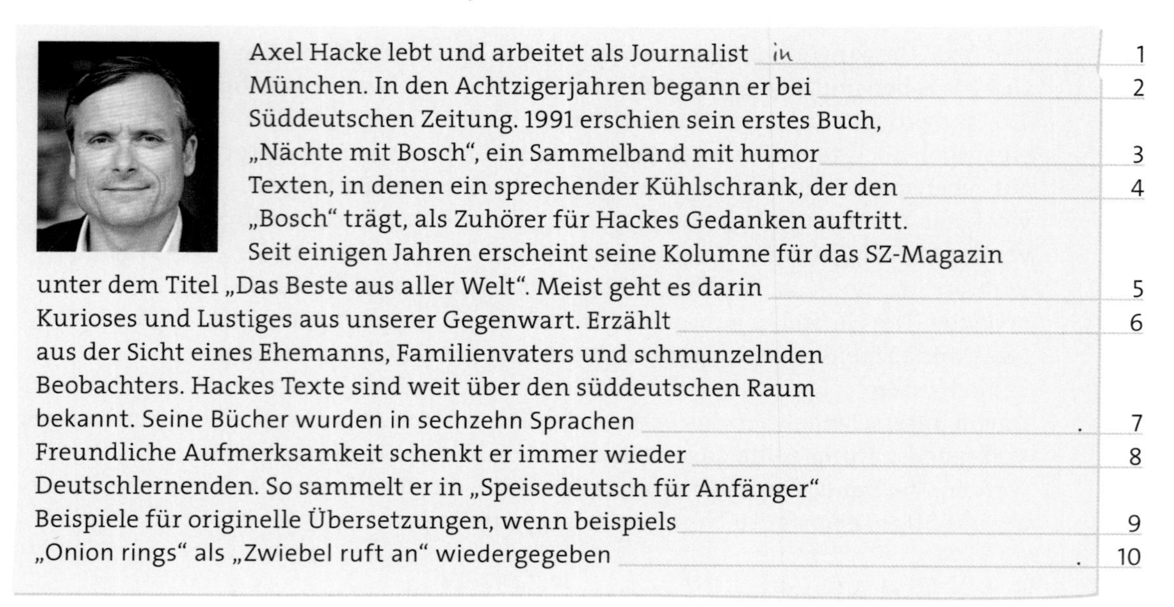

Axel Hacke lebt und arbeitet als Journalist in ___ 1
München. In den Achtzigerjahren begann er bei ___ 2
Süddeutschen Zeitung. 1991 erschien sein erstes Buch,
„Nächte mit Bosch", ein Sammelband mit humor ___ 3
Texten, in denen ein sprechender Kühlschrank, der den ___ 4
„Bosch" trägt, als Zuhörer für Hackes Gedanken auftritt.
Seit einigen Jahren erscheint seine Kolumne für das SZ-Magazin
unter dem Titel „Das Beste aus aller Welt". Meist geht es darin ___ 5
Kurioses und Lustiges aus unserer Gegenwart. Erzählt ___ 6
aus der Sicht eines Ehemanns, Familienvaters und schmunzelnden
Beobachters. Hackes Texte sind weit über den süddeutschen Raum
bekannt. Seine Bücher wurden in sechzehn Sprachen ___ . 7
Freundliche Aufmerksamkeit schenkt er immer wieder ___ 8
Deutschlernenden. So sammelt er in „Speisedeutsch für Anfänger"
Beispiele für originelle Übersetzungen, wenn beispiels ___ 9
„Onion rings" als „Zwiebel ruft an" wiedergegeben ___ . 10

zu Sehen und Hören, S. 143, Ü2

22 Schlussmacher

FILMTIPP / LESEN

Ergänzen Sie die Wörter.

Paul (Matthias Schweighöfer) hat einen ungewöh n l i c h e n (1) Beruf: Er arbeitet als professio ___ (2) „Schlussmacher". Für eine Berliner Agen ___ (3) reist er quer durch Deutsc ___ (4), um stellvertretend Schluss mit Partn ___ (5) zu machen. Dabei ist Paul mit der Ze ___ (6) unempfindlich geworden gegenüber den emotio ___ (7) Ausbrüchen der Verlassenen. Denn schlie ___ (8) bringt jede Trennung bares Ge ___ (9).
Im Gegen ___ (10) zu seinen Kunden läuft e ___ (11) bei Paul liebestechnisch äußerst gu ___ (12), denn er genießt sein Privatl ___ (13) an der Seite von Freun ___ (14) Natalie (Catherine de Léan). Al ___ (15) jedoch Paul seine wichtigste Tren ___ (16) über die Bühne bringen wi ___ (17), kommt ihm Toto (Milan Peschel) i ___ (18) die Quere. Er bringt Pau ___ (19) Karriereplanung und sein Liebesleben durchei ___ (20). Denn Toto will sich nic ___ (21) damit abfinden, abserviert zu wer ___ (22).
„Schlussmacher" ist eine romantische Komö ___ (23) aus dem Jahr 2013 u ___ (24) die zweite Regiearbeit von Matthias Schweighöfer.

zu *Wussten Sie schon?*, S. 143

23 Ehrenamt ÜBUNG 20

HÖREN

58 CD|AB

Hören Sie zwei Interviews und markieren Sie.

Interview 1

1 Warum übt diese Frau ein Ehrenamt aus? Sie möchte ...
- a ihre Zeit sinnvoll verbringen.
- b Menschen in Not helfen.
- c sich geistig fit halten.

2 Durch wen fand die Frau ehrenamtliche Tätigkeiten? Durch ...
- a Berufsberater.
- b eine Sendung im Radio.
- c zwei Vermittlungsagenturen.

3 Für welche Tätigkeit wird sie sich wahrscheinlich entscheiden?
- a Hunde ausführen
- b Hausaufgabenhilfe
- c einen Park anlegen

Interview 2

1 Der Bundespräsident ...
- a ehrt das Engagement vieler Menschen mit einem Fest.
- b engagiert sich vor allem für neue Ehrenämter.
- c übt selber viele Ehrenämter aus.

2 Die Zahl ehrenamtlich tätiger Menschen ...
- a hat zugenommen.
- b liegt jährlich bei etwa 4000.
- c ist gleich geblieben.

3 Wer steht im Mittelpunkt der Feier?
- a ältere Ehrenamtliche
- b jüngere Ehrenamtliche
- c klassische Hilfsorganisationen

10

24 Mein Lieblingsservice

MEIN DOSSIER

Beschreiben Sie einen Service, auf den Sie im Alltag oder auf Reisen nicht verzichten möchten.

Mein Lieblingsservice ist der Zimmerservice im Hotel. Wenn ich auf Reisen bin und in einem Hotel übernachte, bin ich immer vom Zimmerservice total begeistert. Ich liebe es, mir morgens das Frühstück aufs Zimmer bringen zu lassen ...

AUSSPRACHE: Betonung im Satz

1 Sprichwörter

59 CD|AB

a **Hören Sie Sprichwörter in zwei Varianten.
Unterstreichen Sie die betonten Wörter in der rechten Version.**

1 Keine Regel ohne Ausnahme. — Keine Regel ohne Ausnahme.
2 Aller Anfang ist schwer. — Aller Anfang ist schwer.
3 Übung macht den Meister. — Übung macht den Meister.

b **Was bedeuten die Sprichwörter? Diskutieren Sie, welche Version die Bedeutung des Sprichworts unterstützt und warum.**

2 Bedeutung der Betonung

a **Lesen Sie eine Frage und vier Antworten.
Welches Wort in der Frage muss jeweils betont werden, damit die Antwort passt? Markieren Sie.**

1 Hast du Lolas neuen Freund schon gesehen? — Nein, ich kenne nur den alten.
2 Hast du Lolas neuen Freund schon gesehen? — Nein, ich nicht, aber Henry hat ihn gesehen.
3 Hast du Lolas neuen Freund schon gesehen? — Nein, leider nicht, aber den von Christine.
4 Hast du Lolas neuen Freund schon gesehen? — Nein, noch nicht. Ich hatte ihn nur einmal am Telefon.

60 CD|AB

b **Lesen Sie jetzt laut eine der Fragen und die dazugehörige Antwort.
Hören Sie dann und vergleichen Sie.**

3 Mit Betonung lesen

a **Arbeiten Sie in kleinen Gruppen. Markieren Sie in diesem Text von Roland Fritsch Wörter, die Sie für eine literarische Lesung betonen würden. Einigen Sie sich dann auf eine Lesart.**

Die Dienstagsfrau

Endlich klingelt es. Sie ist nie pünktlich.
Er hat sein bestes Hemd an, tiefrot, denn er liebt sie.
Er wischt mit dem Arm durch die Lichtschranke.
5 *Die Automatik funktioniert tadellos.*
Er hört das Klacken der Eingangstür, die ins Schloss fällt.
Im Gang zieht sie die Schuhe aus; das ist die Abmachung.
Er wird sich die erste halbe Stunde mit dem Summen
zufriedengeben müssen, mit dem sie ihre Arbeit beginnt.
10 *Es ist keine Melodie, die er kennt.*
In ihrem Land gibt es andere Lieder – trauriger, von tief innen.
Wasser rauscht, er möchte Papayas riechen.

b **Lesen Sie die Version der Gruppe mit ihren Betonungen vor und vergleichen Sie die Versionen im Kurs.**

61 CD|AB
c **Hören Sie den Text und vergleichen Sie ihn mit Ihren Markierungen.**

62 CD|AB
d **Wie geht die Geschichte wohl weiter? Überlegen Sie in kleinen Gruppen.
Hören Sie danach das Ende der Geschichte.**

EINSTIEGSSEITE, S. 133

die Begleitung, -en
etwas in Anspruch nehmen, nahm, hat genommen

WORTSCHATZ, S. 134

die Dienstleistung, -en
die Unterbringung, -en
der Vierbeiner, -
der Werbespruch, ¨-e
der Zusatz, ¨-e

sich ausschließen, schloss sich aus, hat sich ausgeschlossen

erhältlich
knifflig
unersetzlich
unschlagbar

SPRECHEN, S. 135

der Flyer, -
die Investition, -en
das Logo, -s
die Umsetzung, -en

verlockend klingen, klang, hat geklungen
inbegriffen sein

HÖREN 1, S. 136–137

die/der Beteiligte, -en
die Enttäuschung, -en
der Fachmann, ¨-er
der Gutschein, -e
die Jagd, -en
die Mogelpackung, -en
das (Internet)Portal, -e
der Rabatt, -e
das Schnäppchen, -

vermitteln
jemanden zufriedenstellen

ausverkauft sein

limitiert
ursprünglich

LESEN 1, S. 138–139

der Blumenstrauß, ¨-e
die Büchse, -en
der Bund, ¨-e
der Dauerbrenner, -
die Erdbeere, -n
der Gärtner, -
das Grundstück, -e
das Kraut, ¨-er
die Plantage, -n
die Selbstbedienung (Sg.)
das Sortiment, -e
der Wühltisch, -e

sich befinden, befand sich, hat sich befunden
bewässern
experimentieren
flitzen
inspirieren
pflücken
variieren
zwinkern

sich etwas zur Gewohnheit machen
gut/schlecht ankommen, kam an, ist angekommen
nach dem Rechten sehen, sah, hat gesehen
im Trend liegen, lag, hat gelegen

stetig

SCHREIBEN, S. 140

die Auswahl (Sg.)
der Betreiber, -
die Kombination, -en

selbst verfasst

LESEN 2, S. 141

das Abo, -s
die Einschätzung, -en
das Phänomen, -e
die Programmierung, -en

etwas bereuen
jemanden / sich verkleiden (als)
über den Kopf wachsen, wuchs, ist gewachsen

HÖREN 2, S. 142

die Eingabe, -n
die Freisprechanlage, -n

jemanden nerven

amüsant

SEHEN UND HÖREN, S. 143

das Ehrenamt, ¨-er
das Engagement (Sg.)

eine Tätigkeit / einen Beruf ausüben
sich engagieren für

ehrenamtlich

LEKTIONSTEST 10

1 Wortschatz

Welche Definition passt? Ordnen Sie zu.

☐ die Investition	☐ die Umsetzung	☐ der Betreiber	☐ der Rabatt
☐ das Ehrenamt	☐ die Enttäuschung	☐ der Gutschein	☐ der Beteiligte

1 Der Preis wird um eine bestimmte Prozentzahl gesenkt.
2 Eine Idee wird realisiert.
3 Eine bestimmte Hoffnung oder Vorstellung wird nicht erfüllt.
4 Statt mit Geld kann man damit bezahlen oder man bekommt damit etwas umsonst.
5 Geld wird in eine Sache gesteckt.
6 Man übernimmt eine allgemeinnützliche Tätigkeit, ohne Geld dafür zu bekommen.
7 Jemand ist aktiv bei einer bestimmten Sache dabei.
8 Man ist verantwortlich für die Organisation eines Unternehmens.

Je 1 Punkt **Ich habe ______ von 8 möglichen Punkten erreicht.**

2 Grammatik

a **Bilden Sie Passiv-Ersatzformen mit der in Klammern angegebenen Form. Schreiben Sie Ihre Lösungen auf ein separates Blatt.**

1 Dieses Buch kann leider nicht mehr geliefert werden. (*sein* + Adjektiv auf *-bar*)
2 In der Picasso-Ausstellung können Führungen für Gruppen vereinbart werden. (*sich lassen* + Infinitiv)
3 Der zugesagte Liefertermin muss unbedingt eingehalten werden. (*sein* + *zu* + Infinitiv)
4 Bei unserem Reinigungsservice kann man viel sparen. (*sich lassen* + Infinitiv)
5 Theos Geschichten kann man wirklich nicht glauben. (*sein* + Adjektiv auf *-lich*)

Je 2 Punkte **Ich habe ______ von 10 möglichen Punkten erreicht.**

b **Schreiben Sie die Sätze im Passiv auf ein separates Blatt.**

1 Im Herbst beginnt man mit der Apfelernte.
2 Man gratuliert den Apfel-Pflückern zu ihrem Erfolg.
3 Am Abend sorgt man mit Musik für Stimmung beim Fest.

Je 2 Punkte **Ich habe ______ von 6 möglichen Punkten erreicht.**

3 Kommunikation

Ergänzen Sie *inbegriffen, Einmaliges, funktionieren, verlockend, klingen, anbieten* in der richtigen Form.

1 Das ist wirklich ein ______________ Angebot.
2 Die Idee ______________ gut, aber ich weiß nicht, ob sie realisierbar ist.
3 Im Preis ist der Service schon ______________.
4 Wir haben in dieser Woche etwas ganz ______________ für Sie, das bekommen Sie sonst nirgendwo.
5 Wir können Ihnen verschiedene Dienstleistungen ______________, die Ihnen den Alltag erleichtern.
6 Ich kann mir nicht vorstellen, wie diese Küchenmaschine ______________ soll.

Je 1 Punkt **Ich habe ______ von 6 möglichen Punkten erreicht.**

Auswertung: Vergleichen Sie Ihre Lösungen mit S. AB 210. Ihre Erfolgspunkte tragen Sie unter jeder Aufgabe ein.

Ich habe ______ von 30 möglichen Punkten erreicht.

☺	🙂	☹
30–26	25–15	14–0

WIEDERHOLUNG WORTSCHATZ

1 Rund um die Gesundheit

Ergänzen Sie im Kreuzworträtsel. Die markierten Buchstaben ergeben das Lösungswort.

1 Erwin hat sich schwer verletzt. Mehrere Knochen sind ...
2 Robert war bei der Ärztin. Sie war mit seinen Blutwerten nicht zufrieden. Er muss jetzt täglich mehrere ... nehmen.
3 Theo sieht in den letzten Tagen etwas krank aus. An seiner Stelle würde ich mal zum Arzt gehen und mich mal richtig ... lassen.
4 Evelyn ist überzeugt, dass Rauchen der Gesundheit ...
5 Berthold raucht. Beim Joggen hat er oft Probleme mit dem ...
6 Das Bein ist so kompliziert gebrochen, dass es in der Klinik ... werden muss.
7 Gisela ist seit zwei Tagen zurück aus dem Krankenhaus. Sie braucht aber noch einige Zeit zur ...
8 Dem Patienten geht es besser. Er hat seit gestern keine ... mehr.
9 Birgit möchte Krankenschwester werden und kranke Menschen ...

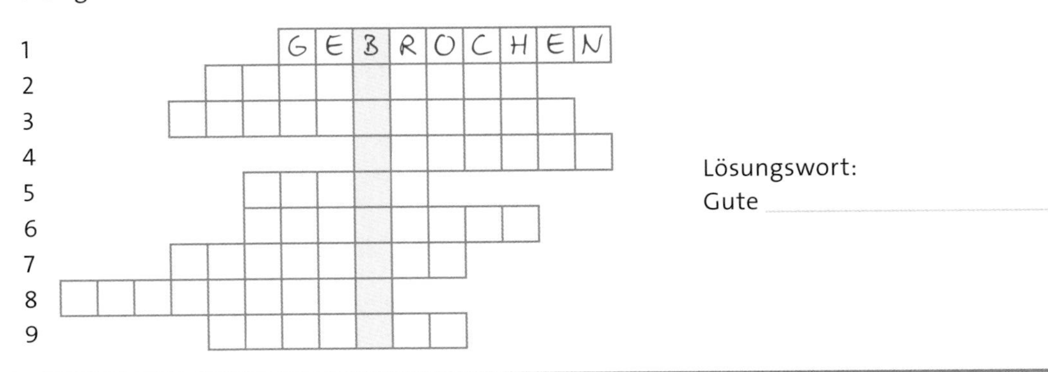

Lösungswort:
Gute ____________

zu Lesen 1, S. 146, Ü1

2 Über Studienwünsche chatten ÜBUNG 1

WORTSCHATZ

Was passt nicht? Streichen Sie durch.

Meine Frage: Seid Ihr der Meinung, dass man nur dann Medizin studieren sollte, wenn man daran interessiert ist, anderen Menschen zu helfen? Was ist das *Hauptmotiv / ~~Hauptproblem~~* (1) für die Berufswahl „Arzt"? Ich habe ehrlich gesagt absolut keinen *Versuch / Wunsch* (2) nach einer Tätigkeit mit intensivem Patientenkontakt. Ich würde lieber in einem technischen Bereich, beispielsweise als *Laborarzt / Krankenpfleger* (3), arbeiten. Denkt Ihr, man braucht das „Helfersyndrom", wie ich es mal nennen möchte, um Arzt zu werden? *Tobias*

Ich denke, „Helfersyndrom" ist nur ein Schlagwort. Allein die Tatsache, dass Du Dir darüber Gedanken machst, ob das Studium das Richtige für Dich ist oder nicht, ist schon mal positiv. Ich finde es wunderbar, dass es Leute gibt, die gern „an den Maschinen" sitzen, auch wenn man als Arzt in diesen technischen Berufen oft weniger *Prestige / Bedarf* (4) hat als beispielsweise Ärzte, die Organe verpflanzen. *Paul*

Hi Tobias, ich hab mir auch ähnliche Gedanken gemacht. Ich persönlich bin nämlich körperlich nicht so *belastbar / angesehen* (5) und frage mich, ob das für eine Ärztin akzeptabel ist. Ich würde gern wissen, was im Arztberuf *Ansage / Anspruch* (6) ist und was Wirklichkeit. Seit ein paar Tagen mache ich ein Pflegepraktikum. Und weißt Du was? Es macht mir wirklich Spaß, mich um die Patienten zu kümmern. Ich habe auch keine Hemmungen davor, sie zu waschen. Man merkt schnell, dass im Krankenhaus ein richtiger *Knochenjob / Nebenjob* (7) auf einen wartet, aber man bekommt auch viel zurück. Ich wünsche Dir viel Erfolg. Hoffentlich reichen Deine Noten und Du bekommst die *Hürde / Zulassung* (8) zum Medizinstudium. *Lena*

zu Lesen 1, S. 146, Ü2

3 Das Indefinitpronomen *man* und seine Varianten

GRAMMATIK ENTDECKEN

a Unterstreichen Sie das Indefinitpronomen *man* und seine Varianten.

Was tut man, wenn einem der Arztberuf nicht mehr gefällt? Wenn man den Eindruck hat, dass einem der Stress im Krankenhaus zu viel wird? Wenn einen die Schulmedizin nicht mehr interessiert und man den Eindruck hat, dass der Kranke als Mensch nicht im Mittelpunkt steht? Welche Alternativen hat man dann?

b Ergänzen Sie.

Das Indefinitpronomen *man* hat im Akkusativ die Form __________ und im Dativ __________.

zu Lesen 1, S. 146, Ü2

4 Neue Perspektiven ÜBUNG 2, 3

GRAMMATIK

Ergänzen Sie das Indefinitpronomen *man* und seine Varianten.

Wenn __man__ (1) wirklich der Meinung ist, der Arztberuf ist nichts für __________ (2), steht __________ (3) vor einem Problem: Was soll __________ (4) stattdessen machen? Zuerst sollte __________ (5) sich Klarheit über die Gründe für die eigene Unzufriedenheit verschaffen. Liegt es an der momentanen Arbeitsstelle, die __________ (6) hat? Oder gefällt __________ (7) generell etwas an der Art der Arbeit nicht?
Wenn __________ (8) noch jung ist und im medizinischen Bereich bleiben will, kommt eventuell ein Aufbaustudium infrage. Hier kann __________ (9) die Studienberatung weiterhelfen. __________ (10) kann aber auch in medizinnahen Bereichen wie der Pharmaindustrie, bei Versicherungen oder in der Forschung neue Aufgaben finden, wenn __________ (11) das interessiert.

zu Hören, S. 147, Ü2

5 Ärzte im Fernsehen

LESEN

Was glauben Sie, für welche der sechs Arztserien (A bis F) interessieren sich die Personen (1 bis 6)? Es gibt jeweils nur eine richtige Lösung. Ordnen Sie zu.
Für welche Person gibt es kein passendes Angebot? Schreiben Sie in diesem Fall ein X.

0 [X] Marie möchte vor 20 Uhr lustige Sendungen mit ländlichem Charme sehen.

1 [ ] Linda macht gerade eine Ausbildung zur Geburtshelferin. Sie mag gern Serien, die in der Vergangenheit spielen.

2 [ ] Louis schaut sich am liebsten im Vorabendprogramm die Serie um eine Hausärztin in der ostdeutschen Provinz an.

3 [ ] Mia ist Berufsanfängerin und identifiziert sich mit jungen Menschen, die wie sie im beruflichen Wettbewerb stehen.

4 [ ] Ralf stammt aus Dresden und liebt Fernsehproduktionen aus seiner sächsischen Heimat, in denen die menschlichen Beziehungen im Mittelpunkt stehen.

5 [ ] Sarah gefallen zurzeit Serien mit egozentrischen Hauptdarstellern und deren eigenwilligen Methoden.

6 [ ] Richard sieht gern Serien, in denen die Figuren familiäre Alltagsprobleme bewältigen müssen, wie normale Menschen auch.

A *Grey's Anatomy*

Im Mittelpunkt der amerikanischen Erfolgsserie „Grey's Anatomy" steht die junge Ärztin Meredith Grey. Sie beginnt zusammen mit ihren vier Kollegen ihr erstes Jahr als Assistenzärztin in der Chirurgie. Die fünf sind knallharte Konkurrenten und zugleich befreundet. Ehrgeiz und Unsicherheit, 48-Stunden-Schichten, medizinische Herausforderungen und Liebeskummer bestimmen ihren Alltag. Jeder der jungen Ärzte geht auf andere Weise mit dem harten Druck um. Manche suchen Unterstützung, andere konzentrieren sich ganz auf die eigene Laufbahn. Sie haben nur ein Ziel: den Tag zu überstehen, ohne in ihren Problemen zu versinken.

B *In aller Freundschaft*

Die Klinikärzte rund um Dr. Roland Heilmann stehen im Mittelpunkt der Serie „In aller Freundschaft". Hier geht es gemütlich zu. Während in den großen amerikanischen Vorbildern Notärzte um das Leben von Patienten mit Schusswunden und Messerstichen kämpfen und damit für Spannung sorgen, stehen hier große menschliche Gefühle wie Freundschaft, Treue und Mitgefühl im Vordergrund. Die Serie läuft im Abendprogramm. Sie wird seit 1998 im Auftrag des Ersten Deutschen Fernsehens (ARD) in Sachsen produziert und zählt mittlerweile über 600 Episoden.

C *Die Schwarzwaldklinik*

„Die Schwarzwaldklinik" war eine der erfolgreichsten deutschen Fernsehserien des Zweiten Deutschen Fernsehens (ZDF). Sie entstand zwischen 1985 und 1989 und wurde in zahlreichen Ländern der Welt gezeigt. Die Hauptfiguren sind der Chefarzt Professor Klaus Brinkmann und dessen Sohn Udo Brinkmann sowie die beiden Krankenschwestern Christa Mehnert und Hildegard Zeisig. Private Probleme der Hauptpersonen machen das zentrale Element der Handlung aus.

D *Dr. House*

Das Ärzteteam der Serie „Dr. House" muss Woche für Woche medizinische Rätsel lösen. Die Ärzte übernehmen auch Detektivarbeit. Anders als bei Produktionen, in denen am Anfang gleich ein Mensch stirbt, steht hier der Kampf um Leben und Tod im Mittelpunkt. Meist bleibt wenig Zeit, um die richtige Diagnose zu stellen und den Patienten zu retten. Leiter der Diagnosespezialisten ist Gregory House. House ist als Arzt ein Genie. Seine Art, mit Patienten und Kollegen umzugehen, ist hingegen gewöhnungsbedürftig. Denn er kann gemein und zynisch sein.

E *Call the Midwife*

In der britischen Produktion „Call the Midwife" begleitet die junge Hebamme Jenny Lee in den 1950er-Jahren im armen Londoner East End schwangere Frauen bei der Geburt ihrer zahlreichen Kinder. Zunächst ist Jenny von ihren neuen Kolleginnen und der ungewohnten Umgebung eingeschüchtert, denn ihr neuer Arbeitsplatz ist eine kirchliche Einrichtung mit strengen Regeln. Dort übernehmen Nonnen die Rollen von Krankenschwestern. Doch schon bald bekommt sie ihren ersten Fall übertragen – die Pflege einer Frau, die zum 25. Mal schwanger ist. Jenny wird dabei mit Armut, Vernachlässigung und mangelnder Hygiene konfrontiert. In all dem Elend lernt sie jedoch auch Liebe und Hoffnung kennen.

F *Tierarzt Dr. Engel*

„Tierarzt Dr. Engel" ist eine Fernsehserie in Gemeinschaftsproduktion des Zweiten Deutschen und des Schweizer Fernsehens. Die Serie spielt in den Alpen bei Berchtesgaden. Im Mittelpunkt steht der unkonventionelle bayerische Tierarzt Quirin Engel. Seine komplizierte Familienkonstellation sorgt für interessante Verwicklungen. Da gibt es eine Schwiegermutter, die im Haushalt mithilft und einen unehelichen Sohn, den der Arzt seiner selbstbewussten Ehefrau jahrelang verheimlicht hat.

zu Hören, S. 147, Ü2

6 Ein Arbeitstag in der Klinik

WORTSCHATZ

Lesen Sie einen Auszug aus dem Interview mit Sophie Barlow. Was passt? Markieren Sie.

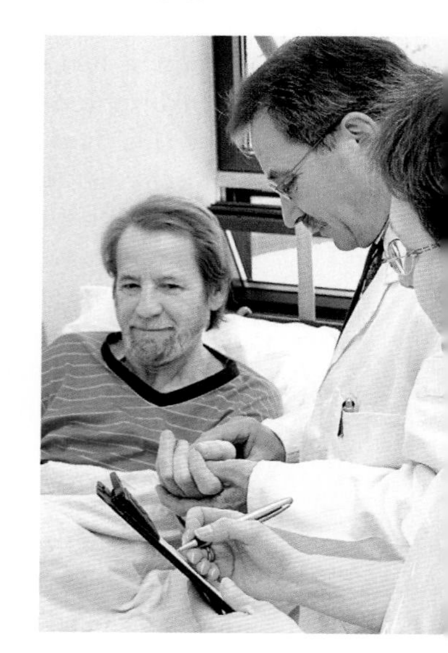

Wir fangen um acht Uhr in der Früh an, und dann beginnen wir mit der *Absage / Visite* (1), das heißt, wir gehen zu den Patienten und fragen, wie es ihnen geht und wir besprechen, was an dem Tag gemacht wird, also was für *Herausforderungen / Behandlungen* (2) wir machen
5 werden, was für Tests, wie wir mit der *Therapie / Hospitation* (3) weitermachen. Das dauert zwischen zwei und drei Stunden, und danach machen wir normalerweise Mittagspause. Nachmittags machen wir etwas, was ich nur aus Deutschland kenne, es heißt *Aktenvisite / Krankenhausbesuch* (4). Alle Ärzte sitzen zusammen im *Arztzimmer /*
10 *Patientenzimmer* (5) und besprechen alle Patienten, das heißt, was für *Qualifikationen / Untersuchungen* (6) wir machen. Und wenn wir mit einem Patienten Probleme haben, dann versuchen wir, die zu lösen. Das dauert zwischen ein und zwei Stunden und danach haben wir ein bisschen Zeit, *Arztbriefe / Arztabläufe* (7) zu schreiben und Patienten
15 *abzulegen / zu entlassen* (8). Und dann gehen wir so in der Regel zwischen sechs und sieben Uhr abends nach Hause.

zu *Wussten Sie schon?*, S. 147

11

7 Mobilität bei Ärzten ÜBUNG 4

SCHREIBEN

a **Lesen Sie den Beitrag in einem Diskussionsforum zum Thema „Ärztemangel in Deutschland". Was ist richtig? Markieren Sie.**

1 Der Verfasser kritisiert Ärzte,
- [a] denen es nur um ihren Verdienst geht.
- [b] die aufs Land wollen.
- [c] die kaum Deutsch können.

2 Er fordert, dass junge Mediziner ...
- [a] besser Deutsch lernen.
- [b] ins Ausland gehen.
- [c] zuerst in Deutschland arbeiten.

Ich muss schon sagen, ich finde das Verhalten mancher junger Ärzte einfach unmöglich. Nachdem man sie für einen der kostspieligsten Studiengänge ausgewählt und jahrelang ausgebildet hat, verlassen sie unser Land. Warum? Für ein paar Euro mehr! Wo bleibt da die Dankbarkeit? Wo das soziale Gewissen? Um die Lücke zu schließen, werden Ärzte aus
5 anderen Ländern geholt. Sofern ihre ausländischen Abschlüsse bei uns anerkannt werden, schön und gut. Aber wie sollen Patienten und Arztkollegen damit klarkommen, wenn fast niemand mehr in der Klinik richtig Deutsch versteht? Und was sollen Menschen in abgelegenen Gegenden machen, wenn dort kein Arzt mehr eine Praxis haben will? Meiner Meinung nach sollten Medizinstudenten künftig für ihre Ausbildung bezahlen
10 oder versprechen, die ersten zehn Jahre in der Heimat auf dem Land zu praktizieren.

b **Verfassen Sie eine Reaktion auf diesen Beitrag.**

Schreiben Sie,
- mit welcher Kritik des Autors Sie einverstanden sind und mit welcher nicht.
- welche Vorschläge Sie für eine Verbesserung der Lage machen würden.
- wie die Situation in Ihrem Heimatland ist.

zu Wortschatz, S. 148, Ü2

8 Packungsbeilage

LESEN

Lesen Sie die Packungsbeilage und ordnen Sie die Abschnitte den Zwischenüberschriften zu.

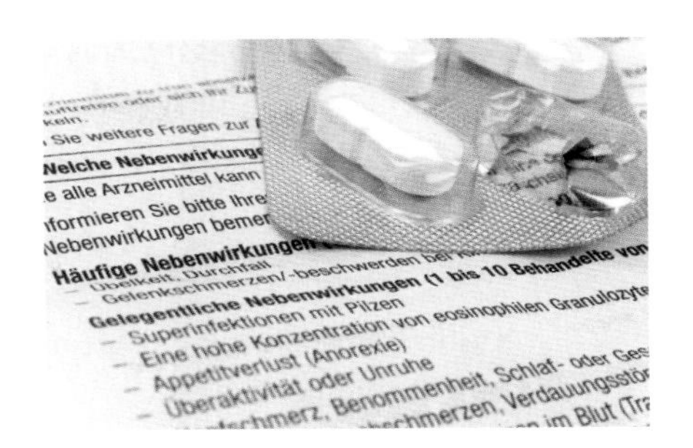

- [3] Für wen wird welche Menge empfohlen?
- [ ] Welche gesundheitlichen Probleme können auftreten?
- [ ] Für wen ist das Medikament gesundheitsschädigend?
- [ ] Wie ist das Medikament zu lagern?
- [ ] Wie nimmt man das Medikament ein?
- [ ] Wogegen hilft DISPERON?

1 DISPERON ist ein schmerzstillendes, fiebersenkendes und entzündungshemmendes Arzneimittel.

2 DISPERON darf nicht eingenommen werden:
- Wenn Sie mit Asthmaanfällen oder in anderer Weise überempfindlich auf den Wirkstoff reagieren.
- In den letzten 3 Monaten der Schwangerschaft.

3 Nehmen Sie DISPERON immer genau nach der Anweisung in dieser Packungsbeilage ein. Bitte fragen Sie bei Ihrem Arzt oder Apotheker nach, wenn Sie sich nicht ganz sicher sind.

Alter	Einzeldosis	Tagesgesamtdosis
Kinder ab 12 Jahren	1 Tablette	bis zu 3 Tabletten
Jugendliche und Erwachsene	1–2 Tabletten	3–6 Tabletten

4 Nehmen Sie die Tabletten bitte mit reichlich Flüssigkeit (z. B. einem Glas Wasser) ein. Nicht auf nüchternen Magen einnehmen. Die Einzeldosis kann, falls erforderlich, in Abständen von 4 bis 8 Stunden bis zu 3-mal täglich eingenommen werden.

5 Wie alle Arzneimittel kann DISPERON Nebenwirkungen haben. Kopfschmerzen, Schwindel, gestörtes Hörvermögen, Ohrensausen (Tinnitus) und geistige Verwirrung können Anzeichen einer Überdosierung sein.

6 Arzneimittel für Kinder unzugänglich aufbewahren. Sie dürfen das Arzneimittel nach dem angegebenen Verfallsdatum nicht mehr verwenden. Nicht über 30° C lagern!

11

zu Wortschatz, S. 148, Ü2

9 Medikamente auf Reisen

HÖREN

63 CD1AB

Hören Sie das Telefongespräch. Welche Antwort ist richtig? Markieren Sie.

1 Welche Frage hat die Anruferin?
- [a] Welche Medikamente man auf Flugreisen mitnehmen darf.
- [b] Ob sie ihr Parfüm mit ins Flugzeug nehmen darf.
- [c] In welchen Fällen man Flüssigkeiten im Handgepäck mitnehmen darf.

2 Welche Sicherheitsbestimmungen gelten am Flughafen?
- [a] Man darf generell keine Flüssigkeiten im Flugzeug mit sich führen.
- [b] Man darf nur Getränke mitnehmen.
- [c] Man darf nur 100 ml Flüssigkeit mitnehmen.

3 Was empfiehlt die Freundin?
- [a] Das Shampoo vor Kontrollen zu verstecken.
- [b] Das Shampoo in einen kleineren Behälter umzufüllen.
- [c] Das Rezept für das Shampoo aufzuschreiben und erneut vor Ort zusammenstellen zu lassen.

zu Wortschatz, S. 148, Ü2

10 Heilmittel im Alltag ÜBUNG 5, 6 WORTSCHATZ

Welches Mittel passt? Was würden Sie außerdem geben oder machen? Ordnen Sie zu und schreiben Sie.

☐ kühlende Salbe • ☐ Augentropfen • ☐ Desinfektionsmittel • [1] ~~Kopfschmerztablette~~ • ☐ Spritze mit Gegenmittel • ☐ Fieberzäpfchen • ☐ Tabletten gegen Reisekrankheit

1 Ahmed hat seit einer Stunde einen pochenden Schmerz im Kopf. Wahrscheinlich hat er zu wenig getrunken.
2 Benedikt ist am Berg gestolpert und hat eine blutende Wunde am Knie.
3 Fiona hat beim Schwimmen im Meer einen Sonnenbrand am Rücken bekommen.
4 Jana hat eine Wanderung im Schnee gemacht. Jetzt brennen ihre Augen.
5 Lena hat sich erkältet und erhöhte Temperatur.
6 Lukas hat eine starke Allergie gegen Nüsse. Aus Versehen hat er Kuchen mit Nüssen gegessen.
7 Stefan ist mit einem Schiff zu einer Insel unterwegs. Ihm ist sehr übel.

1 Ich würde ihm eine Kopfschmerztablette geben und außerdem viel Wasser zum Trinken.

zu Wortschatz, S. 148, Ü3

11 Indefinitpronomen GRAMMATIK ENTDECKEN

a **Unterstreichen Sie die Indefinitpronomen im Text und ergänzen Sie die Tabelle.**

Hallo,
ich bin seit einer Woche mit meinem Freund im Urlaub auf einer griechischen Insel, eigentlich ist es ganz toll, aber wir haben ein Problem: Mein Freund hat Bluthochdruck, er braucht ein ganz bestimmtes Medikament und er hat sein Rezept zu Hause vergessen. Wir waren schon in der einzigen Apotheke, die es hier gibt. Da haben sie uns zwar <u>irgendetwas</u> angeboten, aber diese Tabletten – irgendwelche eben – will mein Freund nicht nehmen. Wir haben die Apothekerin gebeten, uns das Medikament zu bestellen, aber das hat nichts gebracht, denn ohne Rezept können sie das Medikament nicht beschaffen. Sollen wir zu einem Arzt gehen? Wir können kein Griechisch und kennen auch niemanden, der übersetzen kann. Hat von Euch jemand eine Ahnung, was wir machen können, um hier die richtigen Tabletten zu bekommen? Kann irgendeiner von Euch uns einen Tipp geben? Vielen Dank schon mal!

LG Martina

b **Ergänzen Sie die Tabelle.**

Nominativ	(irgend) ______ ↔ niemand	______ ↔ keiner	*(irgend) etwas* ↔ ______
Akkusativ	(irgend)jemanden ↔ ______	(irgend)einen ↔ keinen	
Dativ	(irgend)jemandem ↔ niemandem	(irgend)einem ↔ keinem	
Plural	— —	______ ↔ keine	

c **Ergänzen Sie die Indefinitpronomen, wo nötig, in der richtigen Form.**

1 Kennst du irgendjemand *en*, der uns helfen kann?
2 ● Ist hier vielleicht jemand ______ Arzt? ■ Nein, leider n ______.
3 ▲ Hast du von jemand ______ gehört, der diese Tropfen ausprobiert hat?
◆ Nein, leider nicht, und wir können auch niemand ______ fragen.
4 Ich habe leider n ______ gegen Sonnenbrand dabei.
5 Ich brauche irgend ______ gegen Kopfschmerzen.

zu Wortschatz, S. 148, Ü3

12 Ratschläge ÜBUNG 7, 8

GRAMMATIK

Ergänzen Sie.

einem • einen • etwas • etwas • irgendeinem • ~~einer~~ • nichts • niemand • irgendwelche • keinen

Hallo Martina,
„wenn *einer* (1) eine Reise tut, dann kann er ______ (2) erzählen" ... und da möchte man natürlich ______ (3) von Sonne, Strand und Meer berichten und ______ (4) von Gesundheitsproblemen und fehlenden Medikamenten. Ihr solltet wegen des Rezepts zu einem Arzt gehen, und zwar nicht zu ______ (5), sondern zu ______ (6), der Englisch oder Deutsch kann. Am besten gehst Du in die Apotheke und fragst, wo es ______ (7) gibt.
Wenn es in dem Dorf ______ (8) gibt, musst Du in die nächste Stadt fahren.
Wenn ______ (9) zu finden ist, der Englisch oder Deutsch spricht, dann ruf mal im Konsulat oder in der deutschen Botschaft an. Die können auch oft helfen. Selbst mit Rezept kann es manchmal schwierig werden, nicht nur ______ (10), sondern die richtigen Medikamente in der entsprechenden Qualität zu bekommen.
Ich wünsche Euch viel Glück! Und noch einen schönen Urlaub!

Markus

zu Sprechen 1, S. 149, Ü2

13 Gespräch beim Arzt ÜBUNG 9, 10, 11

KOMMUNIKATION

Ergänzen Sie mithilfe der Redemittel im Kursbuch, S. 149.

Arzt: Wo ______ ? (1)
Patient: Hier an der Schulter.
Arzt: ______ schon? (2)
Patient: Seit ein paar Tagen.
Arzt: Welchen ______ ? (3)
Patient: Ich bin Dachdecker.
Arzt: Was ______ ______ ? (4)
Patient: Ein intensiver, ziehender. Woher kommt so etwas denn? Wahrscheinlich habe ich mich bei der Arbeit ______ . (5)
Arzt: Die Ursache für diese Schmerzen ist der Nerv. Ich gebe ______ ______ (6) für eine Salbe. ______ die Schultern mit der Salbe zweimal täglich ______ . (7) ______ Bewegungen der Schulter. (8)

zu Schreiben, S. 151, Ü3

14 Modalsätze mit *dadurch, dass* und *indem*

GRAMMATIK ENTDECKEN

a **Was passt? Ordnen Sie zu.**

1 Viele Raucher haben sich das Rauchen abgewöhnt, — D
2 Kinder mit Übergewicht können dadurch abnehmen,
3 Dadurch, dass manche Menschen Extremsportarten betreiben,
4 Man kann seine Beweglichkeit verbessern,
5 Dadurch, dass man beim Sport übertreibt,

A dass ihre Eltern mit ihnen Sport treiben.
B können Muskeln reißen.
C indem man täglich 15 Minuten Gymnastik macht.
D indem sie Nikotinpflaster benutzt haben.
E müssen alle Versicherten höhere Beiträge zahlen.

b **In welchen Sätzen sind die Subjekte in Haupt- und Nebensatz gleich, in welchen verschieden? Markieren Sie.**

	gleich	verschieden
1 Dadurch, dass Tanja zu spät gekommen ist, konnte die Sitzung nicht pünktlich beginnen.	☐	☐
2 Paul entspannt sich, indem er Musik hört.	☐	☐
3 Der Unfall ist dadurch passiert, dass Peter während der Fahrt telefoniert hat und deshalb unaufmerksam war.	☐	☐
4 Man kann seine schlechten Angewohnheiten verändern, indem man sich über die Gründe für sein Verhalten klar wird.	☐	☐

c **Was ist richtig? Markieren Sie.**

Indem kann man nur dann verwenden, wenn die Subjekte in Haupt- und Nebensatz *gleich/verschieden* sind.

zu Schreiben, S. 151, Ü3

15 Schlechte Angewohnheiten ablegen

GRAMMATIK

Schreiben Sie die kursiv gedruckten Satzteile neu mit *dadurch, dass* oder *indem*.

1 Manche Leute legen eine schlechte Angewohnheit *durch die radikale Veränderung ihres Lebensstils* ab.
1 Manche Leute legen eine schlechte Gewohnheit ab, indem sie ihren Lebensstil radikal verändern.

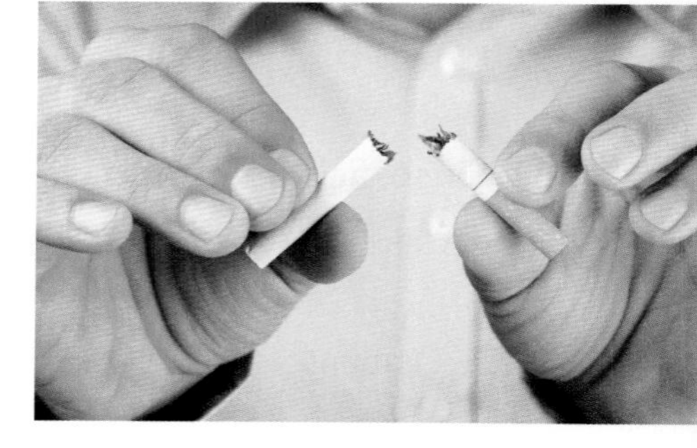

2 *Durch das Aufschreiben des Tagesablaufs* kann man sein Verhalten analysieren.

3 *Durch das Aufzeigen von Alternativen* kann man Menschen mit schlechten Angewohnheiten helfen.

4 *Durch Bewegung* kann man sich selbst auf andere Gedanken bringen.

5 *Durch häufige Wiederholung* wird eine Handlung zu einer Gewohnheit.

zu Schreiben, S. 151, Ü3

16 Modalsätze mit *durch* ÜBUNG 12, 13

GRAMMATIK

Nominalisieren Sie die Sätze mit *durch*.

1 Viele unserer Handlungen laufen dadurch unbewusst ab, dass sie automatisiert sind.
2 Indem man das Umfeld verändert, kann man sich schlechte Gewohnheiten leichter abgewöhnen.
3 Dadurch, dass man gestresst ist, achtet man weniger auf die eigenen Bedürfnisse.
4 Dadurch, dass man Schokolade verzehrt, können Glückshormone ausgeschüttet werden.
5 Belohnen Sie sich bei einem Teilsieg, indem Sie mit Freunden feiern.

1 Viele unserer Handlungen laufen durch Automatisierung unbewusst ab.

zu Schreiben, S. 151, Ü4

17 Gewicht bei Kindern ÜBUNG 14

KOMMUNIKATION

Lesen Sie das Interview mit Prof. Dr. Lammert im Gesundheitsmagazin „Gesund und fit" (G & F) und ergänzen Sie die Redemittel aus dem Kursbuch, S. 151.

G & F: Anlässlich des Weltgesundheitstages sprechen wir heute mit Professor Lammert von der Technischen Universität München über die Frage: Sind unsere Kinder zu dick?
Von diesem Thema sind nicht nur einzelne Familien betroffen. Unsere
5 gesamte Gesellschaft wird hier ein Problem (1) bekommen.
Denken wir doch mal ______________ (2)!
Diese Kinder werden wahrscheinlich dicke Erwachsene. Und dicke Erwachsene werden später oft krank sein und nicht so gut arbeiten können. Herr Professor, was sagen Sie dazu?
10 **Lammert:** Ich muss zunächst einmal sagen, dass die Befürchtung übertrieben ist. Ich __________ wirklich, man __________ (3) die Öffentlichkeit mit diesem Thema nicht unnötig beunruhigen. Heute gibt es genauso viele dünne und dicke Kinder wie vor 20 Jahren.
G & F: Heißt das also, ______________ (4) die Diskussion darüber einfach beenden?
15 **Lammert:** Nein, es gibt gute ______________ (5), sich mit dem Thema zu beschäftigen. Denn es gibt etwas, was sich im Vergleich zu früher verändert hat: Die Dicken werden immer dicker.
G & F: Wann ist ein Kind denn eigentlich zu dick? Wenn es drei/vier Kilo zu viel auf die Waage bringt?
Lammert: Nein, dieses ständige Wiegen, das geht ______________ (6). Übergewicht sieht man mit bloßem Auge. Wenn ein Kind 20 Prozent mehr wiegt als der Durchschnitt der Kinder
20 in seinem Alter, dann ist es zu dick.
G & F: Also würde ein Arzt das auch sehen und die Eltern informieren, wenn ihr Kind zu dick ist?
Lammert: Genau. Wir sehen allerdings folgende Schwierigkeit: Viele Eltern gehen leider nicht zu den Vorsorgeuntersuchungen. Das müssen wir dringend ändern!

zu Sprechen 2, S. 152, Ü1

18 Neue Wege mit alternativen Heilmethoden ÜBUNG 15, 16

HÖREN

64 CDIAB

Hören Sie einen Ausschnitt aus einer Radiosendung und ergänzen Sie die Tabelle.

	Gesundheitliches Problem	Heilmethode	Mittel	Positive Wirkung
Frau Klinger	1	2 Yoga	3	4
Herr Brönner	5 Bluthochdruck	6	7	8
Frau Baranzki	9	10	11	12 reguliert Energiefluss

11

zu Lesen 2, S. 153, Ü1

19 Medizinisches ÜBUNG 17

WORTSCHATZ

a **Verben auf *-ieren*. Ergänzen Sie in der richtigen Form.**

blockieren • deklarieren • diagnostizieren • integrieren • interpretieren • tolerieren • ~~praktizieren~~

1 Seit drei Jahren praktiziert Frau Ehrmann als Ärztin in ihrer eigenen Praxis.
2 Vor Kurzem wurde bei meinem Freund eine Katzenhaarallergie ______.
3 Gehen Sie bitte aus dem Weg. Sie ______ den Durchgang.
4 Herr Müller weiß nicht recht, wie er die Aussagen des Arztes ______ soll.
5 Der Professor versucht, einen weiteren Aspekt in seinen Vortrag zu ______.
6 Manche Patienten ______ Ärzte im Praktikum nicht.
7 Oft sind in der Packungsbeilage nicht alle Inhaltsstoffe ______.

b **Was passt nicht? Streichen Sie durch.**

1 Er spürte einen ~~ansehnlichen~~ / *pochenden* Schmerz im Kopf.
2 Der Chefarzt ist in seiner Freizeit ein *chronischer / passionierter* Golfspieler.
3 Der Insektenstich ist *harmlos / stechend*.
4 An dieser Stelle ist die Haut sehr *empfindlich / unzureichend*.
5 Das Bein ist nach der Operation noch nicht voll *belastbar / kostspielig*.

11

zu Lesen 2, S. 154, Ü3

20 Modalsätze mit *ohne … zu / ohne dass* sowie *(an)statt … zu / (an)statt dass*

GRAMMATIK ENTDECKEN

a **Unterstreichen Sie die im Titel genannten Konnektoren.**

Frage: Was haltet Ihr von alternativen Heilmethoden, was denkt Ihr über Schulmedizin? Welche Erfahrungen habt Ihr gemacht? *Mopo3*

Oft wird der Schulmedizin ja vorgeworfen, dass sie nur die Symptome behandelt, ohne den ganzen Menschen zu sehen. Aber bei einem Beinbruch gehe ich natürlich zu einem Schulmediziner, anstatt einen Homöopathen aufzusuchen. *wurm58*

Ich habe gute Erfahrungen mit alternativen Methoden wie Akupunktur und Homöopathie gemacht. Besonders bei chronischen Erkrankungen sind diese alternativen Methoden oft sehr erfolgreich, ohne dass starke Nebenwirkungen auftreten. *hexe4*

Bei „Naturheilkunde" sagt schon der Name: Die Natur heilt – statt der Chemie. Jeder Mensch besitzt Selbstheilungskräfte, und diese Kräfte sollte man zuerst mal wecken oder stärken, anstatt dass man den Körper gleich mit chemischen Mitteln vollpumpt. Die Schulmedizin ist aber ebenso wichtig, z. B. bei Knochenbrüchen, Notfällen, Unfällen etc. *Maxi32*

b **Was ist richtig? Markieren Sie.**

	etwas passiert nicht	eine Alternative passiert nicht
1 Oft wird der Schulmedizin ja vorgeworfen, dass sie nur die Symptome behandelt, ohne den ganzen Menschen zu sehen. (= Oft wird der Schulmedizin ja vorgeworfen, dass sie nur die Symptome behandelt. Sie sieht nicht den ganzen Menschen.)	☒	☐
2 Aber bei einem Beinbruch gehe ich natürlich zu einem Schulmediziner, anstatt einen Homöopathen aufzusuchen. (= Aber bei einem Beinbruch gehe ich natürlich zu einem Schulmediziner. Ich suche keinen Homöopathen auf.)	☐	☐
3 Besonders bei chronischen Erkrankungen sind diese alternativen Methoden oft sehr erfolgreich, ohne dass starke Nebenwirkungen auftreten. (= Besonders bei chronischen Erkrankungen sind diese alternativen Methoden oft sehr erfolgreich. Es treten keine starken Nebenwirkungen auf.)	☐	☐
4 Jeder Mensch besitzt Selbstheilungskräfte und diese Kräfte sollte man zuerst mal wecken oder stärken, anstatt dass man den Körper gleich mit chemischen Mitteln vollpumpt. (= Jeder Mensch besitzt Selbstheilungskräfte und diese Kräfte sollte man zuerst mal wecken oder stärken. Man sollte den Körper nicht gleich mit chemischen Mitteln vollpumpen.)	☐	☐

11

c **Unterstreichen Sie die Subjekte in den Haupt- und Nebensätzen in b. Was ist richtig? Markieren Sie.**

Man kann einen Infinitivsatz mit *ohne ... zu* und *anstatt ... zu* bilden, wenn ...
- ☐ die Subjekte in Hauptsatz und Nebensatz verschieden sind.
- ☐ die Subjekte in Hauptsatz und Nebensatz gleich sind.
- ☐ die Zeiten in Hauptsatz und Nebensatz verschieden sind.

zu Lesen 2, S. 154, Ü3

21 Alternative Therapien

GRAMMATIK

Schreiben Sie Sätze mit *ohne ... zu* oder *(an)statt ... zu*.
Wenn das nicht möglich ist, nehmen Sie *ohne dass* oder *(an)statt dass*.

1 Andrea lässt ihr Pferd mit Akupunktur behandeln. Sie gibt dem Tier keine Medikamente gegen die Schmerzen. *(anstatt)*
2 Verschiedene Institutionen haben Studien über Homöopathie durchgeführt. Die Wirkung der Homöopathie konnte nicht eindeutig nachgewiesen werden. *(ohne)*
3 Die alternative Medizin bezieht auch Seele und Geist mit ein. Sie betrachtet nicht nur einen bestimmten Teil des menschlichen Körpers. *(anstatt)*
4 Manchmal werden alternativen Heilmitteln Inhaltsstoffe zugesetzt, die schaden. Sie helfen nicht. *(anstatt)*
5 Gesine ist davon überzeugt, dass Manuka-Honig bei einer beginnenden Erkältung heilend wirkt. Er ruft keine störenden Nebenwirkungen hervor. *(ohne)*
6 Egon behandelt seine Kopfschmerzen erfolgreich mit Akupunktur. Er nimmt keine Tabletten. *(anstatt)*

1 Andrea lässt ihr Pferd mit Akupunktur behandeln, anstatt dem Tier Medikamente gegen die Schmerzen zu geben.

zu Lesen 2, S. 154, Ü3

22 Modalsätze mit *ohne* und *(an)statt* (+ Genitiv) ÜBUNG 18, 19, 20

GRAMMATIK

a **Ergänzen Sie *ohne* oder *statt*.**

Liebe Stefanie,

seit vier Tagen bin ich in Bad Wörishofen und mache eine Kneipp-Kur. Es gibt gesundes Essen, täglich Wasseranwendungen und viel Gymnastik im Freien. Wir bewegen uns regelmäßig, aber ohne (1) Übertreibung. Zum Beispiel wird der Kreislauf morgens durch Barfuß-Laufen im nassen Gras angeregt. Man sorgt hier für die Mobilisierung des Bewegungsapparats, aber ________ (2) Vernachlässigung der seelischen Entspannung. Und ________ (3) fetten Essens nehmen wir viel Obst, Gemüse und Kräuter zu uns, was mir sehr guttut. Die Kräuterkissen im Hotelbett sorgen dafür, dass man bequem und tief schläft – ________ (4) schlechte Träume. Hier kann ich mich ________ (5) Gedanken an den stressigen Alltag erholen und ________ (6) angestrengter Arbeit am PC wandere ich durch Wiesen und Wälder und höre die Vögel singen. So eine Erholung wünsche ich Dir auch mal!

Herzliche Grüße
Nora

b **Schreiben Sie jetzt die nominalen Ausdrücke aus a mit *ohne … zu / ohne dass* oder *(an)statt … zu / (an)statt dass* um.**

1 Wir bewegen uns regelmäßig, aber ohne zu übertreiben.

zu Sehen und Hören, S. 155, Ü2

23 Tätigkeiten einer Krankenschwester

WORTSCHATZ

a **Ordnen Sie zu. Manche Verben passen mehrmals.**

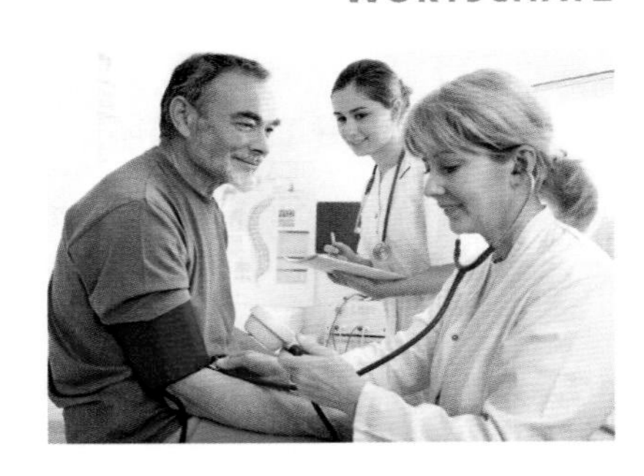

1 den Puls
2 die Tabletten — E
3 die Werte
4 eine Spritze
5 eine Stelle auf der Haut

A desinfizieren
B geben
C kontrollieren
D messen
E heraussuchen

b **Ergänzen Sie den Bericht von Ina Stanger.**

Blutdruck • Medikamente • Patienten • Schichtbeginn • ~~Tabletten~~ • Verbände

„________ (1) ist um sechs Uhr. Dann werden zuerst die ________ (2), die eingenommen werden müssen, kontrolliert. Wir suchen die Tabletten (3) für alle Patienten heraus. Danach werden die ________ (4) geweckt. Teilweise müssen sie gewaschen werden. Dann werden die Vitalwerte gemessen, also ________ (5), Puls und so weiter. Danach werden die Patienten für die Untersuchungen vorbereitet. Unser Hauptbereich ist die Pflege. Das heißt: Wir geben Spritzen und wechseln ________ (6).“

zu Sehen und Hören, S. 155, Ü3

24 Barbara

FILMTIPP / LESEN

Lesen Sie die Inhaltsangabe und ordnen Sie zu.

☐ Apparats • ☑ 1 Ausreise • ☐ Drehbuchs • ☐ Flucht • ☐ Kinderärztin • ☐ Verständnis • ☐ Ostsee • ☐ Strafe

NINA HOSS
RONALD ZEHRFELD
JASNA FRITZI BAUER
MARK WASCHKE
RAINER BOCK
BARBARA
EIN FILM VON CHRISTIAN PETZOLD

Es ist Sommer 1980. Die Ärztin Barbara hat einen Antrag auf (1) aus ihrem Heimatland, der DDR, gestellt. Das ist zwar legal, aber nicht erwünscht. Zur (2) wird sie aus der Hauptstadt Berlin (Ost) in ein Krankenhaus in einem Provinzstädtchen an die Ostsee ver-
5 setzt. Jörg, ihr Freund aus Westdeutschland, plant ihre Flucht in den Westen. Er will den Weg über die (3) wagen.
Barbara wartet auf den großen Moment. Das neue Apartment, die Nachbarn, der Sommer, die wunderschöne Landschaft – das alles bedeutet ihr nichts. Bei der Arbeit als (4) geht sie zwar sehr liebevoll mit ihren Patienten um,
10 ihren Kollegen gegenüber ist sie aber distanziert. Einzig das Verhalten ihres Vorgesetzten Andre bringt sie durcheinander. Er ist sehr nett zu ihr, sorgt sich um sie und zeigt sein vollstes (5). Ist er vielleicht von der Geheimpolizei STASI beauftragt, sie zu „beobachten"? Oder liebt er sie? Barbara verliert nach und nach die Kontrolle über ihre Gefühle, während sich der Tag ihrer geplanten (6) nähert.
15 Der Film zeigt dank seines hervorragenden (7) und der exzellenten Regie ein stimmiges Porträt der DDR und des berüchtigten Staatssicherheits- (8). Zu sehen sind überwältigend schöne Landschaftsaufnahmen, aber auch das triste Alltagsleben in Barbaras schäbiger Wohnung. Nicht umsonst wurde der Film auf der Berlinale 2012 mit dem Silbernen Bären für die „Beste Regie" ausgezeichnet.

25 Mein Hausmittel gegen ...

MEIN DOSSIER

Was empfehlen Sie bei folgenden Beschwerden? Ergänzen Sie.

Beschwerde	Mittel	Wirkung	Anwendung
Fieber	Wadenwickel	senkt die Körpertemperatur	Ich tauche ein Tuch in kaltes Wasser und wickle es um die Wade des Kranken. Ein zweites trockenes Tuch lege ich darüber. Damit das Bett nicht nass wird, kommt eine Plastiktüte unter das Bein.
Halsschmerzen			
Husten	...		
...			

AUSSPRACHE: Melodie

1 Melodieverläufe

a **Ist die Melodie ansteigend (↗), abfallend (↘) oder schwebend (→)? Ergänzen Sie.**

1 Aussagesatz:	Es ist ein dumpfer ☐, ziehender Schmerz. ☐
	Am besten machen wir es so ☐:
	Sie bekommen von mir ein Rezept für ein Schmerzmittel. ☐
2 Aufforderung:	Machen Sie bitte mal den Oberkörper frei. ☐
3 Frage mit Fragewort:	Wie lange nehmen Sie die Tabletten schon? ☐
4 Entscheidungsfrage:	Tut es Ihnen hier weh? ☐
5 Höfliche Frage:	Möchten Sie so lange im Wartezimmer Platz nehmen? ☐
6 Warnung:	Nehmen Sie aber nur eine Tablette pro Tag! ☐

65 CD AB

b **Hören Sie und vergleichen Sie.**

2 Bedeutungsunterscheidende Pausen und Melodien

66 CD AB

a **Hören Sie einen Satz in vier Varianten und ergänzen Sie die Satzzeichen. Markieren Sie auch Pausen (/) und Melodie.**

es geht alles in ordnung

1 Es geht alles in Ordnung. ↘
2 ______
3 ______
4 ______

b **Wann sagt man diese Sätze wohl? Überlegen Sie sich zu zweit entsprechende Situationen.**

3 Vortrag

67 CD AB

a **Hören Sie einen Vortrag über alternative Heilmethoden. Ergänzen Sie beim Hören die Satzzeichen Punkt, Doppelpunkt, Komma, Fragezeichen und Ausrufezeichen.**

Sehr geehrte Damen und Herren, →
ich begrüße Sie heute ganz herzlich zu meinen kurzen Vortrag über alternative Heilmethoden
Stimmt es eigentlich dass die Anwendung alternativer Methoden zumindest nicht schaden kann Ich denke Nein Vertreter alternativer Methoden neigen zum Beispiel dazu fälschlicherweise zu viele und gar nicht vorhandene Allergien zu diagnostizieren Diese werden durch alternative Methoden wie Homöopathie angeblich rasch und natürlich wieder geheilt Sollen wir das glauben Auch alternative Medikamente sind nicht grundsätzlich harmlos Bei manchen alternativen Medikamenten sind die Inhaltsstoffe unzureichend deklariert Viele homöopathische Medikamente enthalten beispielsweise Alkohol Eine Verabreichung von Alkohol an Säuglinge und Kinder auch in kleinen Mengen ist aber grundsätzlich problematisch Deshalb mein Vorschlag Bei der Suche nach der richtigen Heilmethode sollten Sie jede Methode ob schulmedizinisch oder alternativ mit demselben kritischen Maßstab bewerten
Vielen Dank für Ihre Aufmerksamkeit

67 CD AB

b **Hören Sie noch einmal und markieren Sie im Text, ob die Satzmelodie ansteigend (↗), abfallend (↘) oder schwebend (→) ist.**

EINSTIEGSSEITE, S. 145

gut/schlecht ausgehen, ging aus, ist ausgegangen
sich identifizieren mit
sprechen für (+ Akk.) / gegen (+ Akk.) etwas, sprach, hat gesprochen

LESEN 1, S. 146

der Anspruch, ⸚e
der Bedarf (Sg.)
das Hauptmotiv, -e
die Hürde, -n
der Knochenjob, -s
das Prestige (Sg.)
die Schuld (Sg.)
die Schuld an (+ Dat.)
die Zulassung, -en

akut
angesehen
ansehnlich
belastbar

HÖREN, S. 147

die Anerkennung, -en
die Herausforderung, -en
die Hospitation, -en
die Qualifikation, -en
die Recherche, -n
die Visite, -n

kostspielig
künftig

WORTSCHATZ, S. 148

die Allergie, -n
der Ausschlag, ⸚e
die Beschwerde, -n
der Bluthochdruck (Sg.)
der Durchfall, ⸚e
die Entzündung, -en
das Erbrechen (Sg.)
das Heilmittel, -
die Infektion, -en
das Insekt, -en
der Sonnenbrand, ⸚e
die Spritze, -n
der Stich, -e
die Übelkeit (Sg.)
der Verband, ⸚e
die Wunde, -n
das Zäpfchen, -

grundsätzlich

SPRECHEN 1, S. 149

der Heilpraktiker, -
der Nerv, -en
das Symptom, -e
der/das Virus, die Viren

sich anstecken
einreiben, rieb ein, hat eingerieben
etwas übertreiben, übertrieb, hat übertrieben
vermeiden, vermied, hat vermieden

dumpf
intensiv
pochend
stechend
ziehend

SCHREIBEN, S. 150–151

die Aufnahme, -n
die Drohung, -en
die Konsequenz, -en

jemanden abhalten von (+ Dat.), hielt ab, hat abgehalten
Druck ausüben auf (+ Akk.)

SPRECHEN 2, S. 152

die Akupunktur, -en
die Behandlung, -en
die Heilkunde (Sg.)
die Homöopathie (Sg.)
die Seele, -n
die Vorbeugung (Sg.)
der Zustand, ⸚e
sich auskennen, kannte sich aus, hat sich ausgekannt

blockieren
heilen
interpretieren
praktizieren
regulieren
reizen

LESEN 2, S. 153–154

die Anwendung, -en
der Auslöser, -
das Etikett, -en
die Nebenwirkung, -en
der Pollen, -
die Schulmedizin (Sg.)

abweichen von (+ Dat.), wich ab, ist abgewichen
sich bewähren
deklarieren
diagnostizieren
integrieren
tolerieren
verabreichen
Stellung nehmen zu etwas, nahm, hat genommen
etwas abbrechen, brach ab, hat abgebrochen

chronisch
harmlos
unzureichend

SEHEN UND HÖREN, S. 155

das Labor, -s/-e

11

LEKTIONSTEST 11

1 Wortschatz

Welches Wort passt nicht? Streichen Sie durch.

1 die Wunde	die Entzündung	der Verband	die Verletzung
2 die Übelkeit	das Virus	der Durchfall	das Erbrechen
3 das Medikament	die Nebenwirkung	das Heilmittel	das Arzneimittel
4 die Behandlung	die Pflege	die Vorbeugung	die Therapie
5 der Bluthochdruck	der Muskel	der Nerv	der Knochen
6 die Tablette	die Tropfen	das Symptom	das Zäpfchen

Je 1 Punkt **Ich habe ______ von 6 möglichen Punkten erreicht.**

2 Grammatik

a **Was passt? Markieren Sie.**

Wochenlang freut ☐ *man* ☐ *jemand* (1) sich auf den Urlaub. Und wenn er dann endlich beginnt, möchte ☐ *einer* ☐ *man* (2) natürlich jeden Tag uneingeschränkt genießen. Doch oft machen ☐ *jemandem* ☐ *einem* (3) typische Reiseerkrankungen einen Strich durch die Rechnung. Damit Euch im Urlaub wirklich ☐ *nichts* ☐ *etwas* (4) passiert, hier ein paar Tipps: Wenn ☐ *jemand* ☐ *niemand* (5) von Euch in den Süden fährt, sollte er Insekten- und Sonnenschutz mitnehmen. Dadurch kann ☐ *man* ☐ *einer* (6) sich vor einigen Gefahren schützen. Und wenn ☐ *irgendeiner* ☐ *man* (7) von Euch in exotischere Länder fährt, sollte er sich Medikamente verschreiben lassen, nicht ☐ *irgendwelche* ☐ *irgendeine* (8), sondern die passenden. Wenn Ihr dann packt, vergesst nicht, die auch mitzunehmen. Und dann einen schönen Urlaub!

Je 1 Punkt **Ich habe ______ von 8 möglichen Punkten erreicht.**

b **Bilden Sie Sätze mit dem Wort in Klammer. Schreiben Sie die Sätze auf ein separates Blatt.**

1 Man kann fast alles lernen, indem man häufig übt. *(durch)*
2 Durch regelmäßiges Training verbessert man seine Kondition. *(indem)*
3 Durch Toms Erkrankung konnte das Projekt nicht beendet werden. *(dadurch, dass)*
4 Anstatt Symptome zu behandeln, sollte man sich mehr auf die Ursachen von Schmerzen konzentrieren. *(statt)*
5 Ohne die Einnahme von Medikamenten können manche Krankheiten nicht geheilt werden. *(ohne dass)*

Je 2 Punkte **Ich habe ______ von 10 möglichen Punkten erreicht.**

3 Kommunikation

Ergänzen Sie.

übertrieben • ziehenden • weh • Salbe • Rezept • Nerv

● Wo tut es Ihnen denn ______________ (1)?
▲ Ich habe einen ______________ (2) Schmerz im rechten Fuß. Wahrscheinlich habe ich beim Joggen ______________ (3).
● Ja, der ______________ (4) ist etwas gereizt. Ich gebe Ihnen ein ______________ (5) für eine ______________ (6). Reiben Sie die Stelle dreimal täglich ein und bewegen Sie den Fuß in den nächsten Tagen nicht zu sehr. Dann ist das bald wieder in Ordnung.

Je 1 Punkt **Ich habe ______ von 6 möglichen Punkten erreicht.**

Auswertung: Vergleichen Sie Ihre Lösungen mit S. AB 210.
Ihre Erfolgspunkte tragen Sie unter jeder Aufgabe ein.

Ich habe ______ von 30 möglichen Punkten erreicht.

30–26	25–15	14–0

WIEDERHOLUNG WORTSCHATZ

1 Dialekte hören und sprechen

Ergänzen Sie die Wörter in der richtigen Form.

anstrengen • Aufenthalt • aussprechen • Elternhaus • gelingen • ~~Gegend~~ • Gelegenheit • nachschlagen • Schreibweise • verwechseln

Dialekte spricht man in einer bestimmten Gegend (1) eines Landes. Erst nach einem längeren ____________ (2) in einer Dialektregion versteht man fast alles, was die Einheimischen sagen. Dialektwörter kann man leider nicht im Wörterbuch ____________ (3). Es gibt nämlich oft keine festgelegte ____________ (4) dafür, denn Dialekt wird offiziell nicht geschrieben. Wer den Dialekt einer Region als Kind nicht gelernt hat, weil beispielsweise im ____________ (5) kein Dialekt gesprochen wurde, muss sich immer ____________ (6), Wörter im Dialekt richtig ____________ (7). Manchmal ____________ (8) es einem nicht wirklich, auch wenn man sich noch so sehr bemüht. In ländlichen Regionen hat man meist mehr ____________ (9), Originaldialekte zu hören. Man darf die regionalen Varietäten einer Sprache nicht mit den unterschiedlichen Sprachen ____________ (10), die innerhalb eines Landes gesprochen werden, wie zum Beispiel in der Schweiz Deutsch, Französisch, Italienisch und Rätoromanisch oder in Spanien Kastilisch, Katalanisch, Baskisch und Galizisch.

12

zur Einstiegsseite, S. 157, Ü1

2 Ein Steckbrief

WORTSCHATZ

Lesen Sie das Porträt und ergänzen Sie. Zu welchen der folgenden Punkte erfahren Sie etwas über Nadia Stemmer? Wenn es zu einem Punkt keine Informationen gibt, schreiben Sie ein X.

Hoch hinaus

Nadia Stemmer wird bald 26 und lebt seit Kurzem in Innsbruck/Tirol. Dort ist sie in einem Museum als Erlebnispädagogin beschäftigt. Geboren und aufgewachsen ist sie jedoch im benachbarten Südtirol und hat somit die italienische Staatsangehörigkeit. Italienisch und Deutsch, besonders den Südtiroler Dialekt, beherrscht sie perfekt. Natürlich liebt sie die Berge, hat großes sportliches Talent und geht in den wärmeren Jahreszeiten gern klettern und Gleitschirm fliegen, im Winter unternimmt sie am liebsten Skitouren. Sie versucht, so weit wie möglich in Einklang mit der Natur zu leben. Sie träumt davon, ein eigenes interaktives Alpen-Museum zu eröffnen, in dem man die Tier- und Pflanzenwelt der Region kennenlernen und umweltfreundliche Sportarten ausprobieren kann. Eines ihrer Vorbilder ist ihr Landsmann, der Extrembergsteiger und Umweltaktivist Reinhold Messner.

1 Alter: ____________
2 Wohnort: ____________
3 Nationalität: ____________
4 Muttersprache: ____________
5 Studium: ____________
6 Beruf: ____________
7 Hobbys: ____________
8 Begabung: ____________
9 Ängste: ____________
10 Lebensmotto: ____________
11 Lebenstraum: ____________
12 Idole: ____________

zu Hören 1, S. 158, Ü3

3 Gründe für das Scheitern des Experiments ÜBUNG 1, 2 LESEN

Lesen Sie die Reportage über den Rheinschwimmer Ernst Bromeis aus einer Schweizer Tageszeitung. Welche Aussagen sind richtig? Markieren Sie.

1 Ernst Bromeis hat nicht ausreichend Kraft, um sein Projekt zu Ende zu bringen. ☐
2 Er hatte nicht die richtige Ausrüstung. ☐
3 Am schlimmsten war für ihn das extrem kalte Wasser. ☐
4 Bromeis hatte die möglichen Schwierigkeiten des Projekts nicht richtig eingeschätzt. ☐
5 Dass er auch ein Kajak benutzte, war für manche Beobachter eine Provokation. ☐
6 Mit seiner spektakulären Aktion wollte er wasserscheue Menschen zum Schwimmen bewegen. ☐

„Deshalb habe ich aufgegeben"

Der aus dem Schweizer Bünden stammende Ernst Bromeis wollte den ganzen Rhein durchschwimmen. Doch der Fluss war stärker als er. Jetzt erklärt der Schweizer gegenüber „Blick", weshalb er das spektakuläre Vorhaben nach 400 Kilometern aufgab: „Es war eine Fehleinschätzung zu glauben, dass man den Rhein von der Quelle bis zur Mündung durchschwimmen kann", erklärte Bromeis in einem Interview vor wenigen Tagen und kündigte an, er werde den größten Teil der weiteren Strecke im Kajak zurücklegen. Er habe seine Kräfte überschätzt. Soweit möglich, werde er aber Teile der Route auch schwimmen. Doch jetzt bricht er die Übung komplett ab. (...)
Rund vierzig Kilometer täglich hat sich Bromeis seit dem Start am Tomasee flussabwärts gekämpft, schwimmend, und, häufiger als ursprünglich geplant, auch im Kajak.
Er war vor zahlreiche Herausforderungen gestellt, und die Bedingungen waren äußerst hart. So lag der Rhein an der Quelle noch unter einer meterdicken Eisschicht, und einmal geriet Bromeis gar in einen Hagelsturm. Extrem kräfteraubend aber sei vor allem das ungewöhnlich kalte Wetter gewesen, meinte der Rheinschwimmer. Seine Etappenplanung sei auch zu optimistisch gewesen.
Bromeis, der ursprünglich den Rhein 1230 Kilometer von den Alpen bis zur Nordsee durchschwimmen wollte, startete Anfang Mai bei der Quelle auf dem schneebedeckten Oberalppass. Der Schweizer Extremsportler hätte am 31. Mai in der Meermündung ankommen sollen. (...)

Entweder richtig schwimmen oder aufhören?

Interessierten war bereits in den ersten Tagen aufgefallen, dass Bromeis große Teile der Strecken nicht geschwommen war, sondern im Kajak zurückgelegt hatte. Entsprechend wurde auf der Facebook-Seite des Projekts darüber kontrovers diskutiert. Einige bezeichneten das Projekt als gescheitert. „Entweder richtig schwimmen oder aufhören. Das ist ja lächerlich und fast schon Betrug", schrieb ein enttäuschter Fan.
Die meisten Bromeis-Fans jedoch applaudierten und verteidigten den Schwimmer: „Es geht doch nicht um Rekorde", schreibt eine Anhängerin. Jeder einzelne Kilometer, den er schwimmend zurücklege, sei eine Top-Leistung. Bromeis selber betonte, eines seiner Motive war auch, auf die ökologische Bedeutung des Rheins aufmerksam zu machen sowie für einen größeren Umwelt- und Gewässerschutz zu werben. Das Projekt „Das blaue Wunder" ist auch Teil der Sommerkampagne zum Element Wasser von „Schweiz Tourismus".

WIEDERHOLUNG GRAMMATIK

zu *Wussten Sie schon?*, S. 159

4 Wissenswertes über die Schweiz

a Ergänzen Sie.

verfasste • produzierende • ausgestrahlte • verdienende • ~~gesprochene~~ • sprechende

In der Schweiz gibt es …
1 in verschiedenen Regionen unterschiedlich gesprochene Mundarten.
2 Französisch, Italienisch und Rätoromanisch __________ Mitbürger.
3 auf Schweizerdeutsch __________ E-Mails, SMS und Chatbeiträge.
4 auf Hochdeutsch __________ Nachrichten im Fernsehen.
5 viele gut __________ Menschen.
6 leckere Schokolade und tolle Uhren __________ Betriebe.

b Welche Formen sind Partizip I (= aktive Bedeutung), welche Partizip II (= passive Bedeutung)? Markieren Sie farbig.

12

zu Hören 1, S. 159, Ü7

5 Erweitertes Partizip ÜBUNG 3, 4

GRAMMATIK ENTDECKEN

a Erweitertes Partizip oder Relativsatz. Was passt? Ordnen Sie zu.

☐ die das Land meist nur durchqueren • ☐ durch das Inntal führenden • ☐ sich über 1,5 Kilometer erstreckende • ☐ die ständig die zulässigen EU-Grenzwerten übersteigen

Umweltaktivisten blockieren stundenlang Teil der Inntal-Autobahn

Aufgrund einer Aktion österreichischer Umweltaktivisten war gestern ein Teilstück der (1) Autobahn mehrere Stunden lang unpassierbar. Dadurch wurde der Transitverkehr stark eingeschränkt. Die vielen Fahrzeuge, (2) waren Anlass für den Protest. Ab 11.00 Uhr blockierten zahlreiche Menschen zwölf Stunden lang das (3) Teilstück kurz nach der Ausfahrt Vomp in Richtung Brenner. Die Anwohner in der Region klagen über erheblich verschmutzte Luft. Tatsächlich wurden Stickstoffoxid-Werte, (4), teilweise um 120 Prozent, gemessen.

b Welche Textteile sind Relativsätze, welche erweiterte Partizipien? Ergänzen Sie.

Relativsatz	Erweitertes Partizip

zu Hören 1, S. 159, Ü7

6 Erweitertes Partizip oder Relativsatz? GRAMMATIK ENTDECKEN

a Was ist der Unterschied? Markieren Sie.

1 ein vor den Gefahren **warnender** Begleiter =
ein Begleiter, der vor den Gefahren warnt
2 ein vor den Gefahren **gewarnter** Schwimmer =
ein Schwimmer, der vor den Gefahren gewarnt wurde
3 ein vom Reporter **befragter** Schwimmer =
der Schwimmer, der vom Reporter befragt wurde
4 ein den Schwimmer **befragender** Reporter =
ein Reporter, der den Schwimmer (gerade) befragt

	1	2	3	4
aktiv	☒	☐	☐	☐
passiv	☐	☐	☐	☐
abgeschlossen	☐	☐	☐	☐
nicht abgeschlossen	☒	☐	☐	☐

b Was ist/sind ...? Ergänzen Sie wie in a.

1 ein am kalten Wasser gescheitertes Experiment = ein Experiment, das ______________________

2 ein am kalten Wasser scheiterndes Experiment = ein Experiment, das ______________________

3 ein gestern in der Zeitung erschienener Artikel = ein Artikel, der ______________________

4 ein morgen in der Zeitung erscheinender Artikel = ein Artikel, der ______________________

zu Hören 1, S. 159, Ü7

7 Aus einer Reportage über das missglückte Experiment GRAMMATIK

a Schreiben Sie es anders.

1 Der Rhein ist ein in der Schweiz entspringender europäischer Fluss.
2 Seine Quelle ist ein touristisch noch kaum erschlossenes Gebiet.
3 Dort begann Herr Bromeis seine schon lange geplante Kampagne.
4 Der seinen Lebenstraum verwirklichende Umweltschützer schreibt ein Buch darüber.

1 Der Rhein ist ein europäischer Fluss, der in der Schweiz entspringt.

b Formulieren Sie nun umgekehrt.

1 Ein Reporter, der mehrere Hundert Meter mitschwamm, wollte „live" von der anstrengenden Unternehmung berichten.
1 Ein mehrere hundert Meter mitschwimmender Reporter wollte „live" von der anstrengenden Unternehmung berichten.
2 Der Extremsportler, der sich den großen Herausforderungen stellte, hielt leider auch im Kajak nicht bis zum Ende der Aktion durch.

____

3 Einige Beobachter äußerten sich kritisch über das Projekt, das vorzeitig abgebrochen wurde.

____

zu Hören 1, S. 159, Ü7

8 Wechselnde Perspektiven ÜBUNG 5, 6, 7

GRAMMATIK

Schreiben Sie zuerst einen Satz mit den Satzteilen in Klammern. Bilden Sie dann ein erweitertes Partizip.

1 verschiedene Dialekte *(in den einzelnen Landesteilen / sprechen)*
a Verschiedene Dialekte werden in den einzelnen Landesteilen gesprochen.
b Verschiedene, in den einzelnen Landesteilen gesprochene Dialekte ...

2 die Silben *(beim Sprechen / verschlucken)*
a Die Silben
b Die ________ Silben ...

3 Muttersprachler *(häufig / Silben verschlucken)*
a Muttersprachler
b ________ Muttersprachler ...

4 Der Konzern *(auf Schweizerdeutsch / den Geschäftsbericht veröffentlichen)*
a Der Konzern
b Der ________ Konzern ...

5 Der Geschäftsbericht *(auf Schweizerdeutsch / veröffentlichen)*
a Der Geschäftsbericht
b Der ________ Geschäftsbericht ...

12

zu Sprechen, S. 160, Ü1

9 Ein Reisevorschlag ÜBUNG 8

KOMMUNIKATION / HÖREN

68 CD AB

a **Hören Sie den Anfang eines Textes. Worum geht es hier? Markieren Sie.**

- ☐ Jemand berichtet von einem tollen Urlaub.
- ☐ Jemand stellt der Marketingabteilung eine neue Idee vor.

69 CD AB

b **Hören Sie den Text nun einmal ganz. Markieren Sie die passenden Lösungen. Manchmal sind es mehrere.**

1 Also, wir haben als Zielgruppe die ... gewählt.
- ☐ Abenteuerlustigen
- ☐ historisch Interessierten
- ☐ erholungsbedürftigen Landsleute
- ☐ Sportlichen

2 Es gibt nämlich durchaus viele Urlauber, die gern einmal ... würden.
- ☐ eine Fahrradtour machen
- ☐ mit dem Kanu fahren
- ☐ eine Schiffsreise mit Besichtigung von Sehenswürdigkeiten machen
- ☐ eine Schlemmerreise unternehmen

3 Deshalb ist folgender Reisevorschlag für diese Menschen geeignet: Sie starten in
- ☐ Basel ...
- ☐ Kehl ...
- ☐ Straßburg ...
- ☐ Köln am Rhein ...

4 und sind dann ... unterwegs.
- ☐ hauptsächlich zu Fuß am Flussufer
- ☐ ausschließlich mit dem Rheindampfer
- ☐ teils mit dem Kanu, teils mit Leihwagen
- ☐ mit Schiff und Fahrrad

5 Gestellt wird den Reisenden natürlich ...
- ☐ ein vielfältiges musikalisches Angebot.
- ☐ eine Reihe von Tipps für Spezialitäten der regionalen Küche.
- ☐ eine Fülle von Vorschlägen, um Natur und Landschaft zu genießen.
- ☐ die Ausrüstung für ihre sportlichen Aktivitäten.

zu Sprechen, S. 160, Ü1

10 Nomen-Verb-Kombinationen ÜBUNG 9, 10

WORTSCHATZ

a **Ordnen Sie die Verben den Nomen zu.**

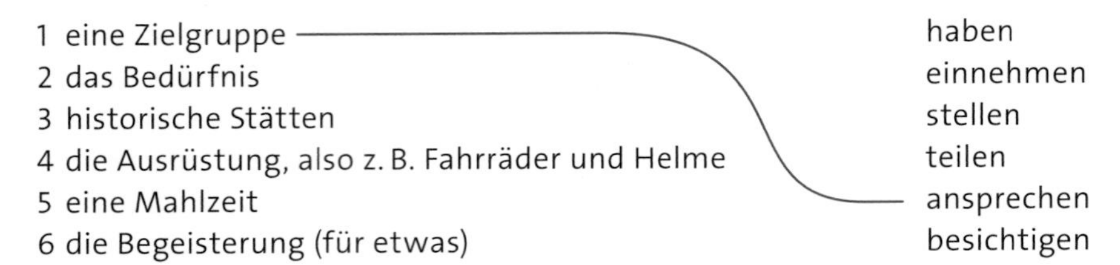

1 eine Zielgruppe
2 das Bedürfnis
3 historische Stätten
4 die Ausrüstung, also z. B. Fahrräder und Helme
5 eine Mahlzeit
6 die Begeisterung (für etwas)

haben
einnehmen
stellen
teilen
ansprechen
besichtigen

69 CD1AB

b **Hören Sie zur Kontrolle die Präsentation des Reisevorschlags aus Übung 9 noch einmal.**

zu Wortschatz, S. 162, Ü1

11 Von einer Sprache in die andere

WORTSCHATZ

Welche Wörter könnten vom oder ins Deutsche gewandert sein und was bedeuten sie wohl?

Friseur • Siesta • Konto • chillen • Globus • Portemonnaie • Döner • buterbrod • wihajster • kaffepaussi • nusu kaput • Schadenfreude • ~~T-Shirt~~ • le vasistdas • wurstel con Krauti

12

a Vom … ins Deutsche

1 Englischen T-Shirt = kurzärmliges Hemd, …
2 Französischen
3 Italienischen
4 Spanischen
5 Türkischen
6 Griechischen

b Vom Deutschen ins …

7 Englische
8 Französische
9 Russische
10 Italienische
11 Finnische
12 Polnische
13 Kiswahili

zu Wortschatz, S. 162, Ü1

12 Ausgewanderte Wörter

LESEN

Lesen Sie das Vorwort und einige Beiträge aus der Sammlung „Ausgewanderte Wörter" und beantworten Sie die Fragen.

1 Aus welchem Grund fließen so viele deutsche Wörter in andere Sprachen ein?
2 Was wurde zu diesem Thema veranstaltet?
3 Was wollte man von den Beitragenden wissen?
4 Bei welchen gleichnamigen Wörtern hat sich die Wortbedeutung nicht oder fast nicht verändert?
5 Bei welchen gibt es eine starke Veränderung?

Ausgewanderte Wörter

Wer von uns denkt bei der Verwendung von Wörtern wie T-Shirt, Friseur oder Konto noch daran, dass sie ursprünglich aus anderen Sprachen stammen? Sie gehören seit Langem ganz selbstverständlich zu unserem Sprachgebrauch im Alltag. Auch andere Sprachen „leihen" sich selbstverständlich Wörter „aus".

Mehr als 10 000 Wörter könnte man dabei auflisten, die aus dem Deutschen irgendwie in andere Sprachen gelangt sind. Deutsche Wörter sind wohl unter anderem beliebt, weil sie eine Besonderheit haben: Im Deutschen kann man mehrere Wörter zu einem neuen Begriff zusammensetzen, wie zum Beispiel die berühmte „Donaudampfschifffahrtskapitänsmütze". So was geht in vielen anderen Sprachen nicht. Deshalb werden Worte wie „Schadenfreude" oder „buterbrod" besonders gern übernommen.
In einem Wettbewerb unter dem Titel „Ausgewanderte Wörter" hat der Deutsche Sprachrat Menschen in aller Welt aufgefordert, deutsche oder deutschstämmige Wörter in ihrer Sprache zu benennen und auch zu erzählen, was sie in ihrer neuen sprachlichen Heimat bedeuten. Denn häufig haben die Wörter sich verändert und es ist eine neue Bedeutung entstanden. Hier einige Beispiele:

le vasistdas *– Französisch für Guckfenster in der Tür*
Das Wort, das bereits im 17. Jahrhundert in Frankreich auftaucht, ist zurückzuführen auf die jenseits des Rheins üblichen kleinen Guckfenster, die man öffnete, um zu fragen: „Was ist das?" (= Wer ist da?). Man wollte wissen, wer eintreten wollte, bevor man die Tür öffnete.
(Erika Hesse Fischer, Meran, Italien)

Kaffepaussi *– Finnisch für Pause, derzeit außer Betrieb*
Das habe ich so gesehen bei einem Linienbus in Turku in der automatisierten Anzeige, in der sonst das Fahrtziel des Busses steht. Der Busfahrer macht Pause.
(Susanne Bätjer, Glückstadt, Deutschland)

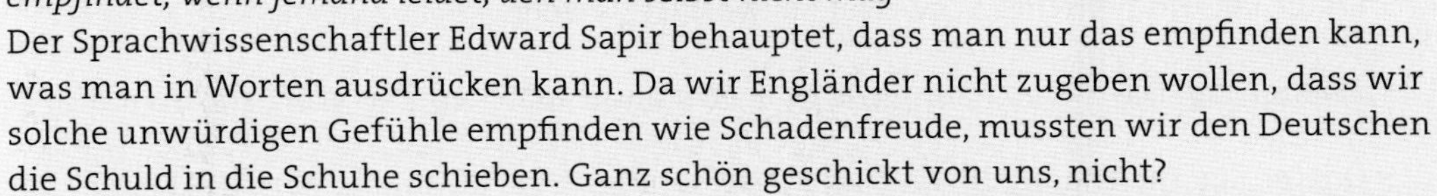

Schadenfreude *– Englisch für: das Gefühl, das man empfindet, wenn jemand leidet, den man selbst nicht mag*
Der Sprachwissenschaftler Edward Sapir behauptet, dass man nur das empfinden kann, was man in Worten ausdrücken kann. Da wir Engländer nicht zugeben wollen, dass wir solche unwürdigen Gefühle empfinden wie Schadenfreude, mussten wir den Deutschen die Schuld in die Schuhe schieben. Ganz schön geschickt von uns, nicht?
(Colin Hall, Dundee, Großbritannien)

nusu kaput *– Kiswahili für: Narkose*
In der ehemals deutschen Kolonie, im heutigen Tansania, sind einige deutsche Begriffe eingewandert, die auch heute in der Landessprache noch gebräuchlich sind. Ein recht witziges Beispiel heißt „nusu kaput". „Nusu" bedeutet „halb", ein Mensch in Narkose ist also „halb kaputt".
(Thomas Smolarczyk, Auenwald, Deutschland)

wihajster *– Polnisch für: ein kleines Werkzeug oder Ding, dessen Namen man nicht weiß*
Mein Vater hat oft dieses Wort benutzt, z. B. als wir zusammen gebastelt haben. Dann hat er gesagt: „Gib mal diesen wihajster." anstatt „Gib mal diesen Sechskant-Schraubenschlüssel". Es war so eine Bezeichnung für alles. Erst als ich nach Deutschland ausgewandert bin, sind mir die Wurzel und die Bedeutung dieses Wortes klar geworden.
(Markus Thomalla, Berlin, Deutschland)

zu Wortschatz, S. 162, Ü1

13 Wörter, die gewandert sind

SCHREIBEN

Schreiben Sie einer Freundin / einem Freund in Ihrem Heimatland. Berichten Sie ihr/ihm, welche Entdeckungen Sie beim Erlernen der deutschen Sprache oder einer anderen Fremdsprache in Bezug auf ein- und ausgewanderte Wörter gemacht haben.

„Inzwischen lerne ich seit ... intensiv Deutsch.
Dabei stoße ich manchmal auf Wörter, die ... kenne.
... ist vielen Leuten gar nicht bewusst.
Zum Beispiel heißt es: ...
Das kommt von dem ... Wort ...
Umgekehrt gibt es natürlich auch Wörter, ...
Hast Du auch schon ...?
... Bücher oder Artikel zu dem Thema?“

Lieber Tim,
inzwischen lerne ich seit einem Jahr intensiv Deutsch. Dabei stoße ich manchmal auf Wörter, die ich aus dem Englischen kenne. Dass Wörter wie „T-Shirt“ oder „chillen“ aus dem Englischen kommen, ist vielen Leuten gar nicht bewusst ...

12

zu *Wussten Sie schon?*, S. 163

14 Schwyzerdütsch – leicht gemacht ÜBUNG 11

LANDESKUNDE / HÖREN

70 CD IAB

Hören Sie einen Radiobeitrag zum Thema: „Schwyzerdütsch verstehen und lernen“. Korrigieren Sie die falschen Aussagen.

1 ~~Ein Modemagazin~~ Das Reisemagazin „Globo“ hat versucht, einfache Grundsätze zum Erlernen von Schwyzerdütsch zusammenzustellen.

2 Dabei muss man jede Woche eine neue Regel lernen.

3 Erster Tag: Ein typisches Schweizer Füllwort ist „wieder“.

4 Zweiter Tag: Das *K* wird häufig wie *ch* in *echt* ausgesprochen. Das Wort *Küche* wird so zur *Chuchi*.

5 Dritter Tag: Die Endung „li“ ist eine Verkleinerungsform, die immer den Artikel „die“ hat.

6 Vierter Tag: Zweisilbige Wörter werden grundsätzlich auf der letzten Silbe betont.

7 Fünfter Tag: Man muss eigentlich keine neuen Wörter lernen.

zu Lesen, S. 164, Ü1

15 Wörter, Wörter, Wörter ÜBUNG 12

WORTSCHATZ

Was passt nicht? Streichen Sie durch.

1 *die Norm – die Regel – der Standard – ~~der Meilenstein~~*
2 *überregional – lokal – örtlich – regional*
3 *die Verbreitung – die Breite – die Ausdehnung – die Expansion*
4 *existieren – da sein – bestehen – verstehen*
5 *das Beispiel – das Bild – das Vorbild – das Idol*
6 *erkennen – registrieren – bemerken – kennen*
7 *verbreitet – begrenzt – eingeschränkt – limitiert*

WIEDERHOLUNG GRAMMATIK

zu Lesen, S. 165, Ü3

16 Gegensätze ausdrücken: *aber, doch, sondern, trotzdem, trotz*

Was ist richtig? Markieren Sie.

Ältere Menschen in größeren deutschen Städten sprechen häufig noch Dialekt miteinander, *aber / sondern / trotz* (1) die Sprache der jüngeren Stadtbevölkerung unterscheidet sich in den verschiedenen Regionen nicht mehr sehr. Die meisten jungen Leute verstehen natürlich die Mundart ihrer Region, *trotzdem / sondern / doch* (2) durch den Einfluss der Medien und durch die Bevölkerungsmischung in den Städten benutzen sie kaum noch Dialekte. Auf dem Land wird nicht so viel Hochdeutsch gesprochen, *doch / sondern / trotzdem* (3) immer noch vermehrt die regionalen Varietäten. Dialektsprechen ist vor allem im Süden Deutschlands, in Österreich und in der Schweiz sehr ausgeprägt, im Norden Deutschlands hört man Mundarten eher selten. *Trotz / aber / doch* (4) dieses Nord-Süd-Unterschieds gibt es auch in Norddeutschland noch einige Sprecher der verschiedenen plattdeutschen Dialekte. Vereine, Dichter, Liedermacher, *aber / sondern / trotzdem* (5) auch trendige junge Bands, haben inzwischen die Sprache ihrer Heimat wiederentdeckt.

---

zu Lesen, S. 165, Ü3

17 Adversativsätze ÜBUNG 13, 14, 15

GRAMMATIK ENTDECKEN

12

a **Lesen Sie den folgenden Infotext. Ergänzen Sie die unterstrichenen Passagen in der Tabelle.**

Die Heimatsprache wiederentdecken

Während es früher als kultiviert galt, sich möglichst dialektfrei auszudrücken (1), werden heute die unterschiedlichen Dialekte als Ausdruck der kulturellen Vielfalt geschätzt. Kinder werden von ihren Eltern nicht mehr dazu aufgefordert, in der Schule „nach der Schrift" zu sprechen. Früher sollten die Schüler vor allem während des Unterrichts möglichst ihren Dialekt unterdrücken, um nicht als sprachlich ungeschickt zu gelten. Im Gegensatz dazu ist der Dialekt in den Schulen heutzutage durchaus akzeptiert. (2) Früher waren die Menschen sehr bemüht, sich ihren Dialekt abzutrainieren. Dagegen nimmt heutzutage die Sehnsucht nach Wiederbelebung der „Heimatsprachen" in ganz Deutschland wieder zu. (3) Manche Städter besuchen „Dialektkurse" an Volkshochschulen. Während sie dann Lieder in der heimatlichen Mundart hören und singen, fühlen sie sich meist mit ihrer Herkunft besonders verbunden. Oft lernen sie auch, im regionalen Dialekt zu sprechen. Das Alltagsleben und die Sprache des modernen Großstädters in Berlin, Hamburg, Frankfurt, Wien oder Zürich unterscheidet sich kaum mehr grundlegend. Dagegen spielen auf dem Land die eigenen Traditionen, Bräuche und Dialekte noch eine große Rolle. (4) Sie machen die Regionen einzigartig.

	Konnektor
Nebensatz	Während es früher …
Hauptsatz	

b **Lesen Sie den Text noch einmal. Suchen Sie weitere Sätze mit *während*. Welcher dieser Sätze und der Sätze aus a drücken aus, …**

1 dass ein Gegensatz vorhanden ist. (= adversativ): ______

2 dass etwas gleichzeitig passiert. (= temporal): ______

zu Lesen, S. 165, Ü3

18 Wie kann man es noch sagen?

GRAMMATIK

Ergänzen Sie die Adversativsätze mithilfe der Informationen aus Übung 17a.

1 Früher galt es als kultiviert, sich dialektfrei auszudrücken. Heutzutage dagegen ______

2 Während die Kinder früher vor allem während des Unterrichts ______

3 Früher waren die Menschen sehr bemüht, sich ihren Dialekt abzutrainieren. Im Gegensatz dazu ______

4 Während sich das Alltagsleben ______

zu Lesen, S. 165, Ü3

19 Warum sprechen wir Dialekt?

GRAMMATIK

Lesen Sie das Interview mit dem Dialektforscher Dr. Peter Volker und ergänzen Sie die Sätze unten.

Im deutschen Sprachraum gibt es eine Vielfalt an Dialekten. Sind sie in allen Regionen noch gleich lebendig oder gibt es da Unterschiede?
Von den drei Dialektbereichen Nieder-, Mittel- und Oberdeutsch werden die mittel- und oberdeutschen Mundarten noch häufig gesprochen.
5 Die niederdeutschen Dialekte haben nur noch wenige Sprecher.

Seit wann gibt es Dialekte?
Den Begriff „Dialekt" gibt es erst, seit es Hochdeutsch gibt, also seit 250 Jahren. Dialekte selbst gibt es schon viel länger.

Wird in den Medien und der Öffentlichkeit allgemein noch viel Dialekt gesprochen?
10 Insgesamt wird in den Medien weniger Dialekt gesprochen. In der Werbung, zum Beispiel bei Biermarken, und von Politikern in regionalen Wahlkämpfen wird er aber bewusst eingesetzt.

Warum wird überhaupt noch Dialekt gesprochen?
Hochdeutsch wird häufig gesprochen, um mehr Menschen zu erreichen. Der Einsatz von Dialekt hingegen soll die Zielgruppe verkleinern, eine vertraute Basis schaffen und Gemein-
15 samkeit herstellen.

Ist am Ende Dialektsprechen sogar wieder cool?
Früher wurde manchmal behauptet, Dialekt sprechen nur die Alten, Armen und die Ungebildeten. Heute gibt es eine gewisse Renaissance des Dialekts als Kulturgut.

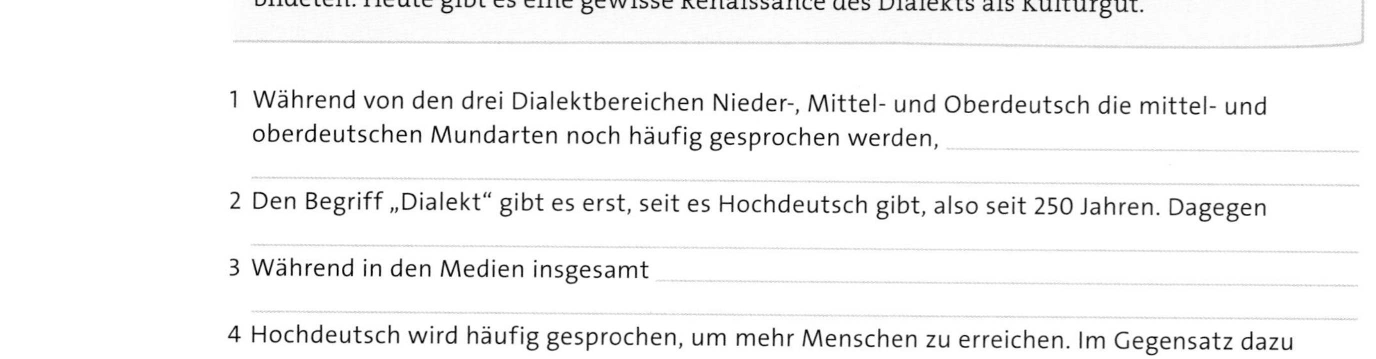

1 Während von den drei Dialektbereichen Nieder-, Mittel- und Oberdeutsch die mittel- und oberdeutschen Mundarten noch häufig gesprochen werden, ______

2 Den Begriff „Dialekt" gibt es erst, seit es Hochdeutsch gibt, also seit 250 Jahren. Dagegen ______

3 Während in den Medien insgesamt ______

4 Hochdeutsch wird häufig gesprochen, um mehr Menschen zu erreichen. Im Gegensatz dazu ______

5 Während man früher meinte, dass ______

zu Schreiben, S. 166, Ü2

20 Doppel-Pass? Junge Menschen berichten

HÖREN

CD|AB

Wer sagt was? Hören Sie und markieren Sie.

A

1 Davide Zanolla

B

2 Bojana Petkovic

C

3 Cem Yildirim

	Davide	Bojana	Cem
1 Sie/Er hat drei Staatsangehörigkeiten.	☐	☐	☐
2 Sie/Er kann auch als Erwachsener zwei Staatsbürgerschaften haben.	☐	☐	☐
3 Sie/Er ist in Deutschland geboren, ist aber keine Deutsche / kein Deutscher.	☐	☐	☐
4 Sie/Er würde sich nicht mehr „vollständig" fühlen, wenn sie/er eine ihrer/seiner Staatsbürgerschaften aufgeben müsste.	☐	☐	☐
5 Aus praktischen Gründen bräuchte sie/er die väterliche Staatsangehörigkeit nicht wirklich.	☐	☐	☐
6 Für sie/ihn kann es auch negative Auswirkungen haben, wenn sie/er keinen deutschen Pass besitzt.	☐	☐	☐

12

zu Schreiben, S. 167, Ü3

21 Doppelte Staatsbürgerschaft – ja oder nein? ÜBUNG 16

KOMMUNIKATION

Legen Sie Ihre Standpunkte dar.
Verwenden Sie die Redemittel aus dem Kursbuch, S. 167.

Schreiben Sie,
- ob es in Ihrem Land die doppelte Staatsbürgerschaft gibt und welche Erfahrungen Sie oder andere damit gemacht haben.
- welche Vorteile es mit sich bringen kann, wenn man zwei Staatsbürgerschaften besitzt.
- welche möglichen Identitätsprobleme Menschen mit zwei Pässen haben können.
- ob ein Land mit vielen „Doppelstaatsbürgern" davon Vor- oder Nachteile hat.

zu Schreiben, S. 167, Ü4

22 Partizipien als Nomen

GRAMMATIK

Ergänzen Sie in der richtigen Form.

Abgeordnete • Angestellte • Anwesende • Eingebürgerte • ~~Studierende~~ • Vorgesetzte

1 Personen, die an der Universität Lehrveranstaltungen besuchen, nennt man Studierende.
2 Der Kursleiter begrüßt zu Beginn alle, die da sind, das heißt, alle __________.
3 Personen, die am Arbeitsplatz in der Hierarchie über mir stehen, sind meine __________.
4 __________ sind Menschen, die erst vor Kurzem die Staatsangehörigkeit erhalten haben.
5 In Regionen mit sprachlichen Minderheiten haben diese auch __________ im Parlament.
6 Beamte und __________ in zweisprachigen Regionen wie etwa Südtirol müssen beide Amtssprachen beherrschen.

zu Schreiben, S. 167, Ü4

23 Kurzmeldungen ÜBUNG 17, 18

GRAMMATIK

a Geben Sie den Bildern passende Titel. Verwenden Sie dazu Partizipien aus folgenden Verben.

reisen • baden • festnehmen • ~~verliebt sein~~

1 die Verliebten 2 ______ 3 ______ 4 ______

b Ergänzen Sie die Kurzmeldungen aus einer Zeitung. Verwenden Sie dabei die Partizipien aus a.

1 **Beliebte Reiseziele.** Paare und Verliebte buchen gern Reisen in die Karibik.

2 **Flugausfälle wegen Streiks am Frankfurter Flughafen.** ______

3 **Nach Einbruch im Juweliergeschäft.** Polizei greift verdächtige Person auf. ______

4 **Wasser in den Seen im Umland besonders sauber.** ______

zu Hören 2, S. 168, Ü3

24 Alles mit *-sprache*

WORTSCHATZ

Lesen Sie die Definitionen und ergänzen Sie.

1 Wichtig beim Lernen einer neuen Sprache ist die korrekte A __ __ sprache
2 In der Schule lernen Kinder heutzutage immer früher ihre erste F __ __ __ __ sprache
3 Teenager kommunizieren miteinander häufig in einer Ju __ __ __ __ sprache
4 Menschen, die mit zwei oder drei Sprachen aufwachsen, haben mehrere M __ __ __ __ __ sprachen.
5 Die meistgesprochenen Sprachen auf der Erde, wie z. B. Chinesisch, Englisch und Spanisch nennt man W __ __ __ sprachen.
6 Eine Form der non-verbalen Kommunikation ist die Kör __ __ __ sprache.
7 In der Wissenschaft benutzt man häufig F __ __ __ sprache.

zu Hören 2, S. 168, Ü3

25 Wortbildung: Fugenelement *-s-* bei Nomen ÜBUNG 19, 20

GRAMMATIK

Ergänzen Sie ein Fugen *-s-*, wo nötig.

1	Lücken___, Lektion___, Ankündigung___, Hör___	-text
2	Einwanderung___, Nachbar___, Liebling___, Heimat___	-land
3	Liebling___, Menschheit___, Kinder___, Kunst___	-geschichte
4	Zeit___, Aktion___, Gemeinschaft___, Erholung___	-raum
5	Blick___, Wind___, Bewegung___, Mode___	-richtung
6	Stil___, Prüfung___, Detail___, Loyalität___	-frage
7	Freundschaft___, Laden___, Film___, Einheit___	-preis

12

zu Sehen und Hören, S. 169, Ü4

26 Kommunikation im Krankenhaus

LESEN

Lesen Sie das Interview mit der Stationsleiterin Kyu Soon Schwerdtfeger. Ordnen Sie die Interviewfragen den Antworten von Frau Schwerdtfeger zu.

- ☐ Hat sich etwas verändert, seit Sie an Ihrem Kittel einen Button mit der Aufschrift „We snack on platt" tragen?
- ☐ Was dachten Sie, als die Klinikleitung den Vorschlag machte?
- ☐ Was ist Ihr Lieblingswort?
- ☐ Wie lange dauert so ein Kurs?
- ☐ Übersetzt dürfte das wahrscheinlich „Alte Leute" heißen, oder?
- ☐ Hilft Ihnen die neu erworbene Sprache auch außerhalb der Klinik weiter?
- 1 Frau Schwerdtfeger, wie ist es, als gebürtige Südkoreanerin Plattdeutsch zu lernen?

Mitarbeiter der Hamburger Asklepios-Kliniken können nun Kurse in Plattdeutsch belegen, um ihren älteren Patienten ein Gefühl von Heimat zu geben. Die gebürtige Südkoreanerin Kyu Soon Schwerdtfeger, 61, hat sich als Erste angemeldet. Seit 20 Jahren ist sie Stationsleiterin in der Gastroenterologie.

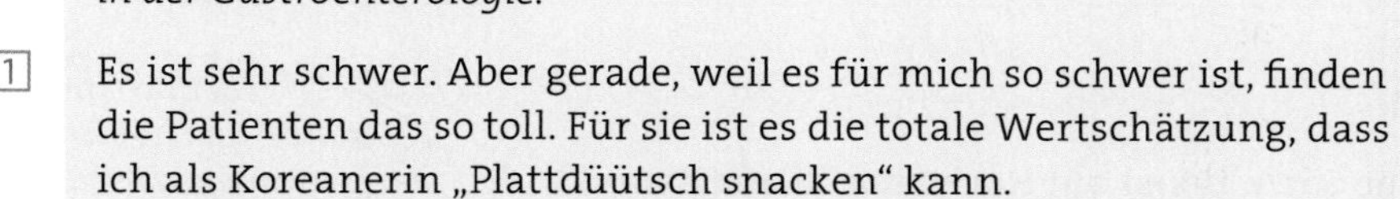

1. Es ist sehr schwer. Aber gerade, weil es für mich so schwer ist, finden die Patienten das so toll. Für sie ist es die totale Wertschätzung, dass ich als Koreanerin „Plattdüütsch snacken" kann.
2. Im ersten Moment war meine Reaktion: Oh Gott, jetzt auch das noch! Aber als Stationsleiterin wollte ich mit gutem Beispiel vorangehen und meldete mich als Erste für den Kurs an. Aus meiner Station machten noch sechs weitere Kollegen mit, insgesamt waren wir 15.
3. Eigentlich zehn Stunden, ich konnte aber leider nur an fünf teilnehmen. Mein Zertifikat habe ich trotzdem erhalten.
4. Seitdem bei uns Plattdütsch gesprochen wird, lachen wir mehr. Vor allem, wenn ich mal wieder einen Fehler mache. Aber es hilft auch dabei, Vertrauen herzustellen.
5. Olle Lütt.
6. Richtig. Ich finde, das hört sich viel weicher und netter an als „alte Leute". Auf unserer Station sind viele „olle Lütt", die meisten Patienten sind weit über 70.
7. Ja, total. Der Onkel meines Mannes spricht nur Platt, jetzt verstehe ich ihn endlich.

12

27 Mein Lieblingsspruch im Dialekt

MEIN DOSSIER

Wählen Sie einen Ausspruch oder ein Zitat in Ihrem Heimatdialekt oder einem Dialekt, den Sie verstehen. Übersetzen Sie ihn und schreiben Sie, was Ihnen an diesem Ausspruch gefällt und warum er zu den Sprechern dieses Dialektes gut passt.

Auf Kölsch sagen die Leute „Et kütt, wie et kütt." Das heißt übersetzt „Es kommt, wie es kommt" und bedeutet, dass man auf manche Dinge im Leben keinen Einfluss hat ...

AUSSPRACHE: Dialekte und Sprachvarietäten

1 Meine Sprache – meine Heimat

Hören Sie Personen aus verschiedenen deutschsprachigen Regionen. Ergänzen Sie die fehlenden Informationen in der Tabelle.

Person	Herkunftsort	Dialekt	Wann spricht sie/er Dialekt?
1			
2			
3		Steirisch	
4	Brunsbüttel/ Schleswig-Holstein		mit ihren Eltern und mit älteren Leuten
5			

12

2 Liebeserklärungen

a **Hören Sie nun einige Sätze zuerst auf Hochdeutsch und dann in verschiedenen Dialekten und Sprachvarietäten. Was fällt Ihnen an der Aussprache auf? Notieren Sie.**

1 Schwäbisch
Du bist mein Schatz und hast einen Platz in meinem Herzen.
Du bisch mei Schätzle und hoasch ä Plätzle in meim Herzle.
„st" wird am Ende eines Wortes „scht" gesprochen.

2 Sächsisch
Ich will es in allen Sprachen hinausrufen – mein Stern, hey du – ich habe dich gern!
Isch wills in alln schbrachen fürdsch blärrn – mei stärrn ey duh – isch habdsch gärn!

3 Österreichisch/Steirisch
Eins ist gewiss. Das darf jeder wissen, wie gern ich dich mag.
Oans is gwies. Dees dearf a jeda wissn, wia gean i di moag.

4 Plattdeutsch
Alle Leute können es hören, ich habe meinen Süßen zum Fressen gern.
All Lüüd kööntdat hörn, ick hev min Sööten ton freten geern.

5 Fränkisch
Hör mal Peter, du bist ein prima Kumpel! Würdest du nicht gern eine Zeit mit mir in Bamberg bleiben?
Horch amol, Beder, du bisd a brima Kumbl! Mächasd ned a wengla mid mia in Bambärch bleim?

b **Hören Sie die Sätze noch einmal und versuchen Sie, sie nachzusprechen.**

EINSTIEGSSEITE, S. 157

das Lebensmotto, -s
das Talent, -e

HÖREN 1, S. 158–159

die Aktion, -en
die Ausrüstung, -en
das Element, -e
die Etappe, -n
der Geschäftsbericht, -e
der Konzern, -e
die Mündung, -en
das Motiv, -e
die Provokation, -en
die Quelle, -n
die Ressource, -n
der Respekt (Sg.)
das Wunder, -

abbrechen, brach ab,
hat abgebrochen
applaudieren
bezeichnen als
verschlucken

niedrig
rätoromanisch
spektakulär
ständig
wasserscheu

SPRECHEN, S. 160–161

die Anregung, -en
die Fülle (Sg.)
die Gestaltung, -en
das Kanu,-s
die Landsleute (Pl.)
der Leihwagen, ⁼
die Verpflegung (Sg.)
die Verständlichkeit (Sg.)

etwas einnehmen, nahm ein,
hat eingenommen

entspringen, entsprang,
ist entsprungen

gestellt werden
die Ausrüstung wird gestellt

abenteuerlustig
erholungsbedürftig

WORTSCHATZ, S. 162–163

der Bub, -en (A)*
die Eierspeis(e), -n (A)
die Marille, -n (A)
der Paradeiser, - (A)
der Topfen, - (A)
die Traktanden (Pl.) (CH)**
das Velo, -s (CH)
die Wurzel, -n

angreifen, griff an,
hat angegriffen (A)
entstehen, entstand,
ist enstanden
gelangen
grillieren (CH)
parkieren (CH)
zügeln (CH)

auffällig (A + CH)
bewusst
gleichnamig

LESEN, S. 164–165

der Dialekt, -e
der Gegensatz, ⁼e
im Gegensatz dazu
der Meilenstein, -e
die Mundart, -en
die Norm, -en
das Plattdeutsch (Sg.)
der Standard, -s
die Verbreitung (Sg.)
das Vorbild, -er
die Vorbildfunktion, -en

(be-)merken
bestehen bleiben, blieb,
ist geblieben

begrenzt sein

überregional

dagegen

SCHREIBEN, S. 166–167

die Auswirkung, -en
die Mehrsprachigkeit (Sg.)

aufgreifen, griff auf,
hat aufgegriffen
aufwachsen, wuchs auf,
ist aufgewachsen
ausgrenzen
beherrschen
eingehen auf, ging auf ein,
ist auf eingegangen

mehrsprachig
zweisprachig

signifikant

HÖREN 2, S. 168

die Amtssprache, -n
der Ankündigungstext, -e
der Freundschaftspreis, -e

12

* Bei den mit (A) gekennzeichneten Wörtern handelt es sich um spezifische Wörter aus Österreich.
** Bei den mit (CH) gekennzeichneten Wörtern handelt es sich um spezifische Wörter aus der Schweiz.

LEKTIONSTEST 12

1 Wortschatz

Was ist richtig? Markieren Sie.

1 Sein Experiment war für Bromeis eine große *Anregung/Gestaltung/Herausforderung*.
2 Aber er hatte das *Bedürfnis/Motiv/Vorbild*, auf den Rhein, aufmerksam zu machen.
3 Leider musste er sein Projekt schon vor dem Ende *ausgrenzen/eingehen/abbrechen*.
4 Er schaffte es nicht, von der Quelle bis *zum Ufer / zur Mündung / zur Etappe* durchzuhalten.
5 Dennoch konnte er vielen die Bedeutung des Flusses *signifikant/spektakulär/bewusst* machen.
6 Und es zeigte sich, dass sich Naturelemente nur schwer *beherrschen/scheitern/aufgreifen* lassen.

Je 1 Punkt **Ich habe ______ von 6 möglichen Punkten erreicht.**

2 Grammatik

a **Schreiben Sie aus dem Relativsatz ein erweitertes Partizip I oder II auf ein separates Blatt.**

1 der Fluss, der in den Schweizer Alpen entspringt = der ... Fluss
2 die Mundarten, die als schwer verständlich bezeichnet werden = die ... Mundarten
3 das Publikum, das den Sportlern applaudiert = das ... Publikum

Je 2 Punkte **Ich habe ______ von 6 möglichen Punkten erreicht.**

b **Ergänzen Sie *während* oder *dagegen / im Gegensatz dazu*.**

1 Viele Schweizer können Deutsch, ______________________ können nur wenige Rätoromanisch.
2 ______________________ Dialekt früher als unkultiviert galt, ist er heute „in".

Je 1 Punkt **Ich habe ______ von 2 möglichen Punkten erreicht.**

c **Definitionen. Ergänzen Sie passende Nomen aus Partizipien in der richtigen Form.**

1 Jemand, der mit einem festen Arbeitsvertrag in einer Firma arbeitet, ist ein ______________________.
2 Ein anderes Wort für „mein Chef" ist „mein ______________________".
3 Im Kurs werden alle ______________________, also alle Personen, die da sind, aufgeschrieben.

Je 2 Punkte **Ich habe ______ von 6 möglichen Punkten erreicht.**

d **Ergänzen Sie den Artikel und ein *-s-*, wo nötig.**

1 ______ Diskussion___thema 2 ______ Mutter___sprache
3 ______ Prüfung___frage 4 ______ Hör___text

Je 1 Punkt **Ich habe ______ von 4 möglichen Punkten erreicht.**

3 Kommunikation

Ordnen Sie zu.

A eine Zielgruppe charakterisieren **B** einen Reisevorschlag präsentieren **C** nachfragen

☐ *Könntet Ihr bitte noch einmal erklären, wer genau unsere Zielgruppe ist?* • ☐ *Es gibt jeden Tag eine Fülle von Aktivitäten.* • ☐ *In unserem Heimatland gibt es sehr viele Menschen, die gern einmal eine Schiffsreise unternehmen würden.* • ☐ *Einen Punkt habe ich nicht ganz verstanden. Wie sieht das Abendprogramm aus?* • ☐ *Wir reisen hauptsächlich mit dem Schiff.* • ☐ *Wir haben als Zielgruppe die Sportbegeisterten gewählt.*

Je 1 Punkt **Ich habe ______ von 6 möglichen Punkten erreicht.**

Auswertung: Vergleichen Sie Ihre Lösungen mit S. AB 210.
Ihre Erfolgspunkte tragen Sie unter jeder Aufgabe ein.

Ich habe ______ von 30 möglichen Punkten erreicht.

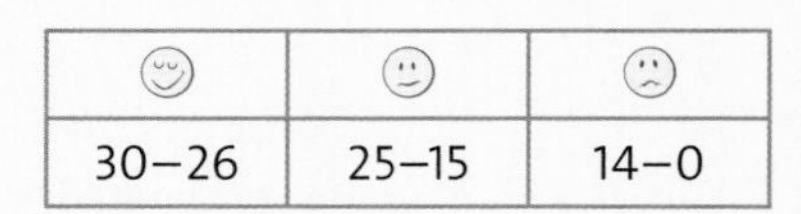

😊	😐	☹
30–26	25–15	14–0

LÖSUNGEN DER LEKTIONSTESTS

LEKTION 1

1 **Wortschatz**
1 aus den Augen verloren
2 auszutauschen
3 anvertrauen
4 ist hin- und hergerissen
5 schließen
6 pflegen

2 **Grammatik**
a 1 Sandra und Tim gehen freitags entweder ins Kino oder tanzen.
2 Für Eva ist ihr Hund Bobby nicht nur ein treuer Freund, sondern er motiviert sie auch täglich zu langen Spaziergängen.
3 Zwar sehen sich Anna und Max nicht sehr oft, aber sie haben sich trotzdem viel zu sagen.

b 1 Für meine Freunde bin ich in Notsituationen schnell erreichbar.
2 Auf der Party ist mir die Freundin von Oskar wegen ihres tollen Humors angenehm aufgefallen.
3 Die Erdbevölkerung ist in den letzten Jahren nur in den ärmeren Regionen gewachsen.

c 1 die Einsamkeit
2 der Idealist
3 das Verständnis
4 die Dankbarkeit
5 die Freundschaft
6 der Musiker
7 die Wärme
8 die Präsentation

3 **Kommunikation**
1b; 2c; 3d; 4a

LEKTION 2

1 **Wortschatz**
1 die Vorlesung
2 die Persönlichkeit
3 erfahren sein
4 bedenklich
5 die Ablage
6 begeistert sein

2 **Grammatik**
a 1 wurde ... von
2 durch ... werden
3 wird vom

b 1 Anhang
2 Aufnahme
3 Umzug
4 Rückfahrt

c 1 störende, Aufgrund
2 eingestellter, Dank
3 organisiertes, Vor
4 klingelnde, Aus

3 **Kommunikation**
1 Deiner Meinung nach
2 Ich denke, dass
3 ist es schwierig
4 Aus diesem Grund kann
5 deshalb muss
6 halte ich es

LEKTION 3

1 **Wortschatz**
1 ein Interview
2 eine Lesung
3 recherchieren
4 Sachbücher
5 Regisseure

2 **Grammatik**
a 1 sachlich
2 authentisch
3 humorvoll
4 handlungsarm
5 sensationell
6 tolerant
7 übersichtlich

b 1 Ich kann mir nicht vorstellen, den Tatort allein anzuschauen.
2 Bernd empfiehlt mir, ein Mal mitzugehen.
3 Silvia hat ihren Nachbarn darum gebeten, ihr eine Limo mitzubringen.
4 X.
5 Er findet es blöd, für ein Getränk anstehen zu müssen.
6 X.

c 1 darüber
2 damit
3 darüber
4 dazu
5 daran
6 dafür

3 **Kommunikation**
1a; 2b; 3a; 4c; 5b; 6c

LÖSUNGEN DER LEKTIONSTESTS

LEKTION 4

1 Wortschatz

1 erwerben 2 anwenden
3 wenden 4 unternehmen
5 rechnen

2 Grammatik

a 1 Während 2 Ehe
3 solange 4 Nachdem

b 1 Vor Sandras Arbeit als Au-pair-Mädchen
2 Während der Vorbereitung auf ihre Reise
3 Nach ihrer Ankunft in Santiago
4 gleich nach der Zusage ihrer Gastfamilie in Chile

c 1 probeweise
2 erfreulicherweise
3 beispielsweise
4 ausnahmsweise

3 Kommunikation

1 Erfahrung
2 Stärken
3 Qualifikationen
4 Buchhaltungskenntnissen
5 Rahmen

LEKTION 5

1 Wortschatz

1 attraktive 2 selbstbewusst
3 souveräne 4 vielseitig
5 lackierten

2 Grammatik

a 1 Rebecca lässt sich nicht gern fotografieren
2 Früher ließ sie sich jede Woche die Haare schneiden
3 was sich mithilfe von Stylisten aus ihrem Gesicht machen lässt
4 Trotzdem würde ich an Rebeccas Stelle das extreme Styling sein lassen.
5 Sie sollte ihr Gesicht so lassen, wie es ist.

b 1 Sie wird Karriere gemacht haben.
2 Er wird ein Stipendium bekommen haben.
3 Sie wird sich sehr verändert haben.
4 Er wird einen Bauernhof gekauft haben.
5 Sie wird eine Familie gegründet haben.

c 1 geblieben 2 gelernt
3 gegangen 4 sehen
5 hören

3 Kommunikation

1 anderer Meinung sein
2 teile seine Meinung über
3 glaube eher, dass
4 könnte ich mir schon vorstellen
5 sehe ich ähnlich wie

LEKTION 6

1 Wortschatz

1 lohnenswert 2 detailliert
3 vornehm 4 mittelalterlich
5 einspurig 6 gebürtig
7 heruntergekommen 8 einzigartig

2 Grammatik

a 1 Wenn nicht so viele wohlhabende Menschen in unser Stadtviertel gezogen wären, hätte es sich nicht so sehr gewandelt.
2 Wenn die Mieten nicht so stark gestiegen wären, könnte sich hier jeder eine Wohnung leisten.
3 Wenn man nicht einige Straßen zu Fußgängerzonen gemacht hätte, wäre es im Zentrum nicht ruhiger geworden.

b 1 Wenn das Hotel doch saniert gewesen wäre!
2 Wenn wir uns bloß nicht mit dem Auto verfahren hätten!
3 Wenn wir nur die Kuppel der mittelalterlichen Kuppel hätten besteigen können!

c 1 stolz auf
2 bekannt für
3 von ... begeistert
4 interessiert an
5 bei ... beliebt

3 Kommunikation

1 dort immer beliebter
2 jeder dran teilnehmen
3 auch für unsere Stadt ideal
4 noch nicht so überzeugt
5 dass sich unsere Stadt auch dafür eignet

LÖSUNGEN DER LEKTIONSTESTS

LEKTION 7

1 **Wortschatz**
1 Fernbeziehung
2 Single
3 Patchwork-Familie
4 Neugier
5 Alleinerziehende

2 **Grammatik**
a 1 hätten
2 für
3 seien
4 sei
5 von
6 zu
7 gewesen sei
8 hätten ... reagiert
9 hätten
10 zu

b 1 Wer keine Ratschläge annehmen will, dem ist nicht zu helfen.
2 Wem man die Hand gibt, dem sollte man in die Augen sehen.
3 Wen ich nicht mag, den lade ich auch nicht zu meinem Geburtstag ein.

c 1 Je jünger man ist, desto/umso öfter verliebt man sich.
2 Je besser man sich versteht, desto/umso stabiler ist die Beziehung.
3 Je älter man wird, desto/umso mehr Erfahrung hat man.

3 **Kommunikation**
1 gibt Auskunft über
2 hat ... zugenommen
3 doppelt so viele
4 aussagen soll
5 im Vordergrund
6 einen anderen Vorschlag

LEKTION 8

1 **Wortschatz**
1 Mindesthaltbarkeitsdatum
2 verzichten
3 überschritten
4 verzehren
5 Verpackung
6 vernichten

2 **Grammatik**
a 1 Es soll inzwischen auch vegetarische Hamburger geben.
2 Diese Hamburger sollen wirklich gut schmecken.
3 Der Boxer McTybone soll seinen Salat früher selbst angebaut haben.
4 Leonardo da Vinci, Franz Kafka und Albert Einstein sollen Vegetarier gewesen sein.

b 1 ein ... Gewürz; Auch wenn ... Kochen
2 Selbst ...; eine ... Verschwendung
3 Obwohl; Der Hersteller; Ablauf
4 Trotz; Apfelernte

3 **Kommunikation**
A Unserer Meinung nach gibt es ...
Die Idee, gesundes Gemüse ...
B Hier sehen Sie ein Beispiel, wie ...
Wir möchten Ihnen jetzt zeigen, wie ...
C Ihre Meinung zu diesem Projekt ...
Denken Sie, dass ...

LEKTION 9

1 **Wortschatz**
1 Studienfächer
2 Dozenten
3 Studienabschlüsse
4 Vorlesungsverzeichnis
5 Kommilitone
6 Mensa
7 Fachliteratur

2 **Grammatik**
a 1 Paul plant ein Auslandssemester. Folglich bewirbt er sich um ein Erasmusstipendium.
2 Manche Städte wie Freiburg, Hamburg oder München sind so beliebte Studienorte, dass es sehr schwer ist, dort eine günstige Unterkunft zu finden.
3 Der Fachbereich wird erweitert. Infolgedessen können sich mehr Studierende dafür einschreiben.
4 Für eine Seminararbeit sollte man zuerst eine Gliederung entwerfen, sodass der Aufbau der Arbeit dann logisch und übersichtlich ist.
5 Infolge des sehr hohen Arbeitsaufwands bei technischen Studiengängen geben einige Studierende das Studium nach kurzer Zeit wieder auf.

b 1 machen, absolvieren
2 zu knüpfen, herzustellen
3 erweitern, vertiefen
4 tragen, übernehmen
5 diskutieren, stellen
6 ausarbeiten, halten

3 **Kommunikation**
1 genau
2 weniger
3 ganz
4 leider
5 kaum
6 selbstständig
7 anstrengend

LÖSUNGEN DER LEKTIONSTESTS

LEKTION 10

1 Wortschatz

1 der Rabatt
2 die Umsetzung
3 die Enttäuschung
4 der Gutschein
5 die Investition
6 das Ehrenamt
7 der Beteiligte
8 der Betreiber

2 Grammatik

a 1 Dieses Buch ist leider nicht mehr lieferbar.
2 In der Picasso-Ausstellung lassen sich Führungen für Gruppen vereinbaren.
3 Der zugesagte Liefertermin ist unbedingt einzuhalten.
4 Bei unserem Reinigungsservice lässt sich viel sparen.
5 Theos Geschichten sind wirklich unglaublich.

b 1 Im Herbst wird mit der Apfelernte begonnen.
2 Den Apfel-Pflückern wird zu ihrem Erfolg gratuliert.
3 Am Abend wird mit Musik für Stimmung beim Fest gesorgt.

3 Kommunikation

1 verlockendes
2 klingt
3 inbegriffen
4 Einmaliges
5 anbieten
6 funktionieren

LEKTION 11

1 Wortschatz

1 der Verband
2 das Virus
3 die Nebenwirkung
4 die Vorbeugung
5 der Bluthochdruck
6 das Symptom

2 Grammatik

a 1 man
2 man
3 einem
4 nichts
5 jemand
6 man
7 irgendeiner
8 irgendwelche

b 1 Durch häufiges Üben kann man fast alles lernen.
2 Indem man regelmäßig trainiert, verbessert man seine Kondition.
3 Dadurch, dass Tom krank wurde, konnte das Projekt nicht beendet werden.
4 Statt der Behandlung von Symptomen sollte man sich mehr auf die Ursachen von Schmerzen konzentrieren.
5 Ohne dass Medikamente eingenommen werden, können manche Krankheiten nicht geheilt werden.

3 Kommunikation

1 weh
2 ziehenden
3 übertrieben
4 Nerv
5 Rezept
6 Salbe

LEKTION 12

1 Wortschatz

1 Herausforderung
2 Bedürfnis
3 abbrechen
4 zur Mündung
5 bewusst
6 beherrschen

2 Grammatik

a 1 in den Schweizer Alpen entspringende
2 als schwer verständlich bezeichneten
3 den Sportlern applaudierende

b 1 dagegen / im Gegensatz dazu
2 Während

c 1 Angestellter; 2 Vorgesetzter; 3 Anwesenden

d 1 das Diskussion**s**thema
2 die Muttersprache
3 die Prüfung**s**frage
4 der Hörtext

3 Kommunikation

A In unserem Heimatland ...
Wir haben als Zielgruppe ...
B Es gibt jeden Tag eine Fülle ...
Wir reisen hauptsächlich ...
C Könntet ihr bitte noch einmal ...
Einen Punkt habe ich nicht ...

Quellenverzeichnis Arbeitsbuch

Cover: © Bader-Butowski/Westend61/Corbis

S. 9: © Thinkstock/iStock
S. 10: © Thinkstock/Fuse
S. 11: oben: © iStockphoto/Stalman; unten: © iStockphoto/Yuri_Arcurs
S. 12: © iStockphoto/Nikola Miljkovic
S. 13: © iStockphoto/attator
S. 14: © istockphoto/redmal
S. 15: © iStockphoto/victorhe2002
S. 17/18: Wie man Freunde fürs Leben findet: © Elite Partner/Dr. Wolfgang Krüger
S. 19: © Thinkstock/Photodisc
S. 20: © www.Tigerfriends.com
S. 21: © Thinkstock/Hemera; Text aus „Anni und Boo", Johannes Weiland, 2003 © Filmakademie Baden-Württemberg GmbH
S. 26: © Thinkstock/iStockphoto
S. 27: © Thinkstock/Pixland
S. 28: © fotolia/contrastwerkstatt
S. 29: Entspannungspausen-Tipps: © www.zeit.de
S. 31: © Thinkstock/Creatas
S. 32: © Shotshop.com/marcus
S. 35: © Thinkstock/iStockphoto
S. 38: oben: © fotolia/Robert Kneschke; unten: © Thinkstock/Hemera
S. 39: oben: © Speed-Der Film; unten: © Panther-Media/Dmitry Kalinovsky
S. 43: oben: © Thinkstock/iStockphoto; unten: © iStockphoto/wdstock
S. 44: alle: © Hueber Verlag/Erol Gurian
S. 47: © Thinkstock/iStockphoto
S. 49: © picture alliance/Sueddeutsche Zeitung Photo/ Alessandra Schellnegger; Interview von Linda Tutmann „Auch mit Kopftuch kann man die Hosen anhaben" aus Focus Schule, 08.04.2011 © Magazin Schule, www.magazin-schule.de
S. 50: © Thinkstock/Wavebreak Media
S. 51: © Thinkstock/iStockphoto
S. 52: oben: © Suhrkamp, © Thinkstock/iStockphoto; unten v.l.n.r. © iStock/Stalman, © Thinkstock/ Banana Stock, © iStockphoto/kevinruss, © PantherMedia/Yuri Arcurs
S. 53: oben: © Thinkstock/Digital Vision; unten: © PantherMedia/Thomas Kohring
S. 55: unten © Thinkstock/iStockphoto; Plakat Kokowääh © barefoot films GmbH / Béla Jarzyk Production GmbH / Warner Bros. Entertainment GmbH
S. 56: Gedicht „lichtung": Ernst Jandl, poetische Werke, hrsg. von Klaus Siblewski © 1997 Luchter-hand Literaturverlag, München, in der Verlags-gruppe Random House GmbH
S. 59: oben: © iStockphoto/vgajic; unten links: © iStockphoto/Donna Coleman; unten rechts: © Thinkstock/iStockphoto
S. 60: © Thinkstock/iStockphoto
S. 61: oben: © Thinkstock/iStockphoto; unten: © iStockphoto/ImagesbyTrista, © Thinkstock/ Digital Vision, © Thinkstock/iStockphoto
S. 63: © Thinkstock/iStockphoto
S. 64: oben: © PantherMedia/Ferli Achirulli; unten: © Digitalstock/V. Goegele
S. 65: oben: © Hueber Verlag/Florian Bachmeier; unten: © Thinkstock/iStock/tyler olson
S. 66: alle © HWK-Stuttgart, Leonardo da Vinci-Projekt „Team Volterra"
S. 67: oben: © HWK-Stuttgart, Leonardo da Vinci-Projekt „Team Volterra"; unten: © iStockphoto/ Alberto Pomares
S. 68: © Thinkstock/Stockbyte
S. 69: © www.vorstudium-kunst.de
S. 71: oben: © www.theater-wuerzburg.de; unten: © Thinkstock/iStockphoto
S. 78: © Thinkstock/iStockphoto; Model-Bilanz: © www.brigitte.de
S. 79: oben: © RelaXimages.com 2011; unten: © Thinkstock/iStockphoto
S. 82: oben: © Thinkstock/iStockphoto; unten: © Thinkstock/iStockphoto
S. 83: © Thinkstock/Brand X Pictures
S. 87: oben: © Thinkstock/Wavebreak Media; unten: © Thinkstock/iStockphoto
S. 88: oben: © Medico&Vital Center; unten: © Hueber Verlag/Katharina Huber; Meersalz-grotte in Baden-Baden: © http://www.baden-baden.de/gesundheit-kur-wellness/salina-meersalzgrotte/
S. 91: Stadt(ent)führung Dresden, Text und Bilder: © Kerstin Klauer-Hartmann; unten: © Think-stock/iStockphoto
S. 92: oben: © Thinkstock/iStockphoto; unten: © fotolia/Thomas Reimer
S. 95: von oben: © fotolia/paul prescott, © iStockphoto/Loic Bernard, © Thinkstock/ iStockphoto, © fotolia
S. 96: von oben: © Thinkstock/iStockphoto, © fotolia/Werner Heiber, © PantherMedia/ Dieter Brockmann
S. 97: Was ist diese Woche in Zürich los: © www.zuerich.com
S. 98: A © Liechtenstein Marketing, B © Liechten-steiner Alpenverein, C © iStockphoto/Dirk Baltrusch, D © Thinkstock/Hemera, E © Panther-Media/Ruslan Olinchuk, F © Bankenverband Liechtenstein
S. 100: © fotolia/ photo 5000
S. 101: v.l.n.r.: © Thinkstock/iStockphoto, © irisblende. de, © Clipdealer/Darren Baker, © Thinkstock/ Purestock
S. 107: © Enno Kapitza
S. 111: Thinkstock/iStock
S. 116: oben von links: © PantherMedia/Verena Scholze, © fotolia/Olaru Radian, © Thinkstock/ AbleStock.com; unten © fotolia/Thomas Aumann
S. 118: von links: ©Thinkstock/iStock (2x), © Think-stock/Stockbyte
S. 119: Text „Poetry Slam" von Pierre Jarawan, http:// jetzt.sueddeutsche.de/texte/anzeigen/564124/ Wieder-romantisch; Foto © Uwe Lehmann |

Photographiemanufaktur, www.photographie-manufaktur.de; unten © Thinkstock/iStock
S. 120: „Mein Toaster“ aus Hellmuth Opitz, Die Dunkelheit knistert wie Kandis © Pendragon Verlag, 2011
S. 123: © fotolia/ConnyKa
S. 125: oben © fotolia/Ivan Floriani; unten © dpa picture-alliance/Movienet Film GmbH
S. 126: Text „Exklusiver Kochkurs bei Ihnen zuhause“ mit freundlicher Genehmigung der Jochen Schweizer GmbH, www.jochen-schweizer.de, Foto © Thinkstock/Christopher Robbins/Digital Vision
S. 127: oben © iStock/Santje09; unten © Panther-Media/Heike Rau
S. 128: © fotolia/PhotoSG
S. 129: oben © fotolia/Henry Schmitt; Mitte © Think-stock/Creatas Images; unten © fotolia/Trueffelpix
S. 130: links © fotolia/Robert Kneschke; rechts © PantherMedia/Manfred Rimkus
S. 131: © fotolia/Battrick
S. 132: oben: Packung © iStock/ferliStockphoto, Haferflocken © Thinkstock/iStock; Mitte © Panther-Media; unten © Thinkstock/iStockphoto
S. 134: © Bundesverband Deutsche Tafel e.V.
S. 135: © fotolia/Tommaso Lizzul
S. 139: © iStock/Chris Schmidt
S. 140/41: Text „Uni-Veranstaltungen“ mit freundlicher Genehmigung von Dr. Karl-Heinz Jäger, https://home.ph-freiburg.de/jaegerfr/Index/der_kleine_unterschied.htm
S. 143: oben © Getty Images/Stockbyte/George Doyle; unten © Thinkstock/iStock
S. 144: Text „Sprachhürde Ade“ © College Contact, www.auslandssemester.net; Karte © Think-stock/Digital Vision; Pass © Thinkstock/iStock
S. 146: Text und Fotos © Daniel DeRoche, www.unifr.ch/startingdays
S. 148: Text „Was das Studentenleben kostet“ © Deutsches Studentenwerk, www.internationale-studierende.de, Stand 19. Sozialerhebung, Stand Mai 2009; oben © fotolia/Radu Razvan; unten © Thinkstock/iStockphoto
S. 149: © 2009 GuidoAugustin.com GmbH, www.univativ.de (Foto: © Thinkstock/iStock)
S. 150: von oben: Florian Bachmeier, Schliersee, © iStockphoto/jacomstephens, © Thinkstock/Jack Hollingsworth, © Thinkstock/IS Stock/Valueline, Florian Bachmeier, Schliersee
S. 151: © Thinkstock/iStockphoto
S. 155: © messenger Transport & Logistik GmbH
S. 159: © Thinkstock/Wavebreak Media
S. 162: © PantherMedia/Sven Andreas
S. 164: oben © Thinkstock/Polka Dot/IT Stock Free; unten © Thinkstock/iStock
S. 166: oben © Thomas Dashuber; unten © action press/Everett Collection
S. 167: oben © fotolia/K.-P. Adler; Mitte © Thinkstock/iStock; unten © PantherMedia/Elena Elisseeva
S. 168: Text „Die Dienstagsfrau“ von Roland Fritsch, www.rolandfritsch.de
S. 171: © iStock/lenad-photography
S. 173: links: © fotolia/Hubert26; rechts: © action press/Collection Christophel
S. 174: © fotolia/Gina Sanders
S. 175: © fotolia/VRD
S. 176: © Thinkstock/iStock
S. 177: © Thinkstock/iStock
S. 178: © Thinkstock/iStock
S. 179: © Thinkstock/iStock
S. 180: von oben: © PantherMedia/Yuri Arcurs, © iStockphoto/J-Elgaard, © PantherMedia, © fotolia/Uwe Bumann
S. 182: beide Fotos © Thinkstock/iStock
S. 183: oben: mit freundlicher Genehmigung der Schramm Film Koerner & Weber; unten © fotolia/Henrie
S. 187: © PantherMedia/diego cervo
S. 188: Text „Deshalb habe ich aufgegeben“ © www.blick.ch, 14.05.2012; © Andrea Badrutt, mit freundlicher Genehmigung von Ernst Bromeis
S. 189: Karte © fotolia/artalis; unten © fotolia/Mihai Musunoi
S. 190: © Thinkstock/iStockphoto
S. 193: Text „Ausgewanderte Wörter“ aus dem Buch „Ausgewanderte Wörter“ © Hueber Verlag; Foto © Susu Petal; http://susupetal.wordpress.com
S. 195: © PantherMedia/Gabriele Willig
S. 196: © Thinkstock/iStockphoto
S. 197: oben von links: © iStockphoto/rgbspace, © Thinkstock/Wavebreak Media, © Thinkstock/iStock; unten © Thinkstock/iStock
S. 198: von links: © iStock/pixdeluxe, © Thinkstock/Pixland/Jupiterimages, © PantherMedia/Thomas Ix, © Thinkstock/iStockphoto
S. 199: Text „Kommunikation im Krankenhaus“ von Lin Freitag, Süddeutsche Zeitung vom 12.07.2013, oben © Asklepios; unten © www.der-koeln-shop.de

Quellenverzeichnis Arbeitsbuch-CD

Track 27: mit freundlicher Genehmigung von Kenta Kuhne
Track 43: „Mein Toaster“ aus Hellmuth Opitz, Die Dunkelheit knistert wie Kandis © Pendragon Verlag, 2011
Track 61 und 62: „Die Dienstagsfrau“ von Roland Fritsch, www.rolandfritsch.de
Track 70: „Schweizer und ihre Sprache: Isch guat g'si?“ © wissen.de
Track 71: „Doppelpass? Junge Menschen aus Rhein-Main berichten“ von Pitt von Bebenburg, Frankfurter Rundschau vom 02.05.2011 (Die Namen wurden von der Redaktion geändert).